CRIMEZONE.NL
INTERVIEWT

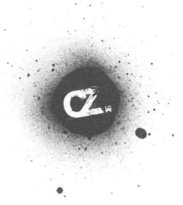

CRIMEZONE.NL INTERVIEWT
Omslagontwerp: Studio Imago, Emile Doorman
Vormgeving en opmaak: Studio Imago

All photographs cover(s) and interior © Tom de Bree
Except: Elizabeth George (© A.W. Bruna),
Joy Fielding (© David Leyes),
Donna Leon (© Regine Mosimann),
Annet de Jong (© Leo van der Noort)

Dit is een uitgave in de serie Crimezone-specials van Crimezone.nl
www.crimezone.nl

1e druk 2009

ISBN: 978 90 475 1194 6 (NUR 332)

© 2009 Unieboek

INLEIDING

De afgelopen decennia ben ik in de gelegenheid geweest om voor diverse kranten, tijdschriften en tv-programma's minstens duizend mensen te interviewen. Hun beroepen varieerden van uitvinder, astronaut, oesterkweker en captain of industry tot zanger, fotomodel, striptekenaar en filmster. Onder hen waren beroemdheden als Arnold Schwarzenegger, Harrison Ford, Raquel Welch, Olivia Newton John, Charles Schulz (The Peanuts) en het duo Hanna & Barbera (Tom & Jerry). Tijdens alle interviews heb ik geprobeerd om zowel informatie over het vakgebied als puur menselijke achtergronden en motivaties boven water te krijgen. Wat daarbij opviel was de diep doorvoelde passie waarmee alle geïnterviewden spraken over hun grootste hobby, hun werk. Passie was ook het sleutelwoord tijdens de talloze gesprekken die ik de afgelopen jaren had met thrillerauteurs uit binnen- en buitenland. Schrijvers die veelal een jaar van hun leven in afzondering achter hun pc hadden gezeten om hun nieuwste thriller nog beter, mooier en spannender te maken dan hun vorige. Creativiteit is meedogenloos. Het verslindt elke vorm van sociaal gedrag. Alleen de periode na het voltooien van een boek biedt schrijvers daadwerkelijk ontspanning. Tijdelijk, want ook de promotie van het boek vergt veel tijd en in de verte grijnst de deadline van het volgende boek.

In die schemerzone, waarin de schrijfdiscipline tijdelijk was losgelaten, vonden de meeste interviews plaats. De sfeer was ontspannen, de geest mocht waaien. De thrillerauteurs spraken met graagte over hun passie, het schrijven. Daarbij schroomden zij niet om vrijmoedig over hun diepste angsten te praten, terwijl ook de vreugdevolle en ontroerende momenten niet onbesproken bleven.

In *Crimezone.nl interviewt* zijn 33 gesprekken opgenomen met de belangrijkste en meest veelbelovende schrijvers van dit moment. Voor het getal 33 is geen andere rechtvaardiging dan dat het prachtig past in de reeks 11 Stedentocht, Route 66 en 99 Luftballons. Hoe weinig mysterieus kan een raadsel soms zijn.

Bij de selectie van de interviews is gezocht naar diversiteit. De ene auteur schrijft uit innerlijke drang, de ander uit therapeutische overwegingen en een derde uit de behoefte te entertainen. Het boek is dan ook een caleidoscoop van de meest uiteenlopende karakters en beweegredenen.

Met veel van de auteurs die in dit interviewboek staan, is meerdere malen gesproken, waardoor de portretten vaak meer zijn dan momentopnames. Wel momentopnames zijn de foto's van de auteurs, die meestal in korte tijd geschoten moesten worden. Maar omdat gezichtsuitdrukking, ogen en houding onmiskenbaar het karakter van iemand verraden, zeggen de foto's minstens zoveel als de teksten. *Crimezone.nl interviewt*: 33 verbale en visuele dubbelportretten.

Kees de Bree (hoofdredacteur Crimezone.nl)

INHOUD

APPIE BAANTJER

"mijn leven is een kabbelende stroom geweest, zonder stroomversnellingen of watervallen"

Hij is de best verkopende misdaadauteur van Nederland. Een monument, een instituut, een icoon. Hij is 85 jaar oud en heeft een eigen museum. Van zijn zeventig politieromans met rechercheur De Cock in de hoofdrol werden meer dan zeven miljoen exemplaren verkocht. Geboren in Urk en het geluk gevonden in Amsterdam waar hij als diender aan het fameuze Bureau Warmoesstraat de inspiratie vond voor een tweede carrière als schrijver. Ik tref Appie Baantjer in zijn riante huis in Medemblik, een blozende man die sprankelt en bruist. Een man die graag lacht en relativeert. Een vat vol anekdotes. Hij leeft volkomen in het heden, maar geniet van de herinneringen aan vroeger waarin pooiers, hoeren, kwartjesvinders en dienders nog respect hadden voor elkaar, waarin normen en waarden nog niet verworden waren tot loze kreten en waarin menselijkheid de boventoon voerde. Een man met begrip voor de zwakkeren die leven aan de onderkant van de maatschappij. Een mensenmens.

GODS HAND

Cornelis Appie Baantjer werd op 16 september 1923 geboren op Urk, een streng gereformeerde gemeenschap waar veel mannen de kost verdienden op zee, waar moeder de scepter zwaaide en waar meisjes al vroeg kinderen kregen en trouwden. De jonge Appie Baantjer voelde zich er helemaal thuis. "Een heerlijke gemeenschap. Mijn ouders leefden nog en mijn moeder was de oudste van elf kinderen. Ik heb ooms en tantes die jonger zijn dan ik. Ik was vaak bij mijn grootmoeder en grootvader, daar voelde ik me helemaal thuis. Urk was een eldorado voor kinderen. Ik was omringd door soortgenoten. Mannen verdwijnen naar zee en komen dan de eerste tijd niet meer terug. In die tussentijd voeren de vrouwen het beleid. De Urkse vrouwen zijn dan ook als eersten geëmancipeerd. Mijn oude grootvader was een heel gelovig man, een trouw lid van de kerk met zo'n mooie uitstraling. Ik vond hem veel meer vader dan mijn eigen vader. Ik noemde hem ook toate, da's Urks voor vader. Op zaterdagmiddag hield hij een ziekenuurtje. Dan ging hij de mensen langs en sprak hen vol overgave toe. Hij sprak ook vanaf de kansel, zelfs tijdens de bitterste kou, en ook dan luisterde je naar die man. Hij vertelde uit het blote hoofd waar hij Gods hand in gezien had en dat was in heel veel, want Gods hand was overal."

Ook de moeder van Appie was strenggelovig. "Mijn moeder had een grote Bijbelkennis. Ik ben dan ook grootgebracht met Bijbelteksten. Mijn moeder had ze pasklaar paraat, voor elke tijd en voor elke gelegenheid. Die zijn blijven hangen. In mijn boekjes kom je veel van die uitspraken van mijn moeder tegen. Het mooiste was dat mijn moeder me vaak strafte en dreigde met straf die veel verderging dan het wetboek van strafrecht, haar straffen gingen verder dan levenslang. De eeuwige verdoemenis die me te wachten stond, ja. Mensen kunnen daar vreselijk ongelukkig van worden, haha. Dat geldt gelukkig niet voor mij. Ja, er werd veel gedreigd met de hel. Nou is die hel later wat milder geworden in mijn ogen."

Ondanks de onbezorgde jeugd van Appie zag de toekomst er minder rooskleurig uit. Door inpoldering en de aanleg van dijken werd Urk in 1939 voorgoed eiland af, waardoor een toekomst als visser van de baan was. Verder kondigde de Tweede Wereldoorlog zich aan waardoor de werkloosheid enorm was. Toen Appie na de oorlog uit Duitsland terugkwam, waar hij gewerkt had, had zijn vader voor zijn toen 21-jarige zoon bij de Amsterdamse politie gesolliciteerd. "Ik vroeg hem verbaasd wat ik bij de politie moest doen. 'De wet handhaven,' riep hij, 'het gezag handhaven.' Ik zei: 'Welk gezag dan?' Hij keek me ernstig aan en zei toen: 'Het gezag van je geweten.'" Dat heeft me toen wel geraakt. Ik vond toen, en ook nu nog, dat mijn geweten een betere norm was dan het wetboek van strafrecht. Dus toen ik diender was deed ik wel eens dingen die volgens de wet niet helemaal deugden, maar met mijn geweten was ik in het reine. Wat mij later bij het recherchewerk wel opviel was dat mensen toch mensen blijven, ondanks alles wat ze gedaan hebben. Als je met een moordenaar wordt geconfronteerd, iemand die een hoer haar keel heeft dichtgeknepen of zoiets, dan denk je in eerste instantie: die vuile rotvent. Totdat je met hem aan de praat raakt. Ik heb tijdens een verhoor ook nooit gevraagd: "Wat heb je gedaan?", maar altijd: "Waarom heb je het gedaan?" Wat is nou je drijfveer geweest dat je tot zoiets bent gekomen? Ik heb altijd geprobeerd bij dat soort mensen iets los te maken. Ik begon bijvoorbeeld over Ajax en dan zei ik dat ze een rotwedstrijd hadden gespeeld. Als zo'n man daarop reageerde had je contact, een begin van begrip. En dan ontdekte je dat zo'n moordenaar, die je eerst verafschuwde, dingen in zijn leven had die ook in jouw leven een belangrijke rol speelden. Dat is erg ontluisterend. Het kunnen boenders zijn, maar met een hele aardige kant. Dat is een niet te begrijpen tweeslachtigheid. Het is nooit zwart-wit. Ik heb zo'n dertig jaar in die Warmoesstraat rondgewandeld en ik heb ontdekt dat die figuren veel minder ver van je afstaan dan je denkt. Ik heb altijd geprobeerd om iets van de dader, de mens, te begrijpen."

DIENDER IN AMSTERDAM

Uit de boeken van Baantjer, maar meer nog uit zijn korte stukjes die hij schreef voor het *Nieuws van de Dag* blijkt hoezeer de rol van de politie is veranderd. "Ik kwam bij de politie op het moment dat alle oude politiemensen die in de oorlog fout waren geweest, eruit werden geschopt. Daar kwamen wij jongelingen voor in de plaats. Een maand opleiding heb ik gekregen, haha. Ik weet nog goed dat mijn allereerste optreden was vereist bij een verkeerstoestand. Er was een wiel van een fiets krom gereden en ik zou dan de beslissing moeten brengen. Ik wist alleen niet hoe. Maar verderop was een rijwielhandelaar en ik heb de dader en het slachtoffer meegenomen naar hem. 'Twee gulden vijftig, meneer,' zei die man van de fietsenwinkel. Ik zei tegen de dader: 'Heb je zoveel geld bij je?' Nee, zoveel geld had-ie niet. 'Hoeveel dan?' vroeg ik. 'Maar twee piek,' zei hij. Ik vraag aan die vrouw: 'Is dat genoeg voor je, want je komt toch vijftig centen tekort.' Zij knikte. Op die manier loste ik de zaken op. Ik vond de overgang van het gelovige Urk naar het vrijere Amsterdam best meevallen. Ik had een ULO-opleiding gehad dus ik sprak vrij goed mijn talen, Engels en Duits. Dat kwam mooi van pas, We hadden veel Canadezen hier in Nederland, een groep die oude mijnen en ander oorlogstuig opruimde. Die hadden verzorging nodig. Ze moesten begeleid worden en dat deed ik veel in die tijd. Dus ik werd in Amsterdam al snel geaccepteerd. En ik had één groot voordeel. Ik kon een beetje schrijven. Procesverbalen en rapporten maken waren voor mij niet zo'n probleem, maar voor de anderen wel, want politiemensen zijn niet zulke goede schrijvers. Slecht taalgebruik, vaak geijkte zinnen. Heb je een dader wel eens horen roepen: 'Ik heb enig goed dat aan een ander toebehoort weggenomen met het oogmerk om het me oneigenlijk toe te eigenen?' Ik niet in ieder geval."

SPAARNDAMMERBUURT

"Ik ben begonnen bij het Bureau Spaarndammerstraat. Dat was een echte volksbuurt. Je had daar veel klachten over en weer van buren. En roddelen over elkaar. Zo van: 'Ja, zij heeft net zoveel lullen geslikt als er klinknagels in de Hembrug zitten.' Zulk soort dingen. Het was in die tijd overigens minder heftig dan nu. Als mensen ruzie met elkaar hadden, volgde er een knokpartij en de slachtoffers kwamen nooit verder dan de eerste hulp bij ongelukken; tegenwoordig komen ze meteen op de intensive care. Ik kon het in die buurt best uithouden, maar na een halfjaar was ik aan een beoordeling toe en mijn chef van die tijd gaf mij toen een hele goede beoordeling. Dat vonden mijn collega's vreemd, omdat ik er pas een halfjaar was. Maar mijn chef hield voet bij stuk en toen moest ik van de leidinggevenden op het hoofdbureau naar Bureau Warmoesstraat. Ik ben daar van de ene op de andere dag naartoe gegaan. Ja, en daar werd ik natuurlijk geconfronteerd met hoeren en allerlei jongens van de penose."

EIGEN RECHTER

"Het Bureau Warmoesstraat waar ik toen terechtkwam was een bureau waar het wetboek van strafvordering eigenlijk niet gold. We hadden bijna een eigen wetboek van strafvordering. Ik had blanco papieren van inverzekeringstelling in mijn lade liggen. Die tekende ik gewoon zelf. Huiszoeking? Ik hoefde alleen maar een naam in te vullen. Dat is tegenwoordig ontoelaatbaar. Nu moet je bij duizend instanties langs, bij wijze van spreken. Op het bureau hadden we in het begin onze handen het meeste vol aan winkeldiefstal. En natuurlijk aan de dingen die in de cafeetjes gebeurden. De meeste cafés hadden zich gespecialiseerd in bepaalde bevolkingsgroepen, dus in de ene kwamen veel Amerikanen en in de andere Noren en in al die cafeetjes zaten animeermeiden. Die hadden nog wel eens de gewoonte om beloftes te doen die ze niet nakwamen. Nou, dan stond zo'n zeeman buiten te wachten en dan glipte die griet aan de achterkant het café uit en dan stond die zeeman te wachten met een stijve penis, terwijl zij verdwenen was. En dan werd die man kwaad en dan nam hij een steen waarmee hij het raam ingooide. En dan ging-ie de bajes in wegens vernieling. Maar dacht je dat wij er verder wat aan deden? Welnee, daar hadden we een mooie oplossing voor. We zetten die kerel de volgende dag gewoon in de politieauto en dan brachten we hem naar zijn schip. We vroegen de kapitein te spreken en vroegen hem of hij zijn zeeman terugwilde. Ja? Dat kon, voor tweehonderd piek. Dat was het bedrag dat we van de caféhouder hadden gehoord. De kapitein van het schip gaf je dan het geld en daar tekende je dan voor. De kapitein mocht zijn knecht houden en de caféhouder kreeg het geld voor zijn ruit. Daar kwam nooit een letter van op papier. Niemand die daar moeilijk over deed. Leuke tijd. Het leuke was dat het algemeen aanvaard werd. Niemand vond het gek."

RONDJE HOER

Appie Baantjer kan bijna vertederend praten over de hoeren in zijn buurt die hij stuk voor stuk kende. In een groot opschrijfboek hield hij de namen van alle hoertjes met hun personalia bij. Toen hij op een keer zag dat een van de nachthoertjes, Schele Riek, jarig was, ging hij haar van zijn bescheiden zakgeld een bloemetje brengen. Schele Riek was tot tranen toe geroerd omdat nooit eerder iemand aan haar verjaardag had gedacht. In de begintijd van Appie Baantjer was er van vrouwenhandel nog geen sprake. "De meeste hoeren op de Wallen kwamen uit Nederland en ze waren niet geronseld. Maar hoe de keuze ook tot stand kwam, een hoer was meestal een hoer voor haar hele leven. Als ze eenmaal hoer was, kon ze bijna nergens anders in de maatschappij meer terecht. En er was een grote saamhorigheid onder die hoeren onderling. Men kende elkaar alleen maar via bijnamen, maar men hielp elkaar als dat nodig was. Ik had een groot bijnamenboek. Je had Cor Kut, Magere Josje, Manke Miep, Schele Riek, en ik kon goed met hen overweg. Samen met een collega maakte ik zo rond een uur of elf een rondje hoer. Dan gingen we langs de hoerenmadammen. De structuur was veel beter dan tegenwoordig. De hoerenmadam was een hoer die haar geld goed bij elkaar had gehouden en daar een pandje van had gekocht. Daar zaten dan drie of vier kamertjes in en daar zette ze dan weer hoertjes in. De helft van wat ze verdienden was voor de hoerenmadam. Ze was dan ook erg geïnteresseerd hoeveel klanten er langskwamen, want dat betekende voor haar ook inkomsten. Daar stond tegenover dat ze goed voor haar meiden zorgde. Ze kregen op tijd een kopje koffie en een sneetje brood. Er was echt een soort saamhorigheid. En wij als politie hadden een goeie stok achter de deur om dat zo te houden. Als er een van die hoeren bijvoorbeeld jatte en er werd aangifte gedaan, dan gingen we naar die hoerenmadam en zeiden: 'Hoor eens Mientje, wat wil je? Wil je post voor de deur?' Als er post voor de deur kwam, dan kwam er een diender twee uur voor de deur staan en die werd dan weer opgevolgd door de volgende diender. Dan kwamen er natuurlijk geen klanten meer, maar ook de hoerenpandjes ernaast hadden er last van. Dus die hoerenmadam zorgde er wel voor dat Ria verdween of nooit meer jatte. En je had natuurlijk wel pooiers, maar dat waren heel andere types dan tegenwoordig. Er was een gezegde onder de hoeren die zei: 'Een pooier wordt niet geboren, die wordt gemaakt.' Die hoeren probeerden een mooi mannetje te versieren, mooie pakkies aan te trekken, gaven hem een autootje, mocht-ie samen met haar naar het strand, zodat ze allebei een mooi bruin kleurtje kregen en dat iedereen jaloers was dat zij zo'n mooie gozer aan de lijn had. Er zaten natuurlijk harde jongens tussen, maar ik heb ook meegemaakt dat ik bij een hoer kwam die wist dat ik van modeltreinen hield. Ze zei: 'Ga effe bofe kijke bij Willem'. Nou, ik naar boven en daar zat Willem met een elektrisch treintje te spelen, terwijl z'n vrouw beneden zat te pezen." Appie lacht uitbundig. "Hahaha, mooie tijd. De meeste van die meiden hadden overigens een goed hart. Die wilden niet dat hun kinderen in hetzelfde vak terechtkwamen. Dan werden die kinderen uitbesteed aan 'nette' gezinnen. Dat kostte een enorme schep geld, maar dat verdienden ze met die hoerderij wel terug."

Vroeger of nu, daar waar criminaliteit een rol speelt, ligt omkoping op de loer. Ook Appie werd ermee geconfronteerd. "Er waren in die tijd veel gokbaasjes, met name de

Chinezen golden enorm onder elkaar. We kwamen vaak op visite. Maar je moest nooit geld van hen aannemen, want dan was je verkocht. Als je bij een Chinees komt en die zegt: 'Bami net klaar', nou dan eet je wat. Maar als je een volgende keer komt, dan ligt er honderd gulden onder het bord. Dan moet je zeggen: 'Hee, je gaat wat slordig met je centen om, want ik vind hier toevallig een biljet.' Die grens moet je voor jezelf stellen. Ik ga overigens niet schimpen op collega's, want er zijn omstandigheden waardoor het heel verleidelijk is om het geld te pakken. Voor mij was dat anders, want ik verdiende bij met schrijven. Toen ik later met pensioen ging, verdiende ik netto meer dan de hoofdcommissaris bruto."

EERSTE ARTIKELEN

"Ik ben begonnen met schrijven naar aanleiding van een hele mooie dienst die we draaiden, die heette 5 x 8. Radio aan boord van de auto en in contact met centrale posten. Assistentie binnen de vier minuten. Er was natuurlijk toen nog bijna geen verkeer, toen kon dat nog. Omdat het zo'n succes was, kregen we vaak journalisten mee en als ik dan de volgende dag in de krant las wat zo'n journalist van zo'n voorvalletje gemaakt had dat wij behandeld hadden, dan dacht ik, ja dat kan toch veel smeuïger. Samen met mijn maat Marinus van Dijk, die voor het *Algemeen Politieblad* schreef, hebben we toen zelf artikelen geschreven. Het boekje met die 5 x 8-verhalen kwam in 1959 uit. Drieduizend zijn ervan gedrukt en tweeduizend kwamen er bij De Slegte terecht. Dus dat flopte. Maar, op een zondag zei mijn moeder dat er een wedstrijd voor het schrijven van een kort verhaal in *Het Parool* stond. Ze bleef aandringen en uiteindelijk gaf ik toe: ik schreef een verhaal en zij stuurde het in, onder haar naam. Het was een verhaal over de gelijkvormigheid van flatjes. Later werd mijn moeder gebeld door Conny Stuart die zei: 'O, mevrouw Baantjer, u heeft talent.' Mijn moeder kreeg een eerste prijs. Die heeft ze toen met mij gedeeld. Toen ben ik korte verhalen gaan schrijven. Daar ben ik mee terechtgekomen bij de toenmalige uitgeverij Amsterdam Boek op de Stadhouderskade. Ik wist niet wat de economische waarde van een verhaal was. Ik hoopte op 25 gulden voor een verhaal en als ik dan twintig stukjes zou aanbieden, had ik vijfhonderd piek, een maandsalaris. Enfin, ik kwam daar bij John Bakkenhoven en die hemelde me op en die zei: 'We brengen uw verhalen in de *Revue* en we hadden gedacht u daar 250 gulden per verhaal voor te geven.' Gigantisch, zeker voor die tijd. Ze wilden er ook nog een boekje van maken en dat zou weer een enorm bedrag opleveren. Ik kwam thuis en vertelde het aan mijn vrouw en die zei: 'Appie, wacht nou eerst effe af tot de centen binnen zijn.' Ja, mooie tijd!" Appie Baantjer komt in zijn korte artikelen die hij voor de *Nieuwe Revue* schreef, en vanaf 1975 ook voor *Het Nieuws van de Dag*, naar voren als een antiautoritair persoon. Een eigenschap die ook De Cock duidelijk uitdraagt. "Ja, maar je moet bedenken dat ik bekendstond als een schrijvertje op het bureau. Ik had heel wat collega's op straat, die in conflict kwamen met de maatschappij en met justitie. En die hadden geen uitlaatklep. En dan kwamen ze naar mij toe en zeiden: "Ap, wat ze nou weer uithalen." Nou, en als ik dacht er zit een grond van waarheid in hun verhaal, dan volgde ik hun betoog en schreef erover."

Het antiautoritaire karakter zat overigens niet alleen bij Appie Baantjer ingebakken. Als jonge diender werd het gedrag hem al op een presenteerblaadje aangeboden op het bureau. "Ja, er waren eigen methodes. Die oude brigadiers hadden een bloedhekel aan lange verhoren en verbalen. Ze pakten vaak een dader, een slachtoffer en eventueel een getuige op en die deden ze alledrie bij elkaar in de cel. En dan zeiden ze: 'Worden jullie het maar met elkaar eens en als je eruit bent, dan moet je effe bellen.'" Een bijzonder sterk staaltje van de eigen methode Bureau-Warmoesstraat ervoer Appie toen hij, als piepjonge cellenwachter, meemaakte dat een spiritusdrinker in de cel overleed. "Het was een aardige man. Ik kletste wel eens met hem. Maar ja, toen lag-ie dood in de cel. Dat gaf onmiddellijk een hoop herrie. Dus ik meteen met de commissaris gebeld. Die kwam en zei: 'Waar is het dagelijks rapport?' Nou, dat zat nog in de schrijfmachine. Dat moest meteen verscheurd worden. Hij zei: 'Deze man is hier nooit geweest.' Twee dienders kregen de opdracht om die dooie man ergens op een heel klein grasveldje neer te leggen. Toen belde hij de GGD en zei: 'Wat er nou gebeurd is! Er ligt plotseling een dooie man op een grasveld.' Nou, die man werd gewoon weggehaald en ja, daar sta je dan als jonge diender. Hebben ze je toch ingepakt."

DE COCK

Begin jaren zestig besloot Appie Baantjer zich op het langere werk te storten. Zijn eerste politieroman *Een strop voor Bobby* was een boek met een boodschap. Appie wilde het publiek laten weten voor welke dilemma's de politieagenten vaak komen te staan. In de roman zijn veel van zijn eigen ervaringen en frustraties verwerkt. Een bijrol is weggelegd voor een rechercheur met de bijnaam De Cock. "Ik schreef het in de ik-vorm. Maar later dacht ik bij mezelf, je kan een hele tijd graven in jezelf, maar daar komt eens een einde aan. Enne, ik kende een oude rechercheur, een klein parmantig mannetje, dat zo'n aureool van onschendbaarheid om zich heen had. Zo'n man van wie je dacht dat hij alles wist. En die heette Den Haan. Hij was in de oorlog bij het verzet geweest en toen liet hij zich Le Coq noemen, het Frans voor haan. Toen we daarna die 5 x 8-wagens kregen met radio aan boord, hadden we een jonge inspecteur die Hock heette en die zei altijd door de radio: 'Hier met Hock met c k'. En die twee heb ik bij elkaar gevoegd tot De Cock met c o c k. Door voor De Cock te kiezen kon ik in de derde persoon schrijven. Bovendien had ik toen het voordeel dat ik Vledder kon introduceren waardoor ik een vent tot mijn beschikking had die ik als publiek kon gebruiken. Het gedrag van De Cock legde ik uit aan Vledder, maar in feite legde ik het uit aan de lezer. Nou, en dat sloeg in, dus toen ben ik blijven hangen bij De Cock. Nog een voordeel van De Cock was dat hij niet direct met mij geïdentificeerd werd. Ik zat vaak met de moeilijkheid dat ik wat we als politie in werkelijkheid deden, niet in mijn boekjes kwijt kon. Dan liep ik zelf gevaar. De Cock heeft bijvoorbeeld altijd een apparaatje bij zich, dat hij van Handige Henkie heeft gekregen om deuren te openen. Zo'n apparaatje bestaat, hoor. Nou, ik kon niet hebben dat ze dachten dat ik daar ook gebruik van maakte."

VASTE STRUCTUUR & MENSELIJKHEID

Over de kritiek op de vaste verhaalopbouw van zijn boekjes kan Appie Baantjer hartelijk lachen. "Ze hebben wel eens gezegd: 'Appie, als je één boek van jou gelezen hebt, dan heb je ze allemaal gelezen.' Dat is natuurlijk niet zo, dan kan je geen zeventig boeken schrijven. Maar een vaste structuur is gemakkelijk. De lezer vereenzelvigt zich met de figuren en wacht op vaste herkenbare situaties. Er was eens een man die zei: 'Nou Baantjer, dat laatste boek van je vond ik niet zo leuk.' Ik zeg: 'Wat mankeert er dan aan?' 'Nou,' zei hij, 'er komt maar één ruzie in voor tussen De Cock en de commissaris en anders altijd twee.' Ja, haha, hij vond die ruzies zo mooi. Daar zat-ie op te wachten. Zelf heb ik altijd gehouden van Agatha Christie en Conan Doyle (Sherlock Holmes) die hadden ook een vaste structuur.

ROUW EN GELOOF

In 2007 overleed Marretje, de vrouw van Appie Baantjer, die meer dan zestig jaar lief en leed met hem deelde. Het rouwproces was en is moeilijk. Het geloof geeft hem geen volledige steun omdat Appie met te veel vragen blijft zitten. "Ja, kijk, dat er een stoeltje in de hemel is, daar geloof ik natuurlijk niet in. Wat mij hoofdzakelijk bezighoudt is de communicatie in de hemel. Dat lijkt me zo'n moeilijke zaak, helemaal als je bedenkt dat onze lieve heer al zo'n tweeduizend jaar dood is en dat er sindsdien dus een heleboel mensen in de hemel terecht zijn gekomen. En die mensen spreken allerlei talen. Dan vraag ik me af: Wat hebben ze gemeen? Hoe communiceren die met elkaar? Hebben die nog communicatie met de mensen beneden? Dat zijn veel vragen, maar slechts weinig antwoorden. Het is maar wat je er zelf van denkt.

Het geloof is niet echt tot steun. Wat me pijn doet is het gemis. Ik ben 62 jaar met dezelfde vrouw getrouwd geweest. Dan hoef je niet veel te zeggen. Alles gaat vanzelf. Ik zeg wel eens: mijn leven is een kabbelend beekje geweest, zonder stroomversnellingen, zonder watervallen. Af en toe namen we wel eens een takje mee, maar voor de rest… Het was niet stormachtig. Vanaf het begin niet. En die geborgenheid, die zekerheid die zo'n vrouw je biedt. Dat mis ik. Dat doet pijn. Dat moet slijten. Mijn vrouw ligt hier op de begraafplaats vlakbij, Zorgvliet, en ik ga af en toe wel eens naar haar toe, maar tegen zo'n steen gaan staan praten, dat kan ik niet. Nee. Als je vrouw sterft, besef je pas wat zo'n vrouw voor je heeft betekend. Dat wij mannen eigenlijk een andere houding ten opzichte van de vrouw moeten aannemen. We moeten af en toe een rustpunt nemen om samen de rekening op te maken. Kijken wat er is. Later is het te laat."

NIEUWE RELATIE

Twee jaar geleden kwam Geertje Bos, die een gedetailleerde biografie over Appie Baantjer heeft geschreven, tijdens haar research bij Annie van den Boogaard terecht. Zij is weduwe en koestert warme herinneringen aan Appie, wiens vriendinnetje zij was tijdens de laatste maanden van de Tweede Wereldoorlog. Zij woont nog steeds in het Brabantse Mill. Dankzij Geertje zochten Appie en zijn jeugdliefde Annie elkaar op. Oude tijden herleven en ondanks het verdriet om het verlies van hun dierbaren, bloeide de liefde op alsof zij nooit was weggeweest. Met respect voor elkaars verleden. Appie vertelt vertederd over haar: "Ik heb nu omgang met een meisje dat ik heb leren kennen in 1944. Daar schreef ik gedichten voor. Mijn biografe ontdekte dat ik ooit in Mill was geweest en zij kwam die vrouw weer tegen. Het bleek dat ze die gedichten, die ik ooit voor haar schreef, nog uit haar hoofd kende. We bellen veel en ik zie haar regelmatig. Ik heb veel steun aan mijn relatie met haar. Zoals in het blad *Story* staat: ik had geen mooier liefdesverhaal kunnen bedenken."

Ondanks zijn 85 levensjaren en zijn gezondheid die hem noopt af en toe wat gas terug te nemen, lijkt Appie Baantjer actiever dan ooit. Stoppen met De Cock maakte zijn agenda duidelijk niet leger. Hij is druk bezig geweest met zijn museum en schrijft recepturen en voorwoorden voor boeken over Amsterdam. Bovendien is hij samen met auteur Simon de Waal aan een nieuwe reeks politieromans begonnen. Hij aarzelde lang, maar is de uitdaging toch aangegaan. "Ik heb eigenlijk geen zin in al te veel drukte, maar ach. Noem het ijdelheid." ■

LIZA MARKLUND

"misschien werk ik in de toekomst alleen nog maar voor unicef"

De Zweedse schrijfster Liza Marklund (1962) is naar de huidige maatstaven jong, maar heeft al een leven achter zich waar anderen drie levens voor nodig zouden hebben. Ze werkte voor een circus, trok naar Amerika waar ze auto's van de ene kust naar de andere reed, klom van journalist op tot hoofd van de commerciële tv-zender Channel 4, maakte tal van documentaires voor Unicef in de meest onaantrekkelijke uithoeken van de wereld en vervulde in meerdere posities een voortrekkersrol als feministe die de positie van de vrouw wil verbeteren. In 1998 verraste ze de wereld met haar thrillerdebuut *Springstof*. Vanaf die tijd publiceert zij de ene na de andere bestseller. Naast haar eigen romans gaat Liza Marklund samen met de Amerikaanse bestsellerauteur James Patterson spannende boeken schrijven. Al deze activiteiten maken het haar mogelijk om wisselend in Stockholm en in haar huis in het Spaanse Marbella te wonen. Een hardwerkende, bevoorrechte vrouw.

WARM EN KOUD

Ze is een oogstrelende wervelwind met lang blond haar, een gezicht dat in enkele seconden minstens tien emoties kan uitdrukken, van ernstig tot lief, van spottend en belerend tot nieuwsgierig en aandachtig en van vrolijk tot vragend. Met haar ellenlange benen en goedverzorgde uiterlijk is ze een opvallende verschijning. Toch blijft haar belangrijkste kenmerk de zelfverzekerde energie die ze uitstraalt. Dit is een vrouw die weet wat ze wil, die vecht voor haar eigen rechten en die van anderen. Soms kalm, soms opgewonden pratend in vloeiend Engels, over haar boeken, de Scandinavische roman, het verschil tussen jongens en meisjes, feminisme, macht, vreemdgaan en Unicef. Een warme vrouw uit het koude noorden.

Liza Marklund is volgens eigen zeggen haar roeping misgelopen. Ze is nu weliswaar beroemd als schrijfster, maar als zij de keuze had gehad was haar talent op een andere manier aangewend. "Toen ik jong was, wilde ik niet zozeer schrijver worden. Zangeres leek me wel iets. Ik zong heel veel in mijn eentje. In mijn gedachten was ik ook een ster, een topzangeres. Maar niemand die me hoorde, niemand die mijn talent herkende. Ik moet daarbij zeggen dat ik voornamelijk in de bossen zong, waar over het algemeen weinig scouts rondlopen. We woonden in een gehucht zonder naam, omsloten door bossen. Het lag erg afgelegen, in het uiterste noorden van Zweden op de arctische grens. Verharde wegen waren er niet en de buitenwereld kwam beperkt tot ons. We hadden op de televisie maar één kanaal en daarop waren maar tweemaal per week kinderprogramma's, op woensdag en op vrijdag. Er was geen bioscoop in de omgeving, geen theater of bibliotheek. Helemaal niets. Maar we hadden thuis wel boeken en die heb ik veel gelezen. Mijn jeugd is in die zin van invloed geweest op mijn schrijverschap, dat ik geen enkele andere optie had. Ik leefde volledig in mijn eigen fantasiewereld. Mijn ouders hebben mij niet gestimuleerd. Mijn vader was een onderhoudstechnicus van tractoren en mijn moeder werkte bij het lokale belastingkantoor. Maar ik weet niet of een mens een stimulans nodig heeft voor zijn latere beroep. Dingen moeten uit jezelf komen. Zo is de behoefte om te schrijven bij mij in ieder geval ontstaan."

CHANNEL 4

Voordat Liza Marklund begon met het schrijven van thrillers heeft zij een tijd aan het hoofd gestaan van de commerciële tv-zender Channel 4. Een periode die haar niet echt beviel omdat een vrouw aan de macht enorm veel negatieve reacties opriep bij haar ondergeschikten. "Het was haat en nijd en men probeerde de poten onder elkaars stoel vandaan te zagen. Zo wordt vrijwel iedereen. Dat is wat werken bij een tv-omroep met je doet. Het is een harde omgeving. De mensen die het voor het zeggen hebben, onder wie de populaire presentatoren, hebben zoveel macht dat ze kunnen manipuleren. En macht zorgt altijd voor problemen in een organisatie. Macht bewerkstelligt bij anderen tegenkrachten. Op de werkvloer van elke maatschappij is een soort consensus tussen de mensen. Men wil dingen houden zoals ze zijn. Zolang er niets verandert is alles prima. Maar als er iemand anders komt die hun vertelt dat ze dingen anders moeten gaan doen en die de macht heeft om dat te doen, beginnen de problemen. En omdat er tegenwoordig bij tal van bedrijven meer vrouwen op de werkvloer zijn dan mannen, sta je als leidinggevende vaak tegenover een vrouwelijk blok dat veranderingen tegenhoudt. Het is een groepsproces. Een probleem is wel dat personeel er een hekel aan heeft om opdrachten te krijgen van een vrouw. Een organisatie beseft

"personeel heeft een hekel aan opdrachten van een vrouw"

meestal niet wat voor gigantisch effect het op een bedrijf heeft als ze een vrouw aanstellen aan het hoofd. Als het dan mis gaat kan je het niemand kwalijk nemen. Twaalf jaar geleden was ik hoofd van Channel 4 en het was een harde leerschool om mee te maken. Maar goed, ik was me op dat moment ook aan het oriënteren wat betreft het schrijven van misdaadromans. Dus toen ik besloot ermee op te houden, viel ik niet in een zwart gat."

VROUWEN IN ROMANS

Naast allerlei andere drukke werkzaamheden heeft Liza Marklund inmiddels negen thrillers geschreven. Meestal met een maatschappijkritische ondertoon. En hoewel haar stijl uniek is, vertonen haar boeken duidelijk kenmerken van de Scandinavische misdaadroman. "Laat ik beginnen te zeggen dat alle misdaadromans met elkaar gemeen hebben dat ze over leven en dood gaan. Er is altijd iemand die zichzelf tot God verheft en zich aanmatigt dat hij het leven van anderen kan nemen. Het is de machteloosheid van iemand die niets anders weet te verzinnen dan een ander te doden. Dat is drama. Verder is het in de Scandinavische media momenteel een topic dat de Scandinavische thriller voornamelijk gaat over moderne vrouwen: hoe die vrouwen hun leven leiden, de kinderen van school halen, koffie zetten, hun brood verdienen, of ze nu al dan niet gescheiden zijn. Wat mij betreft is dat ten dele waar. Mijn boeken gaan niet over moorden, maar over het verschijnsel moord en alles wat met moord te maken heeft, de omstandigheden die leiden tot die moord en hoe die het leven van andere mensen beïnvloeden. Daarom beschrijf ik mijn hoofdpersonen als echte mensen met een volwaardig leven. Mijn boeken gaan over het leven zelf in al zijn aspecten. Thrillers hebben tegenwoordig meer te bieden op emotioneel gebied dan vroeger. Dat is overigens niet typisch vrouwelijk, want mannen hebben dezelfde emoties als vrouwen. Vrouwen uiten hun emoties misschien anders, maar ze zijn wel hetzelfde. Scandinavische romans kunnen beter dan de Angelsaksische romans dingen in het juiste perspectief laten zien. Niemand is een eiland, ook een moordenaar niet. We zijn sociale wezens, met familie, vrienden, kennissen, collega's. En dat is in de Scandinavische romans veel meer geïntegreerd. Dat betekent ook dat de huidige literaire misdaadromans vaak meer literatuur zijn dan mis-

"er is altijd iemand die zichzelf tot god verheft"

daadromans. De Scandinavische thrillers tenminste. Natuurlijk komt er ook genoeg actie in voor, maar niet zoveel als in de Amerikaanse thrillers. In Zweden besteden we meer aandacht aan de emoties, aan het landschap, aan de onderlinge relaties tussen mensen. Onze misdaadromans zijn veelomvattender."

LEVENSLANG

"In het boek *Levenslang* wilde ik schrijven over dingen met eeuwigheidswaarde, dingen die levenslang duren. De titel heeft zowel in het Zweeds als in het Nederlands een dubbele betekenis. Aan de ene kant heeft zij de negatieve betekenis van levenslang van je vrijheid beroofd zijn. Maar zij heeft ook een positieve betekenis: liefde die levenslang duurt. Liefde voor een kind, onvoorwaardelijk levenslang. Ik wilde een boek schrijven over dingen die 'voor altijd' zijn. En wat is tegenwoordig nog voor altijd? Een huwelijk is niet meer voor altijd. Ik ben nu voor de tweede keer getrouwd. Vriendschap is natuurlijk ook al lang niet meer voor altijd. Werk? Mensen werken niet meer hun hele leven bij dezelfde baas. Het enige wat voor altijd is, waar je niet aan kunt ontkomen, is ouderschap. Een kind opent een deur in je hart die nooit meer gesloten kan worden. En dat onderwerp wilde ik beschrijven, maar dan vanuit verschillende gezichtspunten. Dat is dus min of meer het thema geworden in dit boek.

Er is een parallel tussen de agente Julia die naar de gevangenis gaat omdat zij haar man vermoord zou hebben en de journaliste Annika die ervan wordt verdacht haar eigen huis in de as te hebben gelegd. En beide vrouwen claimen onschuldig te zijn. Dat doe ik altijd. Ik maak een verhaallijn voor het misdaadgedeelte en een aparte verhaallijn voor mijn hoofdpersoon. De beide dames maken dus eenzelfde proces door, maar vanuit andere achtergronden en vanuit verschillende gezichtspunten."

GEBROKEN HUWELIJK

In *Levenslang* wordt de hoofdpersoon Annika bedrogen door haar man Thomas die een relatie is aangegaan met zijn collega Sophia. Liza Marklund beschrijft de gevoelens en de gedachten van Thomas op gedetailleerde wijze. "Thomas is een egoïst. Van het ene moment op het andere begrijpt hij niet meer wat hij ooit voor Annika gevoeld heeft. Zelfs als haar huis afgebrand is en Annika en de kinderen dakloos over straat zwerven, denkt Thomas alleen maar aan de consequenties voor zijn eigen portemonnee. Ja, zo kunnen mannen zijn. Niet allemaal, maar ze zijn er wel. En Thomas is een lul. Annika is met een klootzak getrouwd geweest en dat is voor een deel haar eigen schuld. Ze hield van hem en ze was het verzorgende type dat zichzelf helemaal wegcijferde en niet in de gaten had wat er aan de hand was. En toen ze het merkte, stopte ze het weg. Ze wilde hem niet verliezen. Daarom is het haar schuld. Ze heeft hem geen vragen gesteld, haar eisen niet op tafel gelegd. Ze is niet voor zichzelf en haar kinderen opgekomen. Annika wist dat Thomas een maîtresse had en toch zweeg ze omwille van de goede vrede. Een gigantische fout, die veel vrouwen helaas maken. Je moet een man met zijn gedrag en misdragingen confronteren. Maar zij denkt dat ze hem kan terug veroveren. Hij is niet eerlijk, hij bedriegt haar en zij is ook niet eerlijk, want ze zwijgt over de dingen die ze weet. Daarom strandt hun huwelijk. Ze communiceren niet en dat is het grootste probleem. Annika en Thomas staan model voor duizenden huwelijken die op die manier misgaan. In wezen is de relatie tussen Thomas en Annika bedoeld als waarschuwing voor mijn lezers. Laat het niet zo ver komen, want dan is er nauwelijks een weg terug."

Via een associatieve gedachte komt ons gesprek op de film *Scènes uit een huwelijk* van Ingmar Bergman. Hierin verwijt de hoofdrolspeelster een goede vriend dat hij haar niet gewaarschuwd heeft terwijl hij wist dat haar man vreemdging. Liza: "Ik zou het ook niet zeggen. Nee. Als mijn vriendin vreemd zou gaan, zou ik haar man niet waarschuwen. Ik weet niet of ik daarmee mijn vriendschap naar die man toe zou verraden? Ik vind van niet. Als ik met zowel de man als de vrouw bevriend zou zijn, dan zou ik me daar niet mee willen bemoeien. Dan is het hun ding."

POSITIE VAN DE VROUW

Er wordt over Liza Marklund wel gezegd dat ze een feministe is. Zelf vindt ze dat absoluut waar, maar ze tekent er wel bij aan dat je ook kunt strijden voor de goede zaak zonder oogkleppen voor te hebben en alles zwart-wit af te bakenen. In haar boeken voert ze haar hoofdpersoon Annika Bengtzon dan ook als een moderne Zweedse vrouw op. "Ik wilde Annika een wijd scala aan eigenschappen meegeven. Ze is getrouwd, moeder, heeft kinderen, maar werkt veel en is ook nog ambitieus. En ik wilde haar intelligent hebben en eerlijk en een beetje wreed. Ik wilde dat ze op het werk over mensen heen denderde. Ze moest een karakter hebben dat soms akelig is, maar soms ook heel kwetsbaar. Ze huilt veel. Bovendien wilde ik dat ze zou falen en dat ze daar nog mee weg zou komen. Keihard en toch gevoelig. Een agressieve vrouw die wegkomt met vervelende trekjes en met falen, heerlijk. Dat zie ik in het dagelijks leven niet snel gebeuren, kan ik je uit eigen ervaring vertellen. Maar misschien dat vrouwen er in de toekomst wel mee wegkomen.

"mijn hoofdpersoon is keihard, maar toch gevoelig"

Waarom zou dat privilege alleen aan mannen toekomen? Ik hoop met mijn boeken bij te dragen aan de verbetering van de positie van vrouwen, aan de verandering van de maatschappij. Ik heb wel eens te horen gekregen dat ik gek ben dat ik denk dat een boek ooit zoveel invloed kan hebben. Maar toen ik het hoorde, dacht ik: Heeft die man ooit wel eens van de Bijbel gehoord? Is dat geen boek? En heeft dat boek de wereld niet veranderd? Boeken geven mensen ervaringen mee. Met sommige daarvan doe je niets, maar andere openen je de ogen en kunnen je gedrag beïnvloeden. Daar geloof ik heilig in. Zo heb ik zelf tussen mijn achtste en elfde boeken van Nancy Drew gelezen. Die gingen over vriendinnen, totaal verschillende types, die mysteries oplosten. Ik heb vroeger nooit jongensboeken gelezen. Dus vind ik het vanaf mijn jeugd heel normaal dat meisjes moeilijke zaken oplossen. Dat klinkt simpel, maar zoals ik je al vertelde, we woonden vroeger volledig afgezonderd. Nancy Drew vormde mijn wereldbeeld en wat ik leerde was dat hoe uitzichtloos dingen ook leken, je als meisje alles kon oplossen als je maar doorzette. Een les waar ik veel aan heb gehad in mijn latere leven."

"het is normaal dat meisjes moeilijke zaken oplossen"

JONGENS EN MEISJES

De wijze lessen van schrijfster Nancy Drew doen vermoeden dat Liza Marklund er vanuit gaat dat veel van het latere gedrag van kinderen in hun jeugd al is bijgebracht. Liza: "Ik heb er een heel boek over geschreven. Dat jongens meteen tegen een bal trappen als ze hem zien en meisjes de bal opzij leggen om een bloempje uit het gras te plukken, komt voor het grootste deel door de manier waarop volwassenen hun kinderen vanaf de babytijd behandelen en toespreken. Vanaf de allereerste momenten van hun bestaan worden jongetjes anders behandeld dan meisjes. Volwassenen stimuleren bepaald gedrag en ontmoedigen ander gedrag. Een jongetje dat tegen een bal trapt, is stoer, een echte robbedoes, een jongen. Een meisje dat tegen een bal trapt, is vertederend, maar die geven we snel een pop. We leren hen wat we van hen verwachten en wat we van hen accepteren. Jongens huilen niet en jongens plukken geen bloempjes. Er is overigens geen sprake van goed of slecht. Het is wat we met z'n allen, gemeenschappelijk, zijn overeengekomen. Een onuitgesproken afspraak. Als je bijvoorbeeld een paar met een baby van vijf maanden een kamer laat binnenkomen en de baby heeft roze kleertjes aan, dan begin je met een zachte stem te spreken en allemaal onzinkreetjes uit te slaken." Liza veert half overeind of ze over de wieg van een baby staat en imiteert kraaigeluidjes en brabbelpraat op de dwaze manier waarop ouderen met baby's plegen te communiceren. Ze wriemelt met haar vingers en wuift met haar handen naar een denkbeeldig kind en schatert om haar eigen performance. "Wil je lekker slapie, slapie doen, mmmm. Of wil je drinkie, drinkie? Toetoetoetoe. Als de baby in het blauw is gekleed, spreek je met een zwaardere stem." Liza imiteert nu een vader met basbaritongeluid: "Zo, grote knul. Lekker geslapen. Kom je uit je bed, dan gaan we voetballen. Kom op jong. Dus op jonge leeftijd wordt bepaald gedrag al aangemoedigd. Het begint al met de verschillende manier waarop je baby's kleedt. Onbewust behandelen we baby's anders. Als we daar massaal mee zouden stoppen, dan zouden we de biologische verschillen eens wat beter kunnen beoordelen."

UNICEF

Liza Marklund is weliswaar fulltime auteur, maar zij doet ook veel vrijwilligerswerk voor Unicef. "Ik werk voor Unicef als een 'goodwill' ambassadrice. Ik doe waar ik goed in ben en dat betekent journalistiek werk. Ik schrijf artikelen en maak documentaires voor de Zweedse commerciële tv-zenders. Het zijn bijvoorbeeld programma's over kinderen met aids in Cambodja en een documentaire over de straatkinderen in Rusland. Ik heb documentaires gemaakt over kinderen in Afrika en in Oost-Europa waar kinderen nog slavenarbeid verrichten of waar ze gedwongen worden zich te prostitueren. Ik heb met de ouders gesproken, en met de verkopers, de bazen, de klanten. Ik ben in Bangkok geweest waar ik met moeders heb gesproken van kinderen die hiv hebben. Unicef probeert ervoor te zorgen dat kinderen thuis mogen blijven of dat ze een thuis krijgen, want kinderen in sloppenbuurten worden zonder pardon de straat op geschopt als ze met gezondheidsproblemen zitten die geld kosten. We proberen onderwijs te brengen bij kinderen die dat normaliter niet zouden krijgen.

We proberen de houding van de mensen te veranderen, ze te leren hoe ze met dingen om moeten gaan. We zorgen natuurlijk ook voor hulp zodat mensen medische

"ik vind het een privilege te kunnen helpen"

behandelingen kunnen krijgen. Maar het is moeilijk om in die drukbevolkte slop-penwijken een soort mentaliteitsverandering teweeg te brengen. En in Zweden pro-beer ik de mensen op de hoogte te stellen van de erbarmelijke omstandigheden waar-onder een deel van de kinderen op deze wereld moet leven. Gelukkig willen veel mensen helpen. Ik vind het oprecht een enorm privilege dat ik in staat wordt gesteld om mee te helpen aan deze programma's."

Het schrijven van boeken wordt door de ellende die Liza meemaakt tijdens haar werk voor Unicef niet beïnvloed. "Nee, natuurlijk zie ik veel ellende als ik met Unicef op stap ben, maar ik ontmoet ook veel levensblijheid en optimisme en als we iets heb-ben gedaan waarmee we kinderen hebben kunnen helpen, krijg je er zoveel plezier voor terug. Ja, ze hebben aids, maar ze hebben ook pret. Het zijn niet alleen maar slachtof-fers, ze spelen, lachen en hebben plezier. De levensomstandigheden zijn afschuwelijk, maar het feit dat er iemand naar hen luistert, maakt dat ze weer wat hoop krijgen. En dat maakt mijn werk erg dankbaar. Ik vind dit werk zo belangrijk dat ik af een toe een jaar niet bezig ben met het schrijven van boeken. Dan werk ik een jaar uitsluitend voor Unicef. Daar krijg ik uiteraard niet voor betaald, maar door de inkomsten van mijn boeken kan ik me permitteren voor die organisatie te werken en af een toe een jaar inkomsten te missen. Er komt misschien een tijd dat ik nooit meer schrijf en alleen maar voor Unicef werk. Mensen helpen is het mooiste wat er is." ∎

DAVID BALDACCI

"met geld koop je recht in de rechtszaal"

Hij is de vleesgeworden American Dream, de krantenjongen die miljonair werd. Hij heeft vanaf zijn prilste jeugd hard gewerkt, maar ook het geluk aan zijn zijde gehad. Hij is gelukkig getrouwd, heeft twee gezonde kinderen en hij mocht zichzelf tien jaar geleden volgens *People Magazine* zelfs een van de vijftig mooiste mensen ter wereld noemen. Elk jaar verschijnt er een nieuwe thriller van zijn hand. In totaal zijn er maar liefst vijftig miljoen exemplaren van verkocht, vertaald in 35 talen. Zeven titels werden verfilmd, waaronder *Absolute Power* met Clint Eastwood en Gene Hackman. Ter promotie van zijn boeken reist David Baldacci (1960) graag af naar Europa. Londen en Parijs heeft hij al diverse keren bezocht en ook Amsterdam kent weinig geheimen voor hem.

AMERICAN DREAM

Hij oogt als de geheim gehouden broer uit het roemruchte geslacht van de Kennedy's. Amerikaanser dan Amerikaans. Stevig, licht golvend haar, een open en eerlijk gezicht, gebruinde huid en grote parelwitte tanden. Hij oogt atletisch, goedverzorgd. Stevige handdruk, vorsende blik. Als voormalig advocaat heeft hij alle slechte eigenschappen van de mens gezien. Toch is hij volgens eigen zeggen niet cynisch geworden. Nog steeds geeft hij iedereen het voordeel van de twijfel. Omdat hij in vrijwel al zijn boeken betoogt dat een mens het product is van zijn opvoeding, komt het gesprek al snel op de invloed van ouders op kinderen en op het eindproduct, de volwassen schrijver David Baldacci. En die volwassen schrijver heeft het gebracht van krantenjongen tot miljonair, de ultieme American Dream.

"Ik ben geboren in Virginia. Niets te klagen, want ik heb een fijne jeugd gehad. Ik heb veel gespeeld en ook veel gewerkt. Mijn vader was automonteur. Hij had zelf altijd oude auto's. Ik heb hem vaak geholpen met sleutelen. Daardoor voelde ik me nauw met hem verbonden. Mijn ouders waren erg gedisciplineerd. Ze werkten hard en die houding hebben ze ook aan mij en hun andere twee kinderen doorgegeven. Ik ben zeven jaar lang krantenjongen geweest. Elke ochtend stond ik om drie uur op. Daar is niets mis mee. Als kind leerde ik ook respect te hebben voor ouderen en voor mensen met een andere mening. De normen en waarden die ik als kind leerde heb ik nog steeds. Ik respecteer mensen, oordeel nooit, ben altijd begripvol. En natuurlijk probeer ik diezelfde normen en waarden weer door te geven aan mijn eigen kinderen.

Mijn vrouw en ik reguleren heel streng de televisie. Ik geloof totaal niet dat kinderen zelf kunnen beoordelen wat goed of slecht voor hen is. Als je kijkt naar al het geweld en alle afglijdende normen op het gebied van seksualiteit die op de televisie te zien zijn, dan heeft dat veel ouderlijke begeleiding nodig om alles in het juiste perspectief te zien. De meisjes die constant naar soaps kijken, moeten toch een volslagen verwrongen wereldbeeld hebben: incest, geweld, ontrouw, het is allemaal aan de orde van de dag. In televisieprogramma's voor de jeugd lopen meisjes halfnaakt rond. Zeg niet dat het geen invloed heeft, want de volgende dag hangt die kleding, die nauwelijks iets bedekt, in de winkels en de kinderen willen net zo stoer zijn als die meiden op de televisie. Belachelijk. Laat niemand zeggen dat het meevalt en dat televisie geen invloed heeft op het gedrag van mensen. Als het geen invloed zou hebben, waarom zouden adverteerders dan zoveel geld neerleggen voor televisiereclames? Als ouder heb je een grote verantwoordelijkheid om het kijkgedrag en de mentaliteit van je kinderen te vormen. Natuurlijk ben ik ook een product van mijn opvoeding. En ja, het is een motief dat ik regelmatig in mijn boeken gebruik. Als je karakters beschrijft is het goed te weten door wie en hoe ze gevormd zijn."

HEKEL AAN AUTORITEIT

De toon is gezet. Hier is duidelijk iemand aan het woord die hoge ogen zou gooien in de politiek, ware het niet dat hij een bloedhekel heeft aan alles wat met autoriteit en met politiek te maken heeft. In vrijwel al zijn boeken is sprake van corrupte instanties en overheidsdienaren, machtspelletjes en geheime complotten. "De overheid heeft het in mijn boeken zwaar te verduren. Terecht. Het is de taak van burgers om de overheid kritisch te volgen. De overheid is er voor de mensen en niet andersom, zoals veel ambtenaren nogal eens schijnen te denken. Ik weet veel van de politiek en ik ken veel politici. Er zitten goede tussen, maar over het algemeen zijn ze erg snel beïnvloedbaar en corrupt. Ook al beginnen ze met goede intenties, dan nog worden ze omringd door zoveel lieden die andere bedoelingen hebben. En die willen maar twee dingen: geld en macht. En in het Amerikaanse systeem zijn veel functies beschikbaar voor personen die gekozen willen worden. Op het moment dat ze gekozen moeten worden, doen ze alles, maar dan ook alles om hun doel te bereiken. Dat is heel frustrerend. Met name in de regering van Bush zat op een gegeven moment

"de overheid is er voor de mensen, niet andersom"

helemaal niemand meer die er nog over nadacht of een maatregel goed of slecht was voor het land. Het ging uitsluitend om eigenbelang, vriendjespolitiek, geld en macht. Neem nu Scooter Libby. Hij was door het gerechtshof veroordeeld tot een hoge geldboete en gevangenisstraf, maar Bush lapte alles en iedereen aan zijn laars en deed de uitspraak tot gevangenisstraf teniet. Iedereen spreekt er schande van. Hoe geloofwaardig is een regering dan nog? Of het met Obama beter gaat? De hoop is er. We zullen zien, maar ook hij heeft dingen beloofd die hij nooit kan waarmaken."

MONEY TALKS

David Baldacci was na zijn studie Rechtsgeleerdheid jarenlang werkzaam als advocaat. Een beroep waar in Amerika veel grappen over worden gemaakt. Een beroep ook dat in Amerika niet bijdraagt aan een goed vertrouwen in de wet als brenger van gerechtigheid. Baldacci kan zich er op een kalme manier over opwinden. "Recht en gerechtigheid zijn absoluut twee verschillende zaken. Het krijgen van je recht hangt helemaal af van de kwaliteit van je advocaat. Er zitten honderden mensen in de dodencel. Meestal arme drommels. Niemand heeft een idee of ze werkelijk schuldig zijn of niet. En ze maken ook erg weinig kans moet ik zeggen. De motivatie om hen te verdedigen ontbreekt gewoon. Money talks in court. Zo is het gewoon. Wie de duurste advocaten kan betalen, wint. Wie geen geld heeft voor een goede advocaat is de pineut. Het overtuigende bewijs voor die stelling is het proces tegen O.J. Simpson. Want wat te denken van advocaat Johnnie Cochran die O.J. Simpson vraagt om de handschoen aan te trekken die als bewijsstuk zou kunnen dienen voor het feit dat hij de moord gepleegd had. Simpson probeerde heel klungelig die handschoen aan te doen en zei dat het niet ging omdat hij te klein was. Het inspireerde zijn advocaat Cochran tot het uitspreken van de legendarische woorden bij zijn slotpleidooi: 'If the glove doesn't fit, you must acquit' (Als de handschoen niet past, rest u niets anders dan vrijspreken). En vrij was-ie. Niet te geloven. Dat was geen rechtspraak, dat was een gevecht tussen zwart en blank, betaald met enorme sommen geld. Ook de jury is altijd een zwakke plek in het systeem. Als voormalig advocaat kan ik je zeggen dat je nooit weet wat een jury doet. Een jury beslist voornamelijk op emotionele gronden. Ze vinden een aanklager leuk of vervelend, een verdachte aardig of onuitstaanbaar. Je moet bedenken dat de jury bestaat uit doorsnee-mensen. We hebben het niet over de intelligentsia, niet over de bovenlaag van de bevolking die veel geld verdient. Ik heb mede door dit systeem zaken verloren die ik absoluut had moeten winnen, omdat ik gelijk had, Maar ook het omgekeerde is het geval geweest: ik heb zaken gewonnen terwijl mijn cliënt zo schuldig was als wat. En uiteraard komt die ervaring en wetenschap ook in mijn boeken tot uitdrukking. Van mij zal je niet horen dat recht altijd zijn beloop krijgt."

DESILLUSIE

Wie Baldacci goed beluistert, hoort ogenblikkelijk de discrepantie tussen zijn door hemzelf geschetste zelfbeeld (nooit oordelen, begripvol, niet cynisch) en het wereldbeeld dat hij in zijn boeken schetst. Toch noemt hij zichzelf breed glimlachend realistisch. "Natuurlijk verandert je karakter door ervaringen en observaties. Maar ik blijf erbij dat ik niet cynisch ben. Ik ben alleen maar realistisch. En niet gedesillusioneerd zoals veel personages in mijn boeken. Dat mijn karakters gedesillusioneerd zijn, zoals Michelle en Sean in *Geniaal geheim*, komt doordat zij vele persoonlijke catastrofes hebben meegemaakt. Ellende en zorgen maken mensen cynisch en wantrouwig. Toch zal ik nooit een overdaad aan ellende beschrijven om mijn karakters de nodige diepgang te geven. Ik probeer een goede balans te vinden.

Gedesillusioneerd zijn moet ook in balans zijn met je gevoel van verantwoordelijkheid. Omdat je verdrietig bent, kan je niet voor alles vluchten. Het is ook jouw wereld. Je moet door. Het leven is geen vrijblijvende oefening, die je later nog eens kunt overdoen. Je hebt een kans en wat je verprutst is voor altijd weg. Verdwenen."

In een aantal boeken van Baldacci krijgen personages die in de fout gaan een tweede kans. Dat wil niet zeggen dat hij gelooft dat iedereen in het leven ook daadwerkelijk een tweede kans krijgt. "Natuurlijk is er wel een tweede kans, maar niet voor iedereen. Dat heb ik in mijn praktijk als advocaat genoeg meegemaakt. Arme mensen die beschuldigd worden en in de gevangenis belanden, hebben sowieso geen enkele kans. Ook als ze vrijkomen niet. Meestal worden ze een bepaalde (verkeerde) kant opgeduwd waardoor ze weer gevangen worden genomen. Daarna is er geen kans meer. Maar ook rijke mensen krijgen moeilijk een tweede kans. Als hun reputatie onherstelbaar beschadigd wordt, hebben ze geen tweede kans. De buitenwereld accepteert dat niet van bepaalde mensen. In het algemeen geloven mensen niet dat iemand die iets heel erg fout gedaan heeft, kan veranderen."

Wat kansen betreft heeft David Baldacci zelf nooit te klagen gehad. Hij heeft kinderboeken geschreven, korte verhalen, filmscenario's en thrillers. "Het schrijven van verschillende dingen is leuk. Of ik overal even goed in ben, weet ik niet. Ik vind de uitdaging het leukst. Het houdt mijn geest levendig. Ik wil niet voorspelbaar zijn, zoals het merendeel van de Amerikaanse schrijvers."

RELAX, DON'T DO IT

"Schrijven is geen 9 tot 5-baan. Het is iets wat je dag en nacht doet. Of je nu wakker bent of in bed ligt, je gedachten malen altijd door. Ik heb ook een aantekenboekje naast mijn bed liggen om eventuele invallen meteen op te schrijven. Ik heb het heel moeilijk om NIET te schrijven. Ik heb een vakantiehuis waar ik veel naartoe ga met mijn vrouw en twee kinderen. Daar kunnen we zwemmen, zeilen en wat andere watersporten doen. Dat is de enige plek waar ik niet aan schrijven denk. Het beste wat een schrijver kan doen is wandelen. Dat geeft de meeste rust tot nadenken. Een goed schrijver is een nieuwsgierig iemand. Ik ben zelf op alle vlakken nieuwsgierig, of het om wereldpolitiek gaat, lokale gebeurtenissen of om misdaad en sportevenementen. Maar ik ben vooral nieuwsgierig naar de drijfveren van mensen. Wat motiveert mensen om dat te doen wat ze doen? Ik wil ook altijd graag weten of mensen de waarheid spreken en wat zich achter de schermen afspeelt. Hoewel ik heb geleerd open te staan voor dingen, gaan bij mij soms nieuwsgierigheid en wantrouwen hand in hand. Zeker als het om autoriteiten gaat. Ik probeer altijd om niet cynisch te zijn, maar zoals gezegd, in mijn boeken loopt dat wel eens uit de hand."

GEKWELDE ZIELEN

"Het belangrijkst is dat je dilemma's bedenkt voor je karakters. Ik houd van verschillende verhaallijnen die door een link, die in het begin onzichtbaar is, verbonden worden. Mijn plot is lineair, toch heeft de lezer geen flauw idee waar ik naartoe ga. Het drama in mijn verhaal ontstaat altijd vanuit een interessante situatie. Maar hoe interessant het verhaal ook is, zonder karakters ben je als schrijver nergens. De mensen vergeten de verhalen, maar ze onthouden de karakters. Dus zorg ik ervoor dat mijn karakters goed uitgediept worden. Zo worden in *Familieverraad* (2009) de hoofdrollen weer gespeeld door Michelle en Sean (voormalig geheim agenten). Maar al in het eerste boek waarin Michelle voorkwam, wist ik dat ik haar karakter zou gaan uitbouwen. Ze was toen atletisch, lang, mooi, perfect, maar in de loop der tijd zie je dat haar uiterlijk wat barsten begint te vertonen. In

"alle grote schrijvers hebben gekwelde zielen"

Geniaal geheim is ze eindelijk helemaal ingestort. Alle grote schrijvers hebben gekwelde zielen als hoofdpersonen. Maar ook hier geldt dat je moet zorgen voor een goede balans. Iemand kan depressief zijn, maar zij of hij moet ook weer geen opeenstapeling van ellendige dingen meetorsen. Ik zorg ervoor dat er momenten van humor worden ingebouwd. Je kunt de personages niet vijfhonderd pagina's lang in de moeilijkheden storten. Er moet een natuurlijk vloeiende lijn zijn. Als schrijver kun je de emoties van de lezer manipuleren. Ik ben daardoor geobsedeerd. Ik denk tijdens het schrijven constant aan de lezer. Per slot van rekening schrijf ik boeken voor de mensen die het willen lezen en niet voor mezelf."

Het prettige van de boeken van Baldacci is dat er, geheel in de traditie van de Amerikaanse films, altijd een happy end is. "Mijn boeken eindigen altijd met een happy end, zeker. De ontberingen mogen groot zijn, de te overwinnen obstakels groot, de fysieke en psychische toestand belabberd, er moet wel licht gloren aan het einde van de tunnel. De lezer moet het boek met een goed gevoel dicht kunnen doen. Ik heb maar één keer een einde gehad dat minder gelukkig was, dat was zo'n zes jaar geleden bij *De laatste man*. Maar op de een of andere manier werd ik daar zelf ook niet gelukkig van. Dus toen heb ik het einde alsnog veranderd."

LIEFDADIGHEIDSWERK

Als in de buurt van de kamer waar wij zitten de volumeknop van een radio wordt bijgesteld, komt het gesprek automatisch op muziek. Baldacci erkent dat zijn vrouw en kinderen erg muzikaal zijn en dat hijzelf een muzikale veelvraat is. "Ik houd van alle muziek, van klassiek tot rock, rhythm & blues en jazz. Maar als ik schrijf heb ik meestal klassiek of jazz op als ach- **"ik kijk geen televisie"** tergrondmuziek. Muziek helpt mede mijn emoties te reguleren of op te wekken. Als je schrijft, zit je soms te lachen en soms te huilen achter je pc, afhankelijk van wat je schrijft. Tijdens het schrijven van *De verraders* had ik werkelijk kippenvel. Als schrijver leef je erg mee met je personages. Dat kan niet anders, ze zijn jouw creaties. Schrijven is een emotionele zaak. Af en toe zou je best een psychiater kunnen gebruiken als je klaar bent."

In plaats van een psychiater te raadplegen, zorgt Baldacci zelf voor het geestelijk welzijn van anderen. Hij doet op vele fronten aan liefdadigheidswerk. Een van de leukste activiteiten vindt hij het bezoek aan onderwijsinstellingen. "Van tijd tot tijd geef ik workshops creative writing, aan kinderen van vijf jaar, maar ook aan studenten. Ik wil hun het plezier van lezen en schrijven bijbrengen. Ikzelf kijk geen televisie, daardoor houd ik heel wat tijd over die anderen nutteloos hangend doorbrengen. Het is een kwestie van prioriteiten. En dat idee van prioriteiten wil ik de jeugd graag bijbrengen. Docenten doen het niet. Die geven liever andere lessen dan lezen en schrijven. Opvoeden en lezen en schrijven is een verantwoordelijkheid voor school, maar ook voor thuis. Uit onderzoeken blijkt helaas dat de meeste ouders gemakzuchtig zijn. Ze zijn blij als hun kinderen televisiekijken, want dan vervelen ze zich niet. Ze proberen niet eens om hun kinderen aan het lezen te krijgen. Ouders zouden wat meer het goede voorbeeld moeten geven." ■

DONNA LEON

"ik ben een timmerman, geen vioolbouwer"

Donna Leon (1942) is een van de weinige schrijvers die in staat is om een stad tot hoofdpersoon te verheffen. Haar misdaadromans die zich stuk voor stuk afspelen in Venetië ademen de geur en kleur van de romantische waterstad. Ze dompelen de lezer onder in de schoonheid van de palazzi, de prachtige kanalen met hun kleurrijke gondels, de eigenzinnige wereld van de Venetianen en hun voorkeur voor estheliek en goed voedsel. Wie de boeken van Donna Leon heeft gelezen, wil naar Venetië. Een aangename optie. Maar de andere optie, een gesprek met Donna Leon, die voor enkele dagen haar Italiaanse waterstad heeft verwisseld voor de Nederlandse waterstad Amsterdam, is minstens zo verlokkelijk.

OPERA

In de lobby van het Amsterdamse hotel aan de gracht pakt ze me familiair bij de arm. "Zullen we daar gaan zitten?" vraagt ze, terwijl ze me naar een kleine tafel in de drukke lobby troont. Als echt mensenmens houdt Donna Leon van drukte en van mensen. Maar als blijkt dat we elkaar door het geroezemoes nauwelijks kunnen verstaan, zoeken we alsnog de gereserveerde spiegelzaal op, vol schilderijen van oude meesters. Even lijkt Donna Leon haar omgeving te vergeten als ze de schilderijen goedkeurend inspecteert. "Mooi," verzucht ze, "prachtig. Zullen we het alleen maar over mooie dingen hebben? Over kunst en over de opera. Daar ben ik dol op." Zonder aanmoediging vertelt ze dat ze heeft gehoord dat een vriend van haar die avond in het Concertgebouw zal zingen, in de opera *Cosi fan Tutte*. 's Ochtends is ze onaangekondigd de hoofdstedelijke muziektempel binnengegaan, waaruit ze verwijderd werd door een plichtsgetrouwe portier. Gelukkig kwam er een kennis langs die haar naar de repetitieruimte loodste. Ze is er nog vol van. "Ik houd van Mozart, van mensen die zingen, van schoonheid, van emotie en van het moment. Ik ben iemand die de dag plukt. Ik houd van plezier. Ik ben ogenblikkelijk voor allerlei dingen te porren die mij afleiden van het schrijven. Ik vind het heerlijk om te werken, maar als de telefoon gaat en een vriendin wil koffiedrinken, dan sta ik al buiten in mijn mooie kleren."

MODIEUS

Vanachter haar bril met licht montuur kijkt ze me aan met een geamuseerde schittering in haar ogen. Haar halflange grijze haar is keurig gekapt, haar modieuze kleding van Italiaanse snit, met grote aandacht voor details: een zalmkleurig jasje met zijden shawl en een smetteloze zwarte broek. "Wat ik ook doe, ik besteed aandacht aan mijn kleding. Ik mag dan wel Amerikaanse van origine zijn, maar ik houd van de elegantie van de Italianen. De zorg die zij besteden aan hun kleding en hun voedsel sluiten helemaal aan bij mijn karakter. Italianen hebben smaak. Amerikanen doen alsof ze smaak hebben door Italianen te kopiëren. Als je me vraagt of ik nu, na vijfentwintig jaar in Venetië te hebben gewoond, meer Italiaanse ben dan Amerikaanse, kan ik alleen maar zeggen dat ik genetisch bepaald altijd Amerikaanse zal blijven, maar meer ook niet. Venetië is de grote liefde van mijn leven geworden. "

Donna Leon is een aparte vrouw, Iers-Amerikaans, opgegroeid in New Jersey in de jaren zestig. Ze studeerde Engelse taal en letterkunde aan de universiteit, maar eigen huis en haard trokken haar niet. Het waren de vreemde vertes die naar haar lonkten. Meteen na haar studie vertrok ze. "Het was begin jaren zestig, een tijd dat keurige meisjes thuis samen met hun moeder zaten te breien. Ik ging eerst in New York werken. Als jonge werkstudente verdiende ik genoeg om te gaan reizen, de grote passie van mijn leven. Ik ben naar China geweest en toen ik eind jaren zeventig in de *New York Times* las dat er docenten Engels werden gevraagd in Iran, dacht ik: waarom niet? Ik was er nog nooit geweest, moest het land zelfs op de kaart opzoeken. De sjah was toen nog aan de macht. Toen de islamitische revolutie een einde maakte aan zijn regering, moest ik min of meer vluchten. Ik heb ook nog negen maanden in Saoedi-Arabië gewoond. Het was geen pretje om daar als vrouw te wonen. Een paar jaar later ben ik met een vriendin naar Rome gegaan, waar ik een tijd heb gewoond. Ik studeerde daarnaast ook in Perugia en Siena. Het was voor die tijd best vreemd dat een meisje de wijde wereld introk. Toch was ik beslist geen losbol. Ik was een puriteins Amerikaans meisje uit een keurig gezin. Maar ik hield van reizen. Lange tijd dacht ik dat ik nooit zou ophouden met ronddraaien. Maar toen ik in 1981 in Venetië kwam, voelde het alsof ik mijn echte huis had gevonden."

VENETIË – DISNEYLAND

Dankzij haar studie kon Donna Leon haar grote liefde voorgoed in de armen sluiten. Begin jaren tachtig vestigde ze zich in Venetië. Tot voor kort doceerde ze daar Engelse en Amerikaanse literatuur aan de Militaire Academie en later aan een universiteit bij Venetië. Ze is er inmiddels mee gestopt. Maar haar liefde voor Venetië is gebleven, al is de stad onherkenbaar veranderd. "Het is doodzonde, maar het mooie, schone Venetië van vijfentwintig jaar geleden, toen het nog een flonkerende ietwat slaperige provinciestad was en geen overbevolkt Disneyland, is voorgoed verdwenen. Nu wordt Venetië overstroomd door toeristen en is het elke dag net zo druk als met Kerstmis. Het gemeentebestuur geeft elke dag ongeveer honderd vergunningen af voor souvenirwinkeltjes. De hele stad is verworden tot de speelgoedafdeling van een groot warenhuis. Bovendien is de bureaucratie er werkelijk verstikkend. Je kunt er uitsluitend mee omgaan als je zelf ook deel uitmaakt van het systeem, dus ook meedoet aan geld onder tafel betalen om dingen gedaan te krijgen. Alle mensen in Italië zijn corrupt. Op een aardige manier. Het gaat niet alleen om geld, maar ook om diensten die je elkaar verleent. En ja, ik weet het, ik maak met mijn boeken reclame voor

Venetië. Ik trek de toeristen aan die ik verfoei. Ik moet met mijn geweten leren leven. Gelukkig lukt me dat goed. Dat ik het ondanks het toerisme in Venetië uithoudt komt doordat ik van nature een stadsmens ben. Met beperkingen weliswaar. Een stadsmens in een autovrij centrum. Hier in Amsterdam ben ik net een blinde gans die ieder moment door een auto geschept kan worden. Maar verder houd ik ook van tuinieren, Ik ben vaak in mijn tuin te vinden, bezig met onduidelijke maar nuttige bezigheden."

EEN DODE DIRIGENT

Donna Leon kreeg het idee voor haar eerste thriller *Dood van een maestro* toen zij samen met een vriendin naar de opera was in Venetië. Toen zij met de dirigent en zijn vrouw wat stond na te praten klikte er iets. "Ik stond in de kleedkamer en ik dacht: hmm, als hij eens vermoord zou worden. Waar? Hoe? Daar is het idee geboren om een boek te schrijven over een dode dirigent." Haar hoofdpersoon commissaris Guido Brunetti kwam volgens haar eigen zeggen op eenzelfde toevallige wijze aanwaaien. "Hij stapte uit een boot en was er gewoon. Hij is een Italiaan zoals een Italiaan hoort te zijn. Hij is dol op Italiaanse en Venetiaanse gerechten met wijn en grappa. Hij heeft een leuk gezin. Twee rebellerende tieners en een intellectuele vrouw die Engels doceert aan de universiteit. In alle karakters zit een deel van mijzelf. Ik heb met Brunetti

> ## "brunetti is een italiaan zoals een italiaan hoort te zijn"

gemeen dat ik houd van eten en drinken, van rustgevende klassieke muziek, van het lezen van goede boeken. Ik heb met de kinderen gemeen dat ik opstandig kan zijn, zeker waar het gaat om autoriteit en verplichtingen waar ik het nut niet van inzie. En natuurlijk heb ik met Paola gemeen dat ik Engelse les geef aan de universiteit en dat ik opvliegend en streng kan zijn daar waar mensen hun principes verloochenen. Paola heeft veel van dezelfde gekke politieke ideeën als ik. Maar let wel, veel personages zeggen de dingen die ik ook zeg en vind. Maar er zijn nog meer karakters in mijn boeken die met grote stelligheid dingen beweren die ik helemaal niet onderschrijf. Om een voorbeeld te geven. Brunetti heeft sterke vooroordelen tegen Sicilianen en Napolitanen. Ik heb die vooroordelen niet omdat ik geen Italiaanse ben en die gevoeligheden ook niet ken. Ik heb ze van horen zeggen, maar ik ken ze zelf niet. Dus hoe dan ook, Brunetti en consorten blijven romanpersonages en niet mijn persoonlijke spreekbuizen."

GEEN AMBITIE

Hoewel ze het idee voor een boek had, een aantal goed uitgewerkte karakters en enige tijd later zelfs een voltooid manuscript, duurde het nog anderhalf jaar voordat het bij een uitgever terechtkwam. "Dat komt omdat ik geen ambitie heb. Die heb ik werkelijk niet. Sommige mensen noemen het lui, maar dat is het niet. Ik wil geen president van Italië worden, toen niet en nu niet. Ik leef om te leven. Nu, vandaag. Schrijven is leuk, maar leven is nog leuker. Dat het boek ooit gepubliceerd is, dank ik aan een vriend die me ertoe heeft aangezet het op te sturen naar een Japanse wedstrijd voor misdaadverhalen. Het is niet te geloven, maar ik won."

Donna Leon kreeg een tweejarig contract dat al snel verlengd werd. In elk nieuw boek groeit het karakter van Brunetti. We komen steeds meer te weten over zijn achtergrond, en over zijn familie en vrienden. "Tsja, hij is een volwassene en hij heeft een leven," zegt Donna Leon, "en net als bij iedereen neemt het leven hem af en toe behoorlijk in de tang. Hij leert bij, zoals wij allen. Hij herziet zijn meningen, zoals wij allen. Hij laat zich zelfs op een bepaalde manier corrumperen, zoals wij allen. Dat beschrijf ik bijvoorbeeld in *Vriendendienst*. Op het moment dat blijkt dat Brunetti's huis illegaal is gebouwd en dus afgebroken moet worden, bewandelt hij de minder legale wegen om zijn huis te behouden. Brunetti is ook maar een mens."

Juist omdat Brunetti een mens is, is hij in de loop der jaren cynischer geworden. "Natuurlijk, de wereld wordt er niet vrolijker op. Ikzelf ben genetisch bepaald een gelukkig mens, met een optimistisch karakter. Maar je moet doof en blind zijn om niet cynisch te worden van al het geweld en alle rotzooi in de wereld. Neem Napels. Een prachtige stad. Maar de afgelopen jaren krijgt het gezegde 'Eerst Napels zien en dan sterven' wel heel letterlijk gestalte. De regering dacht een tijdje geleden dat het een goed idee was om tijdens een bijzondere gelegenheid alle criminelen amnestie te verlenen. Er zijn 20.000 zware jongens vrijgelaten: moordenaars, verkrachters, maffiabazen. Sindsdien worden er in Napels dagelijks talloze mensen vermoord en worden winkeliers en zakenlieden afgeperst, ontvoerd en vermoord. Volgens Prodi hebben die zaken niets met elkaar te maken. Tragisch gewoon. Zoals elke intellectueel ben ik optimistisch en pessimistisch tegelijk. Ik denk ook wel dat ik die visie uitdraag in mijn boeken. Als je mijn boek *Duister glas* hebt gelezen, zie je dat het een zwarter boek is dan mijn vorige boeken. Ik heb het over milieuactivisten die voor een goede zaak vechten, want de mensheid is in hoog tempo bezig om de aarde onbewoonbaar te maken. Vroeger kon je in de kanalen van Venetië zwemmen, nu stroomt er puur gif waar je dodelijke infecties aan overhoudt. En ondanks die wetenschap zijn er toch nog reactionaire mensen die in naam van behoudzucht, eigen belang en geldzucht alles tegenhouden wat het milieu maar zou kunnen verbeteren. Daar word ik cynisch van, daar wordt Brunetti cynisch van."

NOOIT TELEVISIE GEHAD

Het groter geworden cynisme van Leon heeft overigens niet geleid tot een toename van het geweld in haar boeken. "Ik heb er een hekel aan. Ik haat bloed en schietpartijen. Tegenwoordig zien de mensen het dag in dag uit op de televisie. Ik heb mijn leven lang geen televisie gehad en er ook nooit naar gekeken. Echt waar. Ik vind het zonde van mijn tijd en bovendien biedt televisie een overdaad aan zinloos geweld en foutieve rolmodellen. Is het vreemd dat beïnvloedbare mensen eenzelfde soort gedrag gaan vertonen en geweld als iets normaals zijn gaan beschouwen? In mijn boeken komt wel geweld voor. Natuurlijk, er worden moorden gepleegd en die moorden zijn de aanzet voor Brunetti om op onderzoek uit te gaan. Het brengt het verhaal in beweging. Ik schrijf geen whodunits. Ik schrijf over maatschappelijk relevante kwesties: illegale afvalstortingen, corruptie bij de politie en in overheidskringen, domheid, illegale immigranten, de verkoop van imitatie merkkleding en tassen, curieuze gemeentebelangen, vandalisme, vriendjespolitiek, milieuproblematiek, sekstoerisme." Over de misdaad zelf schrijft Donna Leon op een afstandelijke wijze. Ze schrijft daarentegen vol enthousiasme en met compassie over de schoonheid van de stad en haar bevolking. Haar daders zijn veelal slachtoffers van de kille kapitalistische maatschappij waarin we leven. Verder is het opvallend dat gerechtigheid zo'n ondergeschikte rol speelt in haar boeken. Veel criminelen ontspringen de dans. Volgens Leon is het een illusie dat we in een rechtvaardige maatschappij leven. "Met geld koop je alles, zelfs je gelijk en je recht. Kijk maar naar Berlusconi die vanuit zijn machtspositie hele wetten liet veranderen om onderzoek naar zijn malafide praktijken tegen te houden. De wet en rechtvaardigheid zijn twee verschillende zaken. En dat is waar Brunetti zich steeds tegen blijft verzetten. Hij is de intellectueel die zich, tegen beter weten in, blijft inzetten voor rechtvaardigheid voor arm en rijk. Wat dat betreft lijkt hij op mij. Ik ben erg begaan met het juridische systeem. En wat de Italianen betreft, die geloven helemaal niet in de wet en in rechtvaardigheid. Die weten dat politici en machthebbers corrupt zijn. Ze hebben geen enkele illusie. Ik vind dat heel verfrissend omdat hieruit duidelijk blijkt dat Italianen de menselijke aard beter kennen dan wie dan ook. Italianen weten dat mensen zwak zijn en hebzuchtig en lui en oneerlijk en daarom maken ze er voor zichzelf maar het beste van. Gelijk hebben ze. De mens zal toch nooit veranderen."

PERSONAGES

De boeken van Donna Leon houden Venetië en heel Italië een spiegel voor. In de eerste plaats worden in elk boek actuele Italiaanse problemen aan de orde gesteld. En in de tweede plaats staan vrijwel alle personages model voor een bepaald type Italiaan. Brunetti, de rechtvaardige wetshandhaver, Paola, de intellectuele docente, Paola's vader graaf Falier, de rijke edelman met macht, connecties en geld, Vianello, de trouwe vazal, hoofdcommissaris Patta, het prototype van de ijdele macho die grossiert in vriendendiensten. Het is een keur aan kleurrijke Italianen. Maar degene die alle harten steelt is Signorina Elettra, de secretaresse van de gladde en ijdele baas van Brunetti. Zij koopt grote bossen bloemen op kosten van de politie, luncht wanneer zij wil, maar is dodelijk effectief. "Elettra is een prachtige vrouw. Zij is wat ik ben en wat ik niet ben. Zij luistert naar al die ijdele machomannen en het lijkt of zij precies doet wat zij van haar vragen, maar in principe doet zij exact wat zij zelf wil. Er is niemand die haar kan commanderen of de les kan lezen. Tot zover mijn eigen karaktertrekken. Dat hoop ik tenminste. Alleen Elettra's vaardigheid om alle informatie die zij wil uit

"signorina elettra doet wat zij wil"

haar computer te halen, mis ik volledig. Signorina Elettra is de favoriet van iedereen. Zij is een typisch Italiaanse vrouw. Ze lijkt als twee druppels water op de zuster van een van mijn vrienden. Zij was secretaresse bij de Banca d'Italia en haar baas vroeg haar een brief te schrijven naar een bank in Johannesburg, net in de tijd dat er allerlei sancties tegen Zuid-Afrika waren in verband met de apartheidspolitiek. De zuster van mijn vriend weigerde en toen haar baas woedend werd, zei ze: "Meneer, ik ga naar buiten om een kop koffie te drinken en als ik terugkom, zijn we dit voorval allebei vergeten. Ze ging koffiedrinken, kwam terug en er is nooit meer over gesproken."

HET CAFÉ ALS RESEARCH

Donna Leons voorliefde om zoveel mogelijk te genieten lijkt strijdig met de discipline die een auteur nodig heeft om een boek te kunnen schrijven. "Het is goed te combineren, hoor," zegt ze vol overtuiging. "Ik vind schrijven heerlijk, maar ik heb geen enkel systeem. Ik heb oprecht gemeend totaal geen discipline. Ik kan rustig maanden lang niet schrijven, zonder dat het me enigszins bezwaart. In zo'n periode zit ik nu. Fantastisch. Over een boek doe ik één jaar. Research plegen, zoals schrijvers van historische romans doen, is niet aan mij besteed. Ik ga lunchen of in een café zitten praten met vissers, oude dametjes, gondeliers of politiemensen. Dat is mijn research. Praten met mensen. Ik probeer het menselijk gedrag te begrijpen. En wat dat betreft heb ik nog steeds blinde vlekken. Zo hoorde ik ooit over de snuff-movies die in Bosnië werden gemaakt. Groepsverkrachting van een vrouw die daarna werd vermoord. Die filmers zijn walgelijk. Maar ik begrijp ze. Mensen doen nu eenmaal alles voor geld. Maar wat ik niet begrijp is dat er mensen zijn die daarnaar willen kijken. Door te praten met mensen probeer ik dingen uit te vinden. Als ik niet schrijf, geef ik toe aan alle dingen die ik leuk vind. Ik ga naar de opera en ik reis veel. Ik ben eigenlijk voor alles te porren waarmee ik het schrijven kan ontvluchten. Ik doe alleen niet aan joggen of gym. Ik haat de mensen die daarmee bezig zijn. Zij voelen zich na afloop van hun inspanningen geweldig. Ik niet. Zoveel intense lichaamsbeweging is ongezond. Ik denk dat ik door die vrije opvatting over het schrijverschap ook nooit een schrijvers-block heb gehad. Als ik begin is de openingsscène het enige wat ik in mijn hoofd heb. De rest weet ik nog niet. Er moeten geloofwaardige consequenties zijn van de gebeurtenissen die ik laat afspelen. Verder ben ik een trouwe navolger van Aristoteles, dat wil zeggen het verhaal moet een begin, een middenstuk en een einde hebben. Ik beheers mijn vak goed, maar ik ben een timmerman, geen vioolbouwer. Zo simpel is mijn filosofie. Mijn andere filosofie is: heb plezier, lach veel, pluk de dag."

MISDADIGE VOORBEELDEN

Van voorbeelden op thrillergebied wil Donna Leon niet spreken. Ze vindt de meeste misdaadromans clichématig en bot. Nabb vindt ze goed omdat uit haar boeken zo helder naar voren komt dat ze in Italië woont en dat ze de Italianen begrijpt. Wijlen Michael Dibdin, die ook een Italiaanse commissaris als hoofdpersoon had, vindt ze soms heel goed. "Ik heb een paar jaar een column en recensies geschreven voor de *Sunday Times*. Ik kreeg alles op misdaadgebied voorgeschoteld. Tegenwoordig kan ik ze niet meer lezen. De enigen die ik nog kan lezen zijn Frances Fyfield, Reginald Hill en natuurlijk Ruth Rendell. Zij steekt ver boven iedereen uit. Dat komt

"de meeste misdaadromans zijn clichématig en bot"

omdat zij een elegante manier van schrijven heeft. Mooi melodieus en gestileerd taalgebruik en een originele plot. Zij beheerst haar vak tot in de finesses. Maar het probleem met misdaadromans is dat geen van mijn vrienden ze leest. Ik kan er met niemand over praten. Daarom lees ik veel meer de boeken die ik echt mooi vind, van Charles Dickens en Jane Austen bijvoorbeeld."

Hoewel de boeken van Leon in minstens vijfentwintig talen worden vertaald, is daar merkwaardig genoeg niet het Italiaans bij: Leon is daar heel resoluut over. "Italiaanse uitgevers zouden een moord doen om mijn boeken te mogen vertalen. Maar tot op heden heb ik geweigerd. Ik wil niet beroemd zijn en ik wil al helemaal niet beroemd zijn in de wijk waar ik woon. Geen mens wordt er beter van als hij beroemd is. Ik vind het goed zoals het is. Ik heb niet meer nodig dan ik nu al heb. Kijk, dat is wat de meeste mensen zo verwarrend aan me vinden. Dat het me niets uitmaakt of mijn boeken in het Amerikaans of Italiaans vertaald worden. Als ik nu in Duitsland of Frankrijk op straat loop, word ik minstens vier keer per dag herkend. Mensen zeggen de alleraardigste dingen tegen me. Maar ik houd er niet van. De mensen die in Venetië bij mij in de buurt wonen, kennen mij als die Amerikaanse die tegenover Nando woont en boven Angelo Constantini. En zo wil ik het graag houden. Het vervelende is dat in de Italiaanse pers geruchten zijn gaan circuleren dat ik bang ben om mijn boeken in het Italiaans te laten vertalen, omdat ik de Italiaanse volksaard regelmatig zou schofferen. Maar ik ben helemaal niet bang voor wat mensen denken. Ik ben alleen bang om mijn leven door toedoen van anderen te laten veranderen. Laat mij maar anoniem Amerikaans zijn."

"ik wil niet beroemd zijn"

BRUNETTI IN TV-FILMS

In Duitsland zijn een aantal tv-films naar de boeken van Donna Leon gemaakt. Ze ontkent daar iets mee van doen te hebben gehad. "Mijn agent Diogenes zei me dat hij een mooi aanbod had gekregen van een gerespecteerde Duitse filmproducer, Katharina Trebitsch, en dat het hem een goed idee leek het aanbod te aanvaarden. Dus gaf ik mijn toestemming. Er zijn er inmiddels al een stuk of tien gemaakt en ik ben in de loop der jaren tweemaal naar de set geweest. Dat filmen zegt me helemaal niets. Maar het leuke is dat ik bevriend ben geraakt met Katharina en dat ik bij haar logeer als ik in Hamburg ben. Dan gaan we samen naar de opera. Van de verfilmingen van mijn boeken heb ik twee afleveringen gezien bij Duitse vrienden. De andere niet, want zoals ik al zei, ik heb zelf geen televisie."

Voordat we afscheid nemen kijkt Donna Leon me nog eenmaal doordringend aan. "De Busy Bee vertaalt mijn boeken opnieuw. Ik hoop dat ze er een goede vertaler op zetten, want mijn boeken zitten vol humor. Jij hebt mijn boeken gelezen. Jij hebt gezegd dat je ze mooi vindt, maar vind je ze ook humoristisch?" Als ze mijn aarzeling merkt, gaat ze nog even op het onderwerp door. "Zonder humor zou ik niet kunnen leven. Daarom zitten overal in mijn boeken kleine spitsvondige verwijzingen en tongue in cheek-grappen. Ik hoop echt dat ze die kunnen vertalen. Humor is voor mij een drijvende kracht in het leven."

Dan lacht ze me bevrijdend toe. "Gaan we nu nog samen naar de opera of niet?" ■

Dennis Lehane

" het **leven** is **een loterij,** zonder geluk ben je nergens "

Hij heeft bloedstollende thrillers geschreven als *Slapende honden* en *Verloren dochter* en hij heeft tal van prestigieuze awards mogen ontvangen. Daarnaast schreef hij ook meesterwerkjes als *Gone Baby Gone* en *Mystic River*, die op een ingehouden en aangrijpende manier werden verfilmd. Ook Dennis Lehanes historische roman *De infiltrant* hoort thuis in de categorie moderne klassiekers, boeken die nooit vergeten zullen worden.

MISTER MYSTIC RIVER

Hij is voller in zijn gezicht dan op de foto die het achterplat van zijn boeken siert. En ook zijn fysiek oogt iets steviger dan foto's aangeven. Dennis Lehane heeft er dan ook ruim een jaar lang schrijven op zitten, een periode waarin zijn activiteiten zich voornamelijk op geestelijk gebied afspeelden. Bovendien is hij pas gestopt met roken waardoor zijn eetpatroon lichtelijk aan verandering onderhevig is. Hoewel hij moe is, neemt hij alle tijd. Zijn stem is zwaar, zijn woordenstroom bedachtzaam. Hij heeft het knauwende geluid dat zo kenmerkend is voor Amerikaanse countryzangers. Mister Mystic River is alleen geen zanger. Wel dol op punk en blues, maar desalniettemin een schrijver. Een introvert man met ongekende dieptes.

Lehane is geboren in Dorchester, een buitenwijk van Boston, Massachusetts, waar hij momenteel opnieuw woont en dat tevens het decor vormt voor veel van zijn boeken. Dennis is de jongste van vijf kinderen. Zijn vader was voorman bij Sears & Roebuck en zijn moeder werkte in de kantine van een openbare school. Zijn beide ouders waren Ierse immigranten en droegen hun Ierse normen en waarden over aan de jonge Dennis. "Als je Ierse ouders hebt krijg je daar natuurlijke het nodige van mee. De Ierse cultuur is een hele grappige cultuur, heel verbaal ook. De Ieren zijn verslaafd aan de drang om te willen entertainen. Je kunt dat goed zien aan de Ierse vertelkunst en de Ierse mythen en sagen. Ieren houden van zingen en van goede moppen vertellen. Dat zijn belangrijke zaken in hun cultuur. Vanaf mijn prille jeugd ben ik met al die dingen opgegroeid. Ik kom uit een arbeidersbuurt, ben dus een working class hero zogezegd. Er woonden Ieren, Polen, Italianen, die allemaal zeer verbaal waren ingesteld. En 's avonds ging iedereen naar de pub, waar flink gedronken, gezongen en gepraat werd. Dus als je als klein kind in een dergelijke omgeving opgroeit, krijg je een bepaald gevoel en gehoor voor klanken en verhalen. Uit die tijd heb ik mijn gevoel voor dialogen overgehouden. Als ik schrijf, hoor ik de mensen als het ware praten. Ik hoef het alleen maar op te schrijven. Wat dat betreft heeft mijn jeugd mijn schrijverschap heel duidelijk beïnvloed. Verder kan de Ierse cultuur heel erg 'hard boiled' zijn. Keihard, recht voor z'n raap. Maar daar staat tegenover dat mensen absoluut niet houden van praten over emoties of sentimenten. Ja, alleen als ze heel erg dronken zijn. Mijn vrouw is Italiaanse en dus precies het tegenovergestelde van mij. Zij is extrovert, heeft het hart op de tong en is zeer gepassioneerd en emotioneel. Zij begrijpt ook niets van die ingehouden gevoelens van ons Ieren. Ik zeg wel eens tegen haar: 'Je hoeft pas bezorgd te zijn als ik zeg: "Maak je niet druk" of: "Hee, waar ben je mee bezig?"' Dan wordt het serieus. Want dan betekent het dat ik geen idee heb hoe ik over bepaalde emotionele dingen moet praten. Zij snapt daar niets van. Maar goed, dat is dus merkwaardig genoeg de andere kant van de Ierse cultuur. Aan de ene kant drukdoenerig en verbaal, terwijl aan de andere kant echte wezenlijke dingen diep in de ziel van de mensen blijven weggestopt. Dat alleen al verklaart waarom ik schrijf wat ik schrijf. Praten over sentimenten vind ik moeilijk, maar erover schrijven juist helemaal niet. Als ik over gevoelens schrijf moet een deel van mij wel degelijk over een bepaalde hobbel heen. Maar aan de andere kant helpt die ingeboren terughoudendheid me ook. Het maakt dat ik me niet volledig aan sentimenten overgeef. Het zorgt voor een goede balans. Natuurlijk zijn er momenten dat ik dieper ga, maar ik probeer nooit te overdrijven. Denk niet dat ik gevoelloos ben, hoor. Er zijn bepaalde scènes in *Mystic River* en *De infiltrant* die mezelf zo aangrepen dat ik dagenlang van slag ben geweest, een menselijk wrak was. Maar ach, het is altijd nog beter dan op de hoek van de straat ijsjes verkopen, dus ik blijf wel schrijven."

SOCIAAL WERKER

Dennis Lehane heeft tijdens het schrijven van zijn eerste boeken, deels gewerkt als sociaal werker, waarbij hij zowel de donkere kant als de zwakke kanten van de mensheid leerde kennen. Hij werkte met kinderen die het slachtoffer waren van geweld. Het maakte een diepe indruk op hem. "Ik kon die kinderen helpen omdat ik hen zover kreeg om te praten. Dat is heel belangrijk voor mensen die zwaar beschadigd zijn, praten. Verder gaven we de kinderen speelgoed en een plaats waar ze zich veilig konden voelen. Van daaruit probeer je hun zelfbeeld weer op te krikken, want de meeste kinderen die mishandeld waren, dachten dat zij niets voorstelden. Hadden zelfs ergens in hun onderbewuste het idee opgevat dat ze het verdiend hadden om mishandeld te worden. In het begin is het heel moeilijk om hen aan het praten te krijgen. Ze trekken muren om zich heen op. Het was heel zwaar werk omdat je geen idee hebt wat voor impact mishandeling op die kinderen heeft. Een ander probleem met het helpen van die kinderen was, dat wij 'op de werkvloer' ons uiterste best deden, maar dat het systeem, het zorgstelsel, vaak al het goede werk tenietdeed. Kinderen die thuis mishandeld werden, moesten door allerlei ambtelijke beslissingen toch weer terug naar huis. Je wist dan dat alle ellende opnieuw zou beginnen. In één geval moest een jochie zelfs terug naar zijn stiefmoeder die een geladen geweer op zijn slaap had gezet. Het systeem denkt niet in mensen, maar in absolute regels. That sucks. Het is vaak hemelschreiend, maar beter een systeem dan helemaal geen systeem dat zorg aanbiedt. Dat werk heeft gemaakt dat ik twee volle jaren met schrijven ben gestopt. Ik was zo vol van alle ellende van die kinderen, dat ik volledig wegdreef van de werkelijke wereld. De realiteit van elke dag bestond voor mij niet meer. Ik kreeg in die periode niets meer op papier. Maar op een gegeven moment merkte ik dat ik schrijven te veel miste, dat het zo cruciaal voor mij was, dat ik een beslissing moest nemen: of schrijven of sociaal werker blijven. Ik heb toen gekozen voor het schrijverschap. Ik kon niet allebei blijven doen."

CREATIEF SCHRIJVEN

Lehane volgde aan de universiteit lessen in creatief schrijven. De belangrijkste les die hij er leerde was dat elk boek, literair of bedoeld als entertainment, diepte moet hebben. "Het sleutelwoord is echt diepte. De karakters moeten uitgediept zijn, het taalgebruik moet verzorgd zijn, de structuur moet diepte hebben, het verhaal mag niet oppervlakkig zijn. Het moet qua vorm en inhoud iets te zeggen hebben. Dat betekent niet dat je er als schrijver in slaagt om al die dingen in elk boek perfect te verwezenlijken. Maar het moet wel een doelstelling zijn. Als je dat niet nastreeft mag je ook niet gaan schrijven. Speel dan niet mee op het grote toneel. Laat degene die het wel nastreven het spel maar spelen.

Ik geef zelf ook les in creatief schrijven en ik hoor vaak van mijn studenten dat ze willen leren hoe ze een bestseller moeten schrijven. Tegen hen zeg ik: 'Ga maar weg. Jou geef ik geen les.' Mijn boeken zijn bestsellers geworden, niet omdat ik dat zo graag wilde, maar vanwege de inhoud. Schrijven moet je doen vanuit je hart. Je moet gepassioneerd zijn. Zelf doe ik dat in ieder geval, hetgeen wellicht de zigzaggende koers van mijn carrière verklaart. Maar zowel mijn uitgever als ik weigeren om een boek uit te geven als het niet over een onderwerp gaat waar ik met mijn gehele wezen bij betrokken ben. Ik moet de boeken schrijven waarbij het onderwerp bezit van mij heeft genomen. Het is dus voor mij meer dan een baan. Als ik schrijf ben ik bezeten. Ik moet een sociaal perspectief hebben, anders kan ik het niet."

De filosofie van Lehane is in de loop der jaren kennelijk flink bijgesteld want ooit is hij begonnen met het schrijven van misdaadverhalen waarin het door hem geroemde sociaal perspectief nog niet zo nadrukkelijk aanwezig was. "Ik ben met misdaadromans begonnen omdat ik altijd een groot liefhebber ben geweest van misdaadverhalen. Een andere oorzaak was dat ik geen idee had hoe je een roman kon schrijven zonder van tevoren bepaalde clous te hebben waar je je aan kon vastklampen. Een misdaadroman was in dat opzicht genmakkelijker omdat je wist dat iemand iets naars was overkomen. En aan het einde moest je die problemen behandeld hebben, niet per definitie opgelost hebben. Dat was in ieder geval de ruggengraat van elk verhaal. Toen ik dat besloten had, schreef ik mijn eerste misdaadroman. Sneller dan ik ooit tevoren een kort literair verhaal geschreven had.

Het genre paste me als een maatpak. Mijn eerste vijf boeken waren donker van toonzetting, opgehangen aan maatschappelijk relevante onderwerpen. Ze gingen over mensen aan de onderkant van de maatschappij. Het waren vaak verschoppelingen. Toen heb ik ook gemerkt dat ik sociaal betrokken moest zijn bij bepaalde onderwerpen om erover te kunnen schrijven."

Dennis Lehane is een origineel schrijver, die moeilijk vergeleken kan worden met andere auteurs. Maar in *Verloren dochter* doet de sfeer van het boek erg denken aan de grootmeester van de hard boiled-detective, Raymond Chandler. Dennis Lehane geeft dat volmondig toe. "Dat is ongetwijfeld waar, al heb ik mij niet laten leiden door Chandler. Ik heb alle Philip Marlowe-boeken gelezen voor mijn twaalfde jaar. Ik heb mij eerder laten inspireren door schrijvers die zich hebben laten inspireren door Chandler. Ik heb er een keer uitvoerig met Michael Connelly over gesproken. Waar ik echt door beïnvloed ben, is Robert Altmans verfilming van Chandlers boek *The Long Goodbye*. Dat boek heeft echt een gigantische invloed op me gehad. Dat was een 'neo noir'-film. Daarin werd wel de sfeer getroffen van die oude film noirs als *The Big Sleep*, zonder de clichés te hebben overgenomen. Eigenlijk net als *Body Heat* met Kathleen Turner ook neo noir is en Arthur Penns *Nightmove* en Polanski's *Chinatown*. Die films waren verbijsterende ervaringen voor een kind van mijn leeftijd. *The Long Goodbye* is nog steeds een van mijn meest favoriete films.

Mijn Ierse moeder groeide op met Agatha Christie en Nero Wolf en dat soort puzzelromans. Zij begreep niet waarom al mijn boeken zo donker zijn. Dus op een gegeven moment zei ik: 'Okay, ik ga een boek voor mijn moeder schrijven en het is een hommage aan Chandler en Christie en alle schrijvers die zij zo goed vond.' En dat is *Verloren dochter* geworden. Het is qua taal en verhaal en sfeer volledig een hommage aan de grote misdaadromans van vroeger."

MYSTIC RIVER

"Ik ben iemand die houdt van veranderingen. Na een aantal misdaadverhalen wilde ik iets compleet anders. Dat werd *Mystic River*. Gebaseerd op een aantal persoonlijke ervaringen. Het verhaal gaat over een paar jongetjes die op straat spelen. Op een dag stopt er een grote auto en een van de jongetjes besluit met de auto mee te rijden. De andere twee blijven staan. De gevolgen zijn verschrikkelijk. Nachtmerrieachtige taferelen. Vijfentwintig jaar later zijn de twee jongetjes die niet instapten, genoodzaakt om het verleden te herbeleven. Nou goed, het begin was gebaseerd op mijn jeugd. Ik speelde destijds met wat vriendjes op straat en ik liet me thuisbrengen door iemand in een politieauto. Er gebeurde niets, niemand werd gemolesteerd, maar mijn moeder was razend op me dat ik me door een onbekende had laten thuisbrengen. Zij en mijn vader schreeuwden tegen me. Ik snapte het niet, want ik was door de politie thuisgebracht en als je een agent niet kunt vertrouwen, wie dan wel? Maar die blik vol boosheid en bezorgdheid van mijn ouders hebben ruim vijfentwintig jaar door mijn hoofd gespookt. Ik kan hun gezichtsuitdrukking ook nu nog steeds moeiteloos oproepen. Zij hadden echt het gevoel dat ik door het oog van de naald was gekropen. Dat incident uit mijn leven is de aanleiding geweest voor *Mystic River*. En verder heb ik voor de rest van het verhaal geschreven over één van de dingen die me altijd bezig houdt: die ragdunne scheidslijn tussen succes hebben en geen succes hebben, tussen de mogelijkheid hebben om gelukkig te zijn en een leven aan de onderkant van de maatschappij te hebben. Het leven is een loterij, zonder geluk ben je nergens. Uit de buurt waar ik vandaan kwam, werden veel families uit elkaar gerukt door huiselijk geweld, alcoholisme, verkrachting, armoede. Ik heb geluk gehad dat ik uit een solide gezin kwam. Mijn ouders zeiden: 'Wij gaan desnoods in een kleiner huis wonen, maar hij gaat studeren.' Zij huldigden ook de filosofie dat we geen cent mochten verspillen. Zo weinig mogelijk nieuwe kleren. Geen chocolade-eieren met Pasen. Goede kleren alleen op zondag aan. Je toekomst is belangrijker dan het heden. Puur geluk, anders was het mij waarschijnlijk net als veel buurjongetjes vergaan. Leven om te overleven. Uit mijn oude buurt hebben alleen twee anderen en ik het gered. Dat is niet veel. Maar in de families zit zo diep het besef dat ze de werkende klasse zijn en dat je dromen niet te ver moeten reiken. Dat gegeven zit heel sterk in *Mystic River*."

DE INFILTRANT

He nieuwste meesterwerk van Lehane is *De infiltrant*, niet zozeer een thriller maar meer een historisch boek dat zich afspeelt tegen het einde van de Eerste Wereldoorlog. De politieke onrust van een hele natie wordt invoelend beschreven, maar daartoe had Lehane een jaar research en maar liefst vier jaar schrijftijd nodig. Het bleek de moeite waard. *De infiltrant* werd wereldwijd overladen met lof. Lehane beschouwt het als een tour de force die begon met een relatief eenvoudige opzet. "Eigenlijk had ik maar één gegeven waar ik over wilde schrijven en dat was de politiestaking in 1919 in Boston. Maar toen ik alle stukken over die tijd doorlas ontdekte ik dat het een behoorlijk onbekende periode is uit de Amerikaanse geschiedenis. En ik heb me toen laten meeslepen door alle kennis die ik gaandeweg vergaarde. Plotseling besefte ik dat ik de context niet kon verwaarlozen, dus moest ik de Eerste Wereldoorlog erbij betrekken. En omdat ik ook nog kwesties als anarchisme en racisme een plaats wilde geven, werd het erg gecompliceerd. Er was recessie, miljoenen mensen waren werkeloos, het was afgelopen met de oorlogsindustrie, om nog wat elementen te noemen die ik moest verwerken. Om alles wat dichter bij de mensen te brengen en de gebeurtenissen in een menselijk perspectief te plaatsen, moest ik historische personages een rol laten spelen. De Amerikaanse sportheld Babe Ruth bijvoorbeeld die bij de Boston Red Sox speelde. En ik had een wedstrijd van de Red Sox weer nodig om een heel ander onderwerp aan te snijden. Juist in Boston, en niet in Chicago of Philadelphia, brak de beruchte Spaanse griep uit die zich over de gehele wereld uitspreidde en miljoenen doden heeft veroorzaakt. Waarschijnlijk waren de soldaten die bij de wedstrijd van de Red Sox aanwezig waren, de aanstichters van alle ellende."

HORROR

"En toen ik een wedstrijd had bedacht, moest ik plotseling over de World Series (reeks van competitiewedstrijden) gaan schrijven. Ik geef overigens geen moreel oordeel over het recht van staken van de politie. Weet je, mijn vader was een vakbondslid. En als kind uit een arme buurt heb je veel begrip voor de arbeider. Maar als ik nu terugkijk, denk ik niet dat ze destijds het recht hadden om te staken. Maar ik ben geen polemisch schrijver. Ik zeg niet dat vakbonden goed of slecht zijn, ik heb de gebeurtenissen van toen beschreven. En dat waren héél veel gebeurtenissen. Ik geef eerlijk toe dat de hoeveelheid onderwerpen die ik wilde behandelen mij eigenlijk boven het hoofd groeide. Het was een vreselijke ervaring. Ik werd gek. Het was een nachtmerrie. Het was afschuwelijk moeilijk om de historische tijdlijn en de tijdlijn van het fictieve gedeelte in elkaar over te laten lopen. En dan al die karakters, Jezus, wat een hel. Na drie jaar schrijven vond ik het een mislukt boek, een ramp. Ik heb het in de kast gegooid en het daar een jaar laten liggen. Daarna ben ik het gaan herlezen en herschrijven. Het boek was in eerste instantie meer dan duizend pagina's. Ik kan me uit mijn leven niets ergens bedenken dan de tijd dat ik midden in het schrijven van mijn boek zat. Horror. Dat anderen het mijn beste boek vinden, kan ik nog niet meevoelen. Ik moet er eerst een paar jaar overheen laten gaan om te beoordelen of ze gelijk hebben." ■

JOY FIELDING

"**vrouwen** zijn gecompliceerder dan mannen, dus **interessanter**"

De boeken van de Canadese schrijfster Joy Fielding (1945) worden in Amerika wel omschreven als 'domestic thrillers', spannende boeken die gaan over normale vrouwen in abnormale, gevaarlijke, situaties. Zij krijgen te maken met stalkers, verkrachters, moordenaars, gewelddadige echtgenoten, incestplegers, alcoholisten en ontvoerders. Maar Fieldings vrouwen zijn sterk en weten te overleven. Het is een succesrecept gebleken. Al vanaf haar Amerikaanse debuut *Best of friends* (1972) schoten haar boeken direct na verschijning de bestsellerlijsten in. In Europa brak Fielding door met boeken als *Kijk niet om* (1973) en *Tot de dood ons scheidt* (1995). Ook latere boeken als *Fatale schoonheid*, *Dodelijke ambitie* en *Roerloos* volgden die trend en bleken onverbiddelijke bestsellers.

BIJNAAM

Ooit noemde ik Joy Fielding, de actrice die de filmwereld in de steek liet om te gaan schrijven, in een recensie 'de Oprah Winfrey van de thriller'. In al haar boeken neemt zij het op voor vrouwen die in moeilijkheden verkeren of komen. Het is een omschrijving waar zij erg verguld mee is. "Dank je wel. Het is een alleraardigste bijnaam en ik hoop dat je hem doorspeelt aan Oprah Winfrey zelf. Ik denk dat het haar bijzonder zal interesseren. Ik probeer mijn vrouwelijke lezers bij te brengen dat ze niet alleen moeten vechten in het leven maar dat ze moeten vechten voor datgene waar ze in geloven, vechten om zichzelf te kunnen zijn, de vrouw die ze zouden kunnen zijn. Ik wil ze leren dat je je leven niet door anderen moet laten dicteren en dat jij als vrouw, als individu, de enige bent die je leven de invulling kan geven die je wilt. Niemand anders kan je daarbij helpen. Je moet op je instincten vertrouwen en niet naar anderen kijken, zeker niet naar de mannen in je leven. Je moet van niemand afhankelijk zijn, alleen van jezelf."

Fielding beschrijft in al haar boeken de gebeurtenissen vanuit het vrouwelijke perspectief. Dat wil ze ook graag zo houden. "Om eerlijk te zijn heb ik altijd gevonden dat er genoeg schrijvers zijn die het manlijk standpunt verwoorden in hun boeken en ik vond het tijd om het standpunt van de vrouw eens goed te belichten. Naar mijn mening zijn er momenteel te weinig vrouwen op thrillergebied die geloofwaardige fictie schrijven. Ze schrijven gewoonlijk over supervrouwen die beeldschoon, maar tweedimensionaal zijn. Ik schrijf over echte vrouwen. Vrouwen met wie mijn lezeressen zich kunnen identificeren: slim, grappig, gecompliceerd, neurotisch, vriendelijk, krengerig etc. Kortweg, vrouwen zoals hun moeders, zusjes en vriendinnen."

JEUGD

Haar behoefte om andere vrouwen te helpen wijt Fielding aan de jeugd die zijzelf heeft gehad, Ze beseft dat ze geluk heeft gehad en dat veel vrouwen minder fortuinlijk zijn geweest. "Ik heb een heel gelukkige jeugd gehad. Mijn jongste zusje werd pas geboren toen ik zes jaar oud was en dat betekent dat ik jarenlang als enige alle aandacht van mijn ouders heb gekregen. Ik ben behoorlijk in de watten gelegd. Tot mijn derde jaar woonden wij met zijn allen bij mijn grootouders in, de ouders van mijn moeder. We waren gek op elkaar, dus had ik een fantastische tijd. Ik vond het leuk op school, zelfs de vervelende leerstof vond ik leuk. Ik was als jong meisje meer een dromer dan een robbedoes.

"ik was niet echt een meisjesmeisje"

Maar ik was ook heel praktisch. Mijn dromen werden altijd onderdrukt door mijn werkelijkheidszin. In mijn hoofd schreef ik wel allerlei korte verhaaltjes en die speelde ik dan na voor mijn ouders, als een volleerde actrice.

Aan de andere kant was ik niet echt een meisjesmeisje. Ik speelde net zo goed met jongens en was niet bang om mijn jurkjes vies te maken. Mijn ouders waren de best denkbare ouders, met name mijn moeder. Mijn vader was een beetje excentriek en moeilijk, maar daarom niet minder liefdevol. Beiden hebben me aangemoedigd om te doen wat ik het leukst vond. Ze moedigden me ook altijd aan te zeggen wat op mijn hart lag. 'Als je iets niet vraagt, krijg je ook niets,' was hun gezegde. Daarom ben ik ook nooit terughoudend geweest om mensen mijn mening te geven. Kortom, ik had een heerlijke jeugd. Mijn moeder zal altijd een speciale plaats in mijn hart houden. Zij was vriendelijk, wijs, grappig en fantastisch. Zij was echt mijn beste vriendin, hoewel ze nooit heeft geprobeerd om zich anders op te stellen dan als een moeder. Haar geloof in mij was ongelooflijk en haar dood, ik was toen 31 jaar oud en mijn dochtertje Shannon was net vier jaar, is een van de grootste tragedies in mijn leven."

FILMACTRICE

Tijdens haar studententijd in Toronto speelde Joy mee in meer dan twintig studentenfilms en één professionele film. Ze verhuisde naar Los Angeles waar ze in tal van films en tv-series bijrollen speelde, onder andere in de westernreeks *Gunsmoke*. "Ik ben jarenlang actrice geweest en ik vond het fantastisch. Ik hield van de mensen in die business, van het acteren en van de hele manier van leven. Maar waar ik niet tegen kon was het feit dat ik elke keer dat ik moest acteren weer doodnerveus was. Bovendien haatte ik het proces van audities doen. Elke keer weer laten zien wat je kon voor een groepje kritische producers of regisseurs, samen met honderden anderen. Om eerlijk te zijn werd ik doodmoe van het overal en nergens komen opdraven om te vragen of mensen me wel aardig vonden of in een rol vonden passen. Op dit moment denk ik niet dat ik nog aan de bak zou kunnen komen. Om een goede actrice te zijn moet je een groot deel van jezelf opofferen en ik denk dat ik al genoeg van mijzelf opoffer door te schrijven. Natuurlijk… als iemand me een rol zou aanbieden zonder dat ik auditie zou hoeven te doen, dan, ja…"

De emoties die Joy als actrice naar buiten moest brengen, uit zij nu door middel van haar boeken. "Ik schrijf niet zozeer over vrouwen in nood. Ik zou liever zeggen dat ik schrijf over vrouwen in een bijzonder moeilijke periode van hun leven. Het is altijd interessant om mensen in moeilijke omstandigheden te plaatsen en vervolgens te kijken hoe ze daarmee omgaan. Maar als alles perfect gaat, is dat natuurlijk niet interessant voor de lezer. En dat ik voornamelijk over vrouwen schrijf, komt in de eerste plaats omdat ik zelf een vrouw ben en in de tweede plaats omdat vrouwen gecompliceerder zijn dan mannen en dus interessanter zijn om over te schrijven. Overigens denk ik niet dat vrouwen in werkelijkheid in staat zijn om al hun problemen op te lossen, hoe sterk ze ook zijn. En dat geldt ook voor mijn romanpersonages. Vergeet niet dat romans een weerspiegeling zijn van de werkelijkheid. Sommige dingen zijn gewoon niet onder controle te krijgen. Wat mij intrigeert is de vraag welke dingen we wél onder controle kunnen krijgen en welke dingen niet en hoe moeten we met die beide tegenpolen omgaan."

SPANNING

"Uiteraard is het opwekken van spanning cruciaal voor thrillers," vindt Fielding. "Maar als je wilt dat de lezer blijft doorlezen, zal er meer moeten gebeuren. Als er geen emotionele band is tussen de karakters en de lezer, als de lezer het niets kan schelen wat de hoofdpersoon overkomt, dan kan je als schrijver nooit van zijn leven spanning opwekken. Je moet de karakters goed uitwerken om geloofwaardig te maken hoe zij handelen als zij door het noodlot getroffen worden. Daarom probeer ik geloofwaardige, menselijke wezens te creëren, wezens waar het publiek zichzelf in kan herkennen omdat ze net zo handelen als zijzelf zouden doen.

Actie moet altijd voortkomen uit de karakters. De manier waarop mensen reageren op bepaalde gebeurtenissen hangt voor een groot deel af van hun opvoeding. Als ze uitsluitend zouden handelen omdat

"lezers moeten zichzelf kunnen herkennen"

de schrijver het goed uitkomt, herkent de lezer ogenblikkelijk de onnatuurlijkheid van het geheel. Handeling moet automatisch voortvloeien uit de aard van de personages. Dus, karakterisering is essentieel bij het creëren en opbouwen van spanning. En natuurlijk zijn er ook andere zaken belangrijk, zoals een sterke plot. Er moeten ook diverse situaties voorkomen in een boek die 'spannend' zijn."

Normaliter kan een schrijver feilloos aangeven wat de inspiratiebron is geweest voor een bepaald boek. Joy Fielding is daarop een uitzondering. Alleen voor de inspiratiebron van haar boek *Dodelijke ambitie* (*Charley's Web*) ligt dat anders. "Het is moeilijk aan te geven wat de inspiratiebron voor *Dodelijke ambitie* was. De titel *Charley's Web* kwam een tijdje geleden plotseling in mijn hoofd op en pas daarna heb ik geprobeerd er een passend verhaal bij te verzinnen. Ik dacht aan een columniste die het respect van haar collega's wil winnen. Ik dacht aan een lichtelijk idiote familie, Charley en haar zusters en ouders, en daarna dacht ik aan Jill Rohmer, die in de gevangenis op haar doodstraf wacht. Er zijn de afgelopen jaren heel wat misdaden en moorden gepleegd door jonge vrouwen die echt gruwelijke dingen hebben gedaan en ik dacht dat het interessant zou zijn om uit te zoeken wat die jonge vrouwen bezielde. In eerste instantie waren zij niet anders dan andere vrouwen: verantwoordelijke, liefhebbende, menselijke wezens die op een bepaald moment in monsters veranderden.

Het idee van natuurlijk handelen met daartegenover aangeleerd handelen en het hele idee van keuzevrijheid ten opzichte van dwang sprak me bijzonder aan."

POPULAIRE FICTIE

"De problematiek van de mogelijkheid om de loop van je eigen leven te bepalen heb ik natuurlijk op het bordje van Charley gelegd. Zij schrijft een controversiële column en zij wil respect. Ikzelf heb daar in de praktijk nooit mee te maken gehad. Het enige wat Charley en ik, als schrijfster van populaire fictie, gemeen hebben is dat we beiden hard moeten werken om het respect van onze collega's te verdienen. Soms denken mensen dat als boeken te succesvol zijn en het publiek te goed vermaken, dat ze nooit goed kunnen zijn. Maar ik schrijf geen romantische pulp. Mijn boeken hebben een boodschap. Romantiek verkoopt goed, maar ik maak er uitsluitend functioneel gebruik van. Ik schrijf ook over romantiek, maar die is in mijn boeken niet cruciaal. Dat neemt niet weg dat ik nog steeds de hoop koester dat iedereen in zijn leven van een beetje romantiek mag en kan genieten. De manier waarop mensen zich gedragen als ze verliefd zijn zegt veel over hun karakter. Dat is leuk om te zien. Maar ik geloof niet noodzakelijkerwijze in een happy end. Dat hoeft ook niet, als er voor dat einde maar een vleugje romantiek langskomt."

ALLEEN OP DE WERELD

Joy Fielding hoeft om het geld niet meer te schrijven, maar ze kan zich een leven zonder schrijven niet voorstellen. "Het is heel moeilijk om me voor te stellen dat ik niet schrijf. Maar ik heb ik weet niet hoeveel andere baantjes gehad. Toen ik jonger was, werkte ik in een winkel waar ik mannensokken verkocht en daarna handdoeken. Ik werkte ook op een aantal banken als caissière. Ik heb ook lesgegeven op de middelbare school en gewerkt als een sociaal werker. Daarna ben ik actrice geweest. De afgelopen twee jaar heb ik lesgegeven in creatief schrijven aan de universiteit van Toronto. Ik voel me erg gelukkig als ik verschillende dingen kan doen en werkzaamheden kan verrichten waarbij ik

"mijn enige gezelschap is mijn computer"

met andere mensen in contact kom. Dat komt natuurlijk omdat ik als schrijver het merendeel van mijn tijd opgesloten zit in mijn kamer, in mijn eentje. Mijn enige gezelschap is mijn computer. En als ik zeg alleen, dan bedoel ik ook alleen. Ik werk in volkomen stilte. Geen muziek ofzo. Dat leidt me af. De onderwerpen van mijn boeken lenen zich ook niet voor luidruchtigheid. Ik geef je een voorbeeld. Mijn boek *Roerloos* gaat over een vrouw die in coma ligt. Het verhaal wordt verteld vanuit haar gezichtspunt. De thematiek is: hulpeloos zijn en niet de controle hebben over je eigen leven. Het gaat over vertrouwen hebben in je instincten en het ontdekken wie je werkelijk bent. In essentie is/ dat natuurlijk het thema van bijna al mijn boeken. Een ander thema in het boek is de onzichtbaarheid van vrouwen en wat te doen als je niet gezien en opgemerkt wordt of als je zelfs niet gehoord wordt. Een probleem dat in Amerika voor miljoenen vrouwen geldt, maar natuurlijk ook voor miljoenen vrouwen in andere landen."

HAAT – LIEFDE

Als schrijfster met een rijk gedachtenleven is Joy Fielding heel stellig in de dingen die zij leuk vindt en waar zij een hekel aan heeft. "Het belangrijkste ding in het leven dat ik haat is elke vorm van wreedheid. Ik haat mensen die kinderen of dieren mishandelen. Ik haat het feit dat mensen moeten lijden en doodziek worden. Ik heb weinig geduld met stommiteiten, zelfgenoegzaamheid en kleinzieligheid. Ik haat wijsneuzen die het achteraf allemaal zo goed weten. Ik verwacht van mensen dat ze zeggen wat ze bedoelen en dat ze menen wat ze zeggen. Als ik mag zeggen van wie en wat ik houd, dan begin ik met mijn man, mijn kinderen en mijn vrienden. Ik houd van een warme, zonnige dag. Ik houd van de oceaan. Ik houd van reizen naar Europa en in het bijzonder naar Italië en Parijs. Ik houd van Florida waar we een tweede huis hebben, iets terzijde van Palm Beach, en waar ik veel tijd doorbreng. Ik houd van het lezen van

"ik haat elke vorm van wreedheid"

een goed boek. Ik houd van de reacties van mijn lezers. Ik houd van de gedachte dat ik met het schrijven van boeken een goed leven kan hebben en dat dat zo is omdat ik iets doe waarvan ik houd, het vertellen van verhalen. En bovendien houd ik van dit interview omdat het me laat nadenken over mijn werk op een manier waarop ik er normaliter nooit over nadenk. Ik houd van het uitwisselen van informatie en het discussiëren over diverse romantechnieken en motieven. Ik houd van het contact met de buitenwereld en met jou, omdat schrijven een eenzame bezigheid is. Het is fijn om te weten dat er buiten mijn werkkamer veel mensen zijn die van mijn werk houden. Dat is toch waar ik het voor doe." ∎

LEE CHILD

"mijn **held** is een **verlosser**, een **ruige** droomman, de ideale one **night stand**"

Zijn hoofdpersoon Jack Reacher is legendarisch. Een eenzame wolf die in het weidse Amerika van plaats naar plaats trekt, steeds ongewild in moeilijkheden komend omdat hij gehoor geeft aan zijn onkreukbare gevoel voor rechtvaardigheid. Zijn enige bagage is een opvouwbare tandenborstel en een handvol dollars. Hij is de Lone Ranger zonder paard. Een ruige, ruwe vechtmachine met stoppelbaard. De ongekroonde koning van de actiethriller, die miljoenen vrouwelijke lezers steeds opnieuw tot een hoge mate van opwinding weet te brengen. Hij vloeide voort uit de pen van auteur Lee Child die zijn held bedacht toen hij zonder werk kwam te zitten. Dertien boeken zijn inmiddels van zijn hand verschenen. Dertien bestsellers. Voor Lee Child een geluksgetal.

GRANADA TELEVISIE

Lee Child (1954) is indrukwekkend lang en slank. Engelsman van origine, nu woonachtig in New York City, door hem glimlachend bestempeld als een aparte natie die nauwelijks iets met Amerika van doen heeft. Hij is een man die houdt van steden. Reden waarom hij tal van keren in Amsterdam is geweest. "Incognito, zonder dat zakenrelaties het weten," vertrouwt hij mij toe. "Het is een stad waar je op je gemak van moet genieten." Hij spreekt langzaam en verzorgd Engels, een professional die beseft dat zijn ontslag bij de televisie, waar hij achttien jaar werkte, de grootste zege van zijn leven is geweest. Bij Granada-TV bekleedde hij diverse functies. Hij was netmanager, maar ook regisseur en schrijver van reclamefilmpjes en trailers.

Een uiterst leerzame periode: "Ik denk dat ik twee dingen heb geleerd van mijn televisietijd. Het eerste is dat het publiek het allerbelangrijkst is. Wat je ook doet, denk aan het publiek. Je doet het voor hen en niet voor jezelf. In dat opzicht is tv maken en thrillers schrijven precies hetzelfde. Ik schrijf om gelezen te worden. Ik voel me pas geslaagd als het publiek mijn boeken mooi vindt en koopt. Veel schrijvers en mensen in de tv-wereld hebben het idee dat ze indruk moeten maken op hun vrienden, hun familie of hun collega's. Onzin, volledig fout. Je doet het voor het grote publiek. En het tweede dat ik heb geleerd uit mijn tv-tijd is dat je populair kunt zijn en toch kwaliteit kunt leveren. Over het algemeen denkt men dat tv-series of boeken die populair zijn, geen kwaliteit hebben. Ook dat is onzin. Kwaliteit wordt juist meestal beloond. Soms moet je het publiek de kans geven het te herkennen, maar je moet nooit je niveau verlagen om een groot publiek aan te spreken. Dat zijn de twee gouden lessen die ik aan mijn tv-periode heb overgehouden."

HEIMWEE

De belangrijkste functie die Lee Child bij de omroep had was die van netcoördinator. "In Engeland hebben we daar de titel presentator director voor, dat wil onder andere zeggen dat je een uitzendschema maakt voor de programma's die gemaakt worden. Het was een fan-

"tv-kijken is tegenwoordig een parallele activiteit"

tastische baan, want ik stond constant in het middelpunt van alles wat er gebeurde. Samen met een collega maakte ik ook commercials en promofilmpjes. Daarnaast regisseerden we korte nieuwsitems en sportprogramma's. Het was een zeer gevarieerde baan. Ik heb bij elkaar zo'n 40.000 uur televisie gemaakt. Ik heb alles voorbij zien komen, van religieuze programma's tot misdaadprogramma's. Maar op een bepaald moment ben ik wegbezuinigd tijdens een reorganisatie. Dat deed pijn. Toen ik ging schrijven miste ik, in het begin, met name de collega's, de kameraadschap, kortom het sociale leven van toen. Wat ik nu nog wel mis is het centrum te zijn van alle gebeurtenissen en al het nieuws dat op de tv komt. Ik moet het natuurlijk niet romantiseren, want er waren ook stomvervelende momenten bij. Maar over het algemeen was het een bruisend leven. Sinds ik weg ben bij de tv heb ik bij grote gebeurtenissen wel een gevoel van weemoed. Dan had ik er zelf weer bij willen zijn."

Als televisieman was Child gewend aan het werken met kijkcijfers. Rekening houden met de smaak van het grote publiek. Toen hij na zijn ontslag ging schrijven, stond het publiek opnieuw centraal. "Je kunt aan mijn manier van schrijven zien dat ik aan het publiek denk. Ik gebruik korte woorden en zinnen. Daarnaast heb ik een stijl gezocht die goed bij me past. Bij de televisie heb ik geleerd hoe kijkers of lezers de dingen consumeren die je hen voorschotelt. En dat is in de loop der jaren veranderd. Veertig jaar geleden zaten mensen nog ademloos aan de buis gekluisterd en verslonden elk woord dat er werd uitgesproken. Momenteel is tv kijken meer een parallelle activiteit geworden. Een vrouw is in staat om tijdens het koken met haar moeder te telefoneren terwijl ze het T-shirt van haar zoontje rechttrekt, op haar horloge kijkt en met haar andere oog kijkt wat er op de televisie gebeurt. Dus als je als tv-maker wilt dat mensen naar je kijken, moet je alles uit de kast trekken om hun aandacht vast te houden. Met boeken is dat exact hetzelfde. Je moet je als schrijver constant afvragen hoe de mensen je boek lezen. Kijk, voor liefhebbers is het geen probleem. Die zullen geconcentreerd een boek lezen. Maar de gemiddelde lezer leest een boek onder de meest vreemde omstandigheden: een kwartiertje op het toilet, in de bus, op de tribune van het sportveld, wachtend in de rij, vlak voor het slapengaan. Steeds kleine fragmenten, steeds op andere locaties. Als schrijver moet je de vluchtige lezer helpen door heel helder te schrijven, de gebeurtenissen goed uit te leggen, niet te veel tussentijdse raadsels op te werpen. Dingen moeten gemakkelijk te begrijpen en te herinneren zijn. Je moet dus goed je publiek kennen voordat je hen kunt bedienen. Ik schrijf voor het publiek. Ik hoef geen pluim van mijn redacteur, ik heb geen behoefte aan goede kritieken van recensenten. Ik wil dat het publiek mijn boeken goed vindt en koopt."

HOOFDPERSOON ALS VERLOSSER

Hoewel Jack Reacher, de vaste hoofdpersoon in de boeken van Child, een eenling lijkt in thrillerland, een opvallend personage met een heel eigen karakter, is Lee Child erg relativerend over de originaliteit van zijn held. "Ik heb hem instinctief verzonnen, maar als je hem zou analyseren, zie je dat zijn type held gebaseerd is op het oudste type karakters uit de vertelkunst van de mens. Er is natuurlijk een eeuwenoude traditie wat betreft spannende avonturenverhalen met mysterieuze vreemdelingen. Je treft ze aan in de oude westernverhalen uit Amerika, rond figuren als Jesse James, Billy the Kid, The Lone Ranger en dat soort figuren, maar ook in de middeleeuwse sagen, de Noorse sagen en Griekse mythen. Een held die uit het niets opduikt, de zwakkeren bescherming biedt en boeven op hun kop geeft, dat vind je allemaal daar. In dat opzicht is mijtn held Jack Reacher niet echt nieuw. Hij lost problemen op en loopt of rijdt daarna weer de zonsondergang tegemoet. Hij is een universele held. Hij voldoet aan een menselijke behoefte. Als je in moeilijkheden verkeert die zo groot zijn dat je niet in staat bent om er zelf uit te komen, wil je graag dat iemand je komt helpen. Zo iemand is Jack Reacher. Hij is bigger than life. Een kruising tussen striphelden als Superman, Spiderman en Batman. Jack Reacher heeft alleen geen bovennatuurlijke krachten, maar is gewoon een mens die extreem goed is in bepaalde zaken. In bepaalde opzichten is hij bijna bovennatuurlijk. Hij neemt het moeiteloos op tegen drie of meer vijanden tegelijk. Hij is ook een variatie op de religieuze held. Jack Reacher is de verlosser. Hij redt je. En dat lezen de mensen graag omdat het een diep mense-

"jack reacher is de verlosser, hij redt je"

lijke wens is om hulp te krijgen in nood. Een hulp die je veiligheid kan bieden. Dat is ook de reden dat mensen zo graag fictie lezen. Die veiligheid en bescherming krijg je in het dagelijks leven niet. Maar op papier wordt het je zomaar aangeboden. Dat is een hele geruststelling. In werkelijkheid wordt je gestolen auto nooit teruggevonden. De verkrachter van je buurmeisje wordt nooit gestraft. Gerechtigheid krijg je alleen nog maar op papier."

RECHTVAARDIGHEID

"Jack Reacher heeft een heel eigen idee over recht en rechtvaardigheid. En dat is voor een groot deel *mijn* gevoel voor recht en rechtvaardigheid. En ik denk dat dat tevens het gevoel van miljoenen mensen is. Mensen die instinctief reageren, handelen naar hun geweten, naar hun moraal, hun gevoel voor wat rechtvaardig is. Daar heeft de wet niets mee te maken. Die wisselt elk jaar. Wat het ene jaar volstrekt fout is, is in de wet van het jaar daarop net iets minder fout en weer een jaar later misschien helemaal niet meer fout. Wetten veranderen. Rechtvaardigheidsgevoel niet. Er is altijd een natuurlijk conflict tussen rechtvaardigheid en de manier waarop de wet die omschrijft. Jack Reacher handelt naar zijn eigen geweten. Reacher is een vrijbuiter die zich ontworsteld heeft aan de maatschappij. Hij zwerft door het land met alleen een opvouwbare tandenborstel als trouwe metgezel. In dat opzicht is hij iemand die doet waar veel mensen van dromen. Iedereen kent momenten waarop hij het liefst alle schepen achter zich zou willen verbranden. De belastingaanslagen en andere papieren rompslomp in de vuilnisbak zou willen gooien, zijn verantwoordelijkheden en verplichtingen in de ijskast zou willen zetten om gewoon vrij van alles de zonsondergang tegemoet te rijden. In ons allen schuilt een Lone Ranger. Wij hebben alleen niet de moed om aan die geheime wens toe te geven. Jack Reacher wel. Verder denkt hij er niet over na. Hij is sterk genoeg om dat niet te hoeven doen."

CHILD ALS REUS

Het gemak waarmee Jack Reacher zowel de wereld als zijn vijanden benadert, komt voort uit een enorm zelfbewustzijn, het kennen van eigen kracht. Het is een eigenschap die Reacher van Lee Child heeft geërfd. Child groeide op in Birmingham (Engeland), een fabrieksstad. Zijn ouders woonden in een

"we vochten om het minste geringste"

volksbuurt waar elke dag zwaar gevochten werd. "We vochten om het minste geringste. Niets werd met woorden opgelost. Als je het niet met elkaar eens werd, vocht je het uit, vaak met messen of fietskettingen. Het was een zeer gewelddadige buurt. Ik heb het enorme geluk gehad dat ik op mijn elfde al enorm groot was. Ik stak koppen uit boven mijn buurjongens en dat maakte dat ik in hun ogen een ongenaakbare reus was. Daar ontleende ik een zeer groot zelfvertrouwen aan. Op een dag had ik enorme haast en wilde ik de kortste weg nemen. Maar in een steegje naast de bibliotheek stonden drie jongens van wie ik wist dat ze me zouden aanvallen als ik door het steegje liep. Maar ik dacht er niet over om om te lopen. Ik dacht ook niet na over de vechtpartij die ging komen. Ik was toen zo sterk. Ik dacht er alleen aan dat ik nu alsnog te laat zou komen. Ik bezat de arrogantie die ik Jack Reacher ook heb meegegeven. Zoiets van: "Als je het hebben wilt, kan je het krijgen.""

VROUWELIJKE FANS

Hoewel actiethrillers normaliter het domein zijn van mannelijke lezers, worden de boeken van Child voornamelijk verslonden door vrouwen. Child kan maar liefst drie oorzaken aanwijzen voor de vrouwelijke belangstelling.

"vrouwen hebben een hekel aan onrechtvaardigheid"

"Vrouwen hebben, meer dan mannen, een hekel aan onrechtvaardigheid. Vrouwen houden van eerlijkheid. In dat opzicht heeft Reacher een vrouwelijk gevoel voor rechtvaardigheid. In de tweede plaats vinden vrouwen het, zelfs nu in de eenentwintigste eeuw, moeilijk om in het openbaar boos of assertief te zijn. Een man die boos is, wordt volledig geaccepteerd. Een vrouw die boos is, wordt als een manwijf, een hysterische heks bestempeld. Reacher neemt als het ware hun plaats in. Hij wordt in hun plaats boos. Dat waarderen ze. Ze zijn blij dat hij voor hen de oneerlijke mensen stevig aanpakt. Dat hadden ze zelf willen doen. Bovendien gaat Reacher in mijn boeken heel respectvol met vrouwen om. Het zijn ook altijd sterke en capabele vrouwen, geen bimbo's, geen domme, dwaze schepsels. Reacher opereert in een postfeministische wereld, waarin iedereen gelijk is en dezelfde mate van respect krijgt. Ik denk dat vrouwen daar van houden. En als laatste heb je natuurlijk het romantische element. Ik denk dat veel vrouwen Reacher zouden willen ontmoeten. Hij is, hoe merkwaardig dat ook lijkt, een droomman, hoe ruw, hard, smerig en ongeciviliseerd hij ook is. Vrouwen dromen van een man als Jack Reacher. Hij is een man die op een dag aan de deur klopt, een enorme indruk maakt met zijn stevige gedaante en zijn goed ontwikkelde spieren, één of twee nachten niet te versmaden seks biedt en daarna weer vertrekt. Geen complicaties achteraf. Hij komt nooit meer langs, hij zal nooit meer bellen. De Britten zouden zeggen: 'Het was goed om je gekend te hebben.' Reacher is de ideale one night stand die altijd geheim zal blijven."

AMERIKAANSE HELDEN

Lee Child is getrouwd met een Amerikaanse vrouw en hij houdt van Amerika, maar dat is niet de reden dat hij de avonturen van Jack Reacher in Amerika gesitueerd heeft. "Reacher is een archetype. Hij is niet aan tijd of plaats gebonden. Ik zocht een personage dat kan rondzwerven in een land waar nog ruimte is en waar veel delen van het land nog ruw en ongerept zijn. Europa viel meteen af. Daar is alles volgebouwd en overbevolkt. Voor de leegte die ik voor ogen had, moest ik Reacher dus wel in Amerika plaatsen, daar waar de geografische omstandigheden zijn zoals ik voor ogen had: leeg, wijds, avontuurlijk en gevaarlijk. Reacher is een zwerver die van plaats naar plaats trekt. Dat maakt ook dat ik de serie gemakkelijk kan voortzetten. Reacher blijft nooit op dezelfde plaats. Ik kan hem overal naartoe laten gaan. Nu eens naar een eenzame verafgelegen plek, daarna naar een grote stad, en vervolgens naar een gehucht. Alles kan. Reacher is net als het A-Team uit de tv-serie, altijd op weg. Het A-Team en Reacher zijn variaties op hetzelfde thema, maar wel hetzelfde concept. Rechtvaardige helden die dwars door Amerika trekken en op de meest afgelegen plekken het kwaad bestrijden. Alleen heeft men voor het A-Team gekozen om onderdelen van één karakter uit te splitsen in meerdere personen. Je hebt een slimme, een sterke, een mooie, een grappige, een vindingrijke. Bij Reacher zijn al die eigenschappen in een en dezelfde persoon ondergebracht. Maar verder zijn de sfeer, de uitgestrektheid, de boeven hetzelfde bij het A-Team als bij Reacher. Typisch Amerikaanse helden."

Reacher krijgt vrijwel altijd te maken met sterke tegenstanders. Kleine criminelen komen zelden voor. "Dat komt omdat de tegenstellingen dan beter tot hun recht komen. Elke thriller draait om conflicten. En het beste conflict uit de geschiedenis is het verhaal van David en Goliath. In mijn boeken vervult Reacher de rol van David en zijn tegenstanders zijn Goliath, machtige instanties en soms overheidsinstellingen waar in principe niemand het van kan winnen. Ik heb het dan over de externe gevechten die Reacher moet leveren. In *Sluipschutter* worstelt Reacher ook met een innerlijk probleem. In de trein wordt hij geconfronteerd met een vrouw die zichzelf opblaast. Komt het doordat ze het leven niet meer zag zitten? Of heeft Reacher toen hij haar benaderde onbewust het laatste zetje tot zelfmoord gegeven? Die vragen blijven hem kwellen. Dus naast zijn machtige tegenstanders moet hij ook zijn schuldgevoel overwinnen. Je zou kunnen zeggen dat ik hier een sandwichconflict heb ingebouwd. Verder heb ik hem een mooie tegenstander gegeven zodat hij ook nog zijn vooroordelen moet overwinnen en het menselijk gegeven dat je nauwelijks kunt accepteren dat iemand die mooi is ook slecht kan zijn. Kortom, drama, conflicten, strijd, dat is het wezen van een goede thriller. En vertrouwdheid, niet te vergeten. Lezers willen elk jaar

"reacher is een eenpersoons a-team"

een nieuw Reacher-boek met de elementen en karaktertrekken waar ze van houden. In een goede serie moet je de karakters dus niet te veel veranderen. Dus ik zal Reacher geen pacifist laten worden en ik zal hem ook geen geslachtsverandering laten ondergaan. Daar zit niemand op te wachten. De lezers willen, met variatie, steeds hetzelfde. Ik heb er geen moeite mee om hun dat te geven."

INSPIRATIE

"Voor een goede thriller heb je meerdere ideeën nodig. Ten minste twee. De inspiratiebron voor *Sluipschutter,* bijvoorbeeld, was dat ik een lijst in handen kreeg waarin tien karakteristieke, visuele, gedragskenmerken van zelfmoordenaars werden beschreven. Iemand die zichzelf gaat opblazen staart altijd recht voor zich uit, zweet, heeft ruime kleren aan etc. En als een politieagent iemand ziet die aan meerdere kenmerken van de lijst voldoet, wordt hij geacht te reageren alsof het om een zelfmoordterrorist gaat. Dat leek me een heel interessant gegeven, omdat het ook mogelijk is dat je iemand treft die wel aan alle kenmerken voldoet, zonder dat hij of zij een zelfmoordterrorist is. Wat dan? Het andere dat me intrigeerde was een foto van Donald Rumsfeld (voormalig Amerikaans minister van Defensie)

"in engeland denkt men negatief, in amerika positief"

met wijlen Saddam Hoessein (voormalig president van Irak). In de jaren tachtig waren het dikke vrienden. Saddam was een bondgenoot en Rumsfeld gaf hem cadeaus. En vijfentwintig jaar later zorgde Amerika ervoor dat hij vermoord werd. Het boeide me bovenmatig hoe dingen 360 graden kunnen draaien. Die twee zaken: de lijst met eigenschappen van zelfmoordenaars en het gegeven dat dingen volledig anders kunnen lopen dan ooit werd gedacht, zijn de peilers waarop het verhaal is gebouwd."

Child woont tegenwoordig in New York City, een groot verschil met zijn vroegere woonplaats Birmingham, zoals leven in Amerika heel anders is dan leven in Engeland. "Het is een cliché, maar het verschil is dat men in Engeland op een manier naar dingen kijkt die negatief is. Men denkt daar: "Nee, dat kan niet, want…" Als je iets aan iemand vraagt hoor je tien redenen waarom iets niet mogelijk is. In Amerika is het precies het tegenovergestelde. Daar denkt men positief en is men altijd bereid om na te denken hoe iets wel gerealiseerd kan worden of hoe men je wel kan helpen. Misschien dat het resultaat uiteindelijk precies hetzelfde is, maar dat maakt niet uit. Het is zoveel prettiger om met mensen te leven die uitgaan van een positieve benadering. Het grootste verschil is echter dat Engeland denkt dat het in de steek is gelaten. Het was ooit een supermacht, maar die macht is langzaamaan volkomen verdwenen. Honderd jaar geleden waren ze nog een supermacht, wellicht de enige in de wereld en nu is die rol overgenomen door Amerika. Waarschijnlijk niet voor altijd, maar op dit moment wel. Dat heeft het zelfbeeld van de Engelsen een knauw gegeven en het zelfbewustzijn van de Amerikanen een lift gegeven. Zo werken die dingen nu eenmaal."

HUMOR

Daar waar sommige lezers de verhalen van Child als bitter ernstig beschouwen, prijzen anderen de humor. Een merkwaardig fenomeen. "Ik schrijf geen humoristische boeken, maar Reacher is door zijn ernst en oprechtheid vaak humoristisch. In een van mijn boeken wordt een politieagent neergeschoten en Reacher heeft de ondankbare taak om naar de weduwe te gaan en haar over de dood van haar man te informeren. Als hij de vrouw ziet zegt hij: 'Het spijt me, maar ik heb slecht nieuws.' Zij begrijpt hem meteen en zegt: 'Mijn man is dood.' En Reacher zegt: 'Ja, het spijt me heel erg.' Zij vraagt wat er gebeurd is, waarop Reacher antwoordt: 'Hij is neer-

"reacher is zo ernstig dat hij grappig wordt"

geschoten.' 'Door wie?' vraagt ze. 'Door de man naar wie we allemaal op zoek zijn,' zegt Reacher. 'Waar?' vraagt de vrouw. 'In zijn hoofd,' zegt Reacher. 'Nee, ik bedoel waar is het gebeurd?'" Lee Child moet er zelf erg om lachen. "Zie je wat ik bedoel? Reacher probeert niet grappig te zijn, maar hij is zo ernstig dat het geestig wordt." ■

Judith Visser

"ik kan niet slapen als ik niet eerst naar elvis presley heb geluisterd"

De boeken van Judith Visser (1978) wisselen van thematiek als een kameleon van kleur. Zelden is er zo'n groot contrast geweest tussen de boeken van één en dezelfde auteur. Vissers eerste boek, *Tegengif*, gaat over de negentienjarige Kim die prostituee wordt. In haar tweede boek *Tinseltown* krijgt dezelfde Kim lugubere bedreigingen en schuimt zij alle nachtclubs en feesten van Hollywood af. Vissers derde boek, *Stuk*, speelt zich af op het Rotterdamse Mercatus College, waar het timide schoolmeisje Elizabeth een prooi wordt van pestkoppen. Haar vierde boek, *Oversteken*, gaat over verlangen naar het onbereikbare en heeft bovennatuurlijke elementen. Maar hoe wisselend de inhoud en vorm van haar boeken ook zijn, er blijft één constante in het leven van Judith Visser: haar liefde voor Elvis Presley die zij liefkozend 'mijn engel' noemt.

DON'T MESS AROUND

Als Elvis Presley nog geleefd zou hebben, zou hij jaloers zijn geweest op de haren van Judith Visser, ravenzwart en glanzend, zoals Elvis zelf het 't liefste had. Haar fragiele verschijning en innemende lach worden gecompenseerd door twee grote honden die waakzaam, met licht opgetrokken bovenlip, de stille waarschuwing uitstralen: Don't mess around with Judith. Zij heeft een meisjesachtige, lichte stem en een ongeremde ambitie om ooit nog eens door een groot publiek gekend en erkend te worden. Toch heeft Judith niet te klagen. Haar eerste twee boeken *Tegengif* en *Tinseltown* werden respectievelijk in 2006 en 2007 uitgeroepen tot Het Beste Boek van Rotterdam. Na haar overstap naar uitgeverij De Boekerij publiceerde zij haar eerste echte thriller, *Stuk*, die prompt op de shortlist voor De Gouden Strop belandde. Een prijs die zij in 2010 in de wacht hoopt te slepen. Bijvoorbeeld met *Oversteken*, haar tweede volwaardige thriller.

Judith Visser begon haar nog prille schrijverscarrière met een spraakmakende en rumoerige start. In haar debuutroman *Tegengif* ontdekt de negentienjarige Kim dat haar grote liefde Edwin haar heeft bedrogen. Om zichzelf te wapenen tegen toekomstig bedrog, besluit ze prostituee te worden op de Bergweg in Rotterdam. Judith kwam op het idee om het boek te schrijven naar aanleiding van een documentaire van de Vlaamse tv-maker Jambers. "Er zat een meisje in die documentaire die zei dat ze het werk gewoon leuk vond. Dat vond ik zo fascinerend. Ik vroeg me af hoe je zoiets leuk kon vinden en dat bleef me bij. Het onderwerp trok me, maar ik wilde wel vanuit een originele invalshoek schrijven. Ik wilde geen loverboy-verhaal of een meisje dat aan lager wal raakt, drugs gaat gebruiken en op die manier in de prostitutie komt. Ik heb toen een meisje verzonnen dat zo boos is op haar vriend, dat ze uit wraak met zoveel mogelijk mannen wil slapen. Het boek heeft volstrekt tegenstrijdige gevoelens opgeroepen. Je hebt mensen die het geweldig vinden en mensen die de keuzes van de hoofdpersoon niet snappen. Ik vind het nog steeds mijn leukste boek. Ik lees er graag uit voor. Het is humoristisch. Je moet het niet allemaal doodserieus opvatten. Het is met een knipoog geschreven."

BOOSHEID EN VUILSPUITERIJ

Toen *Tegengif* op de markt kwam kreeg Judith Visser honderden haatmails te verwerken, van mensen die de scheiding tussen het romanpersonage Kim en de schrijfster niet konden maken. "Ja, ik krijg nog steeds veel over me heen, hoor. Ik zit er niet zo heel erg mee. Het is een soort compliment omdat ik alles kennelijk heel realistisch heb geschreven, waardoor veel mensen denken dat alles in het boek echt is gebeurd. En ja, er zitten natuurlijk dingen van mijzelf in de hoofdpersoon Kim. Zij woont ook hier in Rotterdam, heeft ook een hond, heeft lang zwart haar net als ik. Maar de meeste reacties kwa-

"de meeste reacties kwamen van **boze hoerenlopers**"

men van boze hoerenlopers. De klanten die in mijn boek naar het bordeel aan de Bergweg komen bestaan echt. Ik heb hun karakters omschreven gekregen door Sandy, een prostituee die mij al haar verhalen heeft verteld. Het zijn juist die klanten die allerlei lelijke dingen hebben geschreven en die een eigen leven gingen leiden toen ze op forums kwamen. Ik kwam met Sandy in contact omdat ik undercover ging solliciteren bij dat bordeel en toen zag ik Sandy zitten. Na afloop heb ik buiten op haar gewacht en haar aangesproken en toen hebben we elkaar een paar keer ontmoet. Tijdens die bijeenkomsten heeft ze mij haar verhalen verteld. Het was overigens wel goed om die realistische verhalen te gebruiken. Ik houd van de realiteit."

Naast de realiteit is het de stad Rotterdam die regelmatig ter sprake komt tijdens het interview. Het is de stad waar Judith geboren en getogen is. "Ik ben geboren in Rotterdam-Zuid op een kamertje waar ik tot mijn achttiende heb gewoond. Ik heb een hele leuke jeugd. Ik werd erg vrijgelaten door mijn ouders en juist daardoor ben ik niet in de problemen gekomen. Want als er geen regels zijn om te breken, dan doe je dat ook niet. De flat waar ik toen woonde is nu afgebroken. In een wijk die bestempeld is tot de op twee na meest criminele wijk van Nederland. Bizar hè? Nu ging ik meestal om met vriendinnen die uit andere buurten van Rotterdam kwamen, dus zelf heb ik er niet veel last van gehad. Maar toen het in de buurt te erg werd zijn mijn ouders verhuisd, naar de andere kant van de wijk, de goede kant. Het opleidingsniveau was er laag en er zijn veel mensen die geen Nederlands spreken. Die combinatie is natuurlijk niet zo handig. Ik woon nog steeds in dezelfde wijk, maar nu aan de goede kant. Hoewel, goed? De eerste kerst dat ik daar woonde, werd er iemand neergestoken op de galerij en dat heeft wel indruk gemaakt."

REALISME

"Als jong meisje heb ik op het Mercatus College gezeten dat ik in *Stuk* heb beschreven en ook de leraren die in het boek voorkomen zijn mijn leraren van toen. Ik vind het leuk om een bestaand decor te gebruiken. Als je bezig bent met schrijven zie je de situatie helemaal voor je. Dat helpt mij om alles zo realistisch mogelijk te houden. Ik vind het leuk als mijn lezers naar een plek toe kunnen gaan die ik beschreven heb. In *Tegengif* heb ik een bordeel op de Bergweg beschreven en ik krijg nu nog steeds mailtjes van mensen die naar de Bergweg zijn gegaan om de locatie te bekijken die ik heb beschreven. Het leuke van

"ik was bijna nooit op school"

realistisch beschrijven is dat mensen naar jouw locaties kunnen gaan en dat ze dan in de wereld van jouw boek kunnen lopen. Het achterhuis van Anne Frank trekt mede om die reden zoveel bezoekers. Miljoenen mensen hebben het dagboek gelezen en nu willen ze ook wel eens zien hoe het achterkamertje eruitziet. Ik weet dat het niet te vergelijken is, maar het gaat om het principe. Als je in dat kamertje rondloopt denk je toch: 'goh, toen zat ze daar en kijk daar zat ze te schrijven.' Ja toch?"

Aan de school die zij in *Stuk* zo realistisch heeft beschreven, heeft Judith overigens weinig herinneringen. "Ik was er bijna nooit. Ik was zo iemand die kon spijbelen zonder dat er iets van werd gezegd. Ik kon dus mijn eigen gang gaan. Dat wil niet zeggen dat alles fantasie was, wat ik heb geschreven. Ik heb wel degelijk gezien dat een meisje zichzelf in het toilet opsloot omdat ze zo werd gepest. Maar de echt gruwelijke dingen heb ik verzonnen. Na school wilde ik politiehondentrainer worden. Dat ging niet door omdat ik hoorde dat je geen band met zo'n dier mag krijgen. Er moet een soort afstand blijven. Uiteindelijk wilde ik voedingsdeskundige worden en die opleiding heb ik afgerond. Ik wilde mijn eigen praktijk beginnen, want ik kan niet voor een baas werken. Dat werkt gewoon niet. Maar op je achttiende weet je ook niet echt wat je wilt en juist dan moet je zoveel keuzes maken. Mijn ouders hebben zich er niet mee bemoeid. Dat vind ik niet erg, dat had alleen maar averechts gewerkt. Ze komen uit een arbeidersmilieu en ik ben de enige die schrijft in de familie. Mijn ouders zijn heel lief, ze zijn er altijd voor me en ze zijn trots op me. We hebben nooit ruzie gehad, maar ze denken anders over dingen dan ik. Zij zijn heel nuchter. Daarom had ik ook tegen niemand gezegd dat ik mijn eerste boek aan het schrijven was. Toen ik *Tegengif* schreef, heb ik het idee van een eigen praktijk voor voedingsleer opzijgezet. Als ik iets doe, ga ik ervoor. Maar om het boek te kunnen schrijven had ik inkomsten nodig en toen heb ik een lullig baantje als receptioniste aangenomen. Achter de receptie heb ik het manuscript geschreven. Toen heb ik ontslag geno… eehh... gekregen, hahaha. Mijn prioriteiten lagen niet bij het opnemen van de telefoon. Sindsdien ben ik full-time schrijfster."

VAN *TINSELTOWN* TOT *STUK*

Over *Tinseltown*, het boek waarin Kim, net als in *Tegengif,* de hoofdrol voor haar rekening neemt, is Judith Visser vrij kort. "Ze zeggen altijd dat je tweede boek een noodzakelijk boek is om je derde te kunnen schrijven. Het is eerlijk gezegd mijn zwakste boek, maar het moest geschreven worden. In dit boek wilde ik alle bedreigingen gaan gebruiken, die ik na het verschijnen van *Tegengif* kreeg. Daarom heb ik Kim opnieuw als hoofdpersoon genomen. Zij is degene die de meest afschuwelijke bedreigingen krijgt. Daarnaast wilde ik spelen met het gegeven dat iedereen dacht dat *Tegengif* autobiografisch was. Mijn insteek was de hele situatie op de hak te nemen. Dat heeft wel gewerkt, want toen het boek verscheen dachten nog meer mensen dat het eerste boek autobiografisch was en dat ikzelf in de prostitutie had gezeten. Ik heb me rot gelachen."

Hoewel Judith haar tweede boek al had kunnen uitgeven bij De Boekerij besloot ze haar eerste uitgever trouw te blijven. Maar, groeiende ambitie, de behoefte om zich te verbeteren en om van het schrijven te kunnen leven, maakte dat zij voor haar derde boek Stuk toch koos voor de grotere uitgeverij. Het idee voor *Stuk* werd geboren toen Judith zag hoe een meisje constant haren uit haar hoofd trok. "Ik vroeg me af waarom een meisje dat deed. Omdat ze gepest

"ik vroeg me af waarom een meisje dat deed"

werd waarschijnlijk, vermoedde ik. Waar dan? Nou, op school. Op welke school? Het Mercatus College. Maar het begon met die dwangneurose van dat meisje dat ook een eetstoornis kreeg. De rest van het boek is eromheen gekomen. *Stuk* was het eerste boek waar ik echt een redacteur bij had. En dat betekende meer aandacht voor het verhaal, met een beter eindresultaat. Dat is wel gebleken, want met *Stuk* ben ik op de shortlist van De Gouden Strop gekomen. Toen ik het hoorde werd ik hysterisch van blijdschap."

PERSOONLIJK

Alle boeken van Judith Visser zijn in de ik-vorm geschreven. Voor haar een absolute noodzaak. "Als schrijfster probeer ik me volledig in te leven. Daarom schrijf ik ook in de ik-vorm. Of het nu om een prostituee gaat of om een schoolmeisje. Als je in de ik-vorm schrijft voel je de emoties van je hoofdpersoon zelf aan den lijve. Zo werkt het bij mij ten minste. Het is net als bij acteren, je roept emoties op. De ik-vorm is voor mij in ieder geval gevoeliger, ook al zullen sommige schrijvers het daar niet mee eens zijn. Het gevolg is dat ik van het schrijven van een boek als *Stuk* een behoorlijke klap kreeg. Ik werd er niet vrolijker van. Ik begon ook na te denken over zaken als zelfmoord. En dat waren soms best donkere dagen. Maar die emotie is wel goed overgekomen."

Vissers vierde boek, *Oversteken* (2009), gaat over een jonge vrouw die zich verloofd heeft, en die haar vriend dood aantreft. "Maar dan ontdekt ze dat ze hem in haar dromen wel kan zien. En vanaf dat moment raakt ze verslaafd aan slaappillen. Ze wil liever in haar slaap bij hem zijn, dan in het echte leven zonder hem. En dan gaat het fout. Dan wordt het een thriller, met bovennatuurlijke elementen en een heel verrassende ontknoping. Aan *Oversteken* kan je zien dat ik als auteur gegroeid ben. Ik geef hier voor het eerst alle karakters een achtergrond, terwijl mijn focus in de eerste boeken voornamelijk bij de hoofdpersoon lag. Wat werkwijze betreft is er niets veranderd. Ik heb elk verhaal vanaf het begin redelijk in mijn hoofd. Ik begin niet als een kip zonder kop te schrijven. Maar als het boek af is, is er weinig over van wat ik in eerste instantie bedacht heb. De illusie dat ik het in mijn hoofd heb is er, maar de realiteit is anders. Helaas is mijn eerste versie altijd bagger. Pas op mijn vierde versie laat ik mijn proeflezers los. Een van hen maakt me meestal helemaal af. Maar daar heb ik het meest aan. Eerst ben ik natuurlijk boos, want dan denk ik: wie ben jij dan wel? Maar dan ga ik erover nadenken en kom ik tot de conclusie dat hij gelijk heeft. En dus ben ik wel blij met die opbouwende kritiek."

Als Judith Visser schrijft, doet ze dat in volkomen stilte. Muziek leidt haar af. "Ik kan heel slecht twee dingen tegelijk doen, daarom heb ik ook geen rijbewijs. Als ik zou autorijden en ik zou een hond zien lopen, dan zou ik afgeleid worden en naar die hond blijven kijken. Dat is mijn zwakte. Ik ben te snel afgeleid. Daarom is schrijven ook moeilijk, want dat vereist veel concentratie. Ik kan ook niet schrijven als mijn vriend thuis is. Dan ga ik in de slaapkamer zitten met oordopjes in. Hij kan echt niet naast me zitten of heen en weer lopen. Ook Elvis kan ik niet aan hebben tijdens het schrijven, dan ga ik naar de tekst zitten luisteren."

ELVIS PRESLEY

Als Elvis Presley ter sprake komt, krijgt het gesprek een onverwacht gepassioneerde doorstart. Judith blijkt een superfan te zijn. "Elvis Presley is mijn engel. Ik kan niet slapen zonder dat ik eerst naar hem heb geluisterd. In ieder boek verwerk ik iets dat met hem te maken heeft en dat alleen de echte fans zullen herkennen. Zo komt Riley, de kleindochter van Elvis in mijn boek *Stuk* voor. In *Oversteken* komt een doodgeboren tweelingbroer voor, omdat Elvis ook een doodgeboren tweelingbroer had. Tender uit *Oversteken* is ontleend aan de titelsong van de film *Love me tender*. Thuis hangt het helemaal vol met Elvis-foto's. Ja, ik verzamel ze sinds mijn tiende. Ik hoorde hem ooit op de radio en ik vond hem fantastisch. Sindsdien ben ik op hem gefixeerd. Ik vind dat er helemaal nooit iemand anders is geweest die zoveel emotie in zijn stem wist te leggen als Elvis. Dat raakt je. Elvis is uniek. Mijn vriend is ook een Elvis-fan. Dankzij mij geworden. Ik heb hem de Elvis uit 1955 laten horen, toen hij net begon. Dat was iemand anders dan de man in het witte pak van later. Die pure muziek van toen. Ik heb ook een hele grote foto van Elvis boven mijn bed, in zwart-wit. Het is ook rustgevend. Ik werk thuis en dan moet je omgeving prettig zijn. En ik voel me fijn. Een foto van mijn vriend? Hmm, ik heb veel foto's van hem op mijn laptop en aan de muur in de woonkamer hangt een collage van foto's en daar zit ook een foto van mijn vriend en ons samen tussen. En van de honden. Ik houd heel veel van mijn vriend, maar er is maar één Elvis. En bovendien is Elvis geen concurrentie voor hem. Elvis is veilig. Elvis is dood. Je kunt Elvis niet toevallig tegenkomen. Ja, lach er maar om. Maar het gaat mij voornamelijk om de stem van Elvis. Zijn stem raakt me, als niets anders op de wereld. Ik vind niet dat de ideale man eruitziet zoals hij. Kijk, Elvis had geen borsthaar terwijl ik juist een enorme fan ben van borsthaar. Mijn vriend heeft tatoeages. Die had Elvis ook niet. Als ik ergens een hekel aan heb, is het aan imitators van Elvis. Er is maar één Elvis. Ik heb respect voor hem. Daarom heb ik ook alleen de eerste vier films: *Jailhouse Rock, King Creole, Loving You* en *Love me tender*. Maar niet de beachfilms uit de jaren zestig die Elvis moest maken omdat hij een wurgcontract had met zijn manager Tom Parker. Elvis wilde die films helemaal niet maken, dus bekijk ik ze absoluut niet. Elvis wilde zingen en hij moest die films maken die allemaal op elkaar lijken. Hij was toen erg ongelukkig. Verder kijk ik eigenlijk ook nooit naar *Loving you*. Daar zat de moeder van Elvis in het publiek. Het deed Elvis pijn om haar terug te zien toen ze later overleden was. Hij keek daarom nooit naar die film en uit loyaliteit bekijk ik die film ook niet meer. Elvis werd pas gelukkig toen hij zijn comeback had gemaakt in 1968. Hij was een artiest. Hij was geen strandacteur. Ikzelf ben nu ook erg gelukkig. Ik ga op 8 september 2010 trouwen. 8, 9, 10, snap je wel? Ik ga op huwelijksreis naar Graceland, want daar ligt Elvis begraven. Iemand als hij zal er nooit meer komen." ■

Voormalig jurist en CIA-agent Barry Eisler heeft jarenlang in Japan gewoond. Hij studeerde er Japans en Oosterse gevechtssporten en werkte
er bij het Japanse advocatenkantoor Hamada & Matsumoto. Momenteel
woont hij in San Francisco waar hij zich fulltime bezighoudt met het
schrijven van thrillers. Met zijn boeken, waarin huurmoordenaar John
Rain de hoofdrol speelt, verwierf hij wereldfaam. De Italianen betoon-
den hem met de Premio Grinzane Cavour. Voor zijn boek *Sluipmoord*
kreeg hij de Gumshoe Award en de Barry Award. Vanwege het ongebrui-
kelijke beroep van zijn hoofdpersoon en het stoere karakter van zijn boeken wordt Eisler wel de 'Quentin Tarantino van de actiethriller' genoemd.

MOOIE JONGEN

Hij is het prototype van de mooie jongen. Lang donker haar dat krult in de nek,
een open gezicht met een hartelijke, ietwat scheve glimlach die doet denken aan voormalig president Bill Clinton. Hij heeft een warme stem, is vlot, welbespraakt en ener-
giek. Een sportieve Amerikaan met een enorme belangstelling voor de wereld, een
oprechte interesse in zijn medemens en een hang naar fysieke inspanning en gezond
leven. Dat laatste straalt van hem af. Het schrijven van thrillers is voor hem niet alleen
een creatief proces, maar betekent ook hard werken om zijn boeken wereldwijd te
promoten. Hij voelt zich artiest en ondernemer tegelijk. Verder is hij dol op exotische
oorden en levendige wereldsteden.

Barry Eisler heeft een gelukkige, maar zwalkende jeugd gehad. Het puberen duurde bij hem langer dan bij anderen en een duidelijk doel voor ogen had hij niet. Wat
hij wel had waren twee zelfbewuste en zelfstandige ouders die, elk op hun eigen
manier, een bepaalde richting gaven aan zijn leven. "Als je kijkt naar wat ik nu doe,
kan ik vaststellen dat ik door mijn beide ouders beïnvloed ben. Mijn moeder was
beeldhouwster en dichteres, een zéér getalenteerde creatieve vrouw, en toen ik jong
was zag zij al dat ik goed was in schrijven. Ze heeft me vanaf het begin aangemoedigd
daar iets mee te doen. Mijn vader was ondernemer. Hij wilde niet in dienst van
iemand werken, dus startte hij zijn eigen zaak. Het feit dat ik me het meest op mijn
gemak voel als ik voor mezelf werk, zit denk ik in mijn genen. Ik voel me nu dan ook
niet zozeer schrijver, maar meer de president van mijn eigen maatschappij. Een goed

lopende firma, want mijn producten, mijn boeken, worden in twintig landen verkocht. Ik heb in elk land distributiepartners en ik zie het als mijn verantwoordelijkheid om niet alleen een schrijver te zijn, een artiest, maar ook een ondernemer die zijn boeken commercieel gezien op de best mogelijke manier aan de man brengt."

Dat Barry ooit voor de CIA zou werken, zou gaan schrijven en een zakelijke kant zou ontwikkelen, was iets waar hij nooit van had durven dromen. "Ik ben maar heel langzaam volwassen geworden en toen ik op de universiteit zat, was ik overal maar matig in geïnteresseerd. Het is nu eenmaal zo in het leven dat je pas ergens klaar voor bent, als je er klaar voor bent.

"ik was bezeten van verboden kennis"

Geen seconde eerder. Ik wist niet zo goed in welke richting ik me wilde specialiseren. Ik heb psychologie gedaan, uitsluitend omdat ik niet wist wat ik anders moest doen. Maar plotseling zag ik het licht en werd ik gegrepen door politiek, buitenlandse zaken, overheid. Het is voornamelijk een intensieve zelfstudie geweest, want officieel ben ik psychologie blijven doen. Als ik het over zou moeten doen, zou ik waarschijnlijk geschiedenis of politicologie gaan studeren.

Als tiener, op de middelbare school, ben ik begonnen met gevechtssporten. Dat kwam doordat ik in die tijd bezeten was van 'verboden kennis'. Dingen die iemand kan en waar niemand iets van begrijpt. Ik had een boek gelezen over de boeienkoning Houdini en daarin stond een citaat van een politieagent: 'Gelukkig heeft Houdini zich nooit op het pad van de misdaad begeven, want het zou onmogelijk geweest zijn om hem op te sluiten.'

Het leek me fantastisch om kennis te hebben die anderen niet hadden. Ik wilde een vechtsport beheersen die mijn vriendjes niet kenden. Daarbij kwam dat ik in die tijd niet overmatig sportief was en omdat ik toch indruk wilde maken en voor mijzelf wilde kunnen opkomen, ben ik gaan worstelen, wat ik beschouwde als een martial art. Later op de universiteit ben ik gaan boksen en heb me bekwaamd in karate, judo en diverse Japanse gevechtssporten. Gevechtssporten zijn voor mij overigens nooit een filosofie of een discipline of een manier van leven geweest. Ik ben ze louter gaan doen uit praktische overwegingen. Ik wilde mezelf kunnen verdedigen in wat ik toch zie als een gewelddadige wereld."

CIA

Nadat hij in 1989 afgestudeerd was aan Cornell Law School, kwam Eisler in dienst van de CIA, waar hij ruim drie jaar werkte. "Ik was er geheim officier bij het Directorate of Operations. Dat klinkt serieus, maar het was weinig spannend. De CIA is een grote bureaucratische instantie. Er werken meer mensen op kantoor dan er in het veld werken. Ik was zo iemand die op kantoor zat. Dat neemt niet weg dat ik wel degelijk alle trainingen heb doorlopen die een toekomstige spion moet doorlopen. Zo heb ik methodes geleerd om mensen met de blote hand te doden, hoe ik sloten kon forceren en meer van dat soort spionagetechnieken. Voor mijn boeken heb ik veel profijt gehad van die kennis. Ik gebruik veel authentieke elementen. Ik heb er ook geleerd hoe een log overheidsapparaat functioneert. Niet de grote samenzweringen of de James Bond-achtige acties, daar ben ik nooit bij betrokken geweest. Maar meer de bureaucratie en de soms ondoorgrondelijke en amorele besluitvorming. Daarom komen in mijn boeken ook meer de morele en filosofische kanten aan bod. Want wat geeft een overheid het recht om iemand opdracht te geven om mensen te vermoorden? En is het echt zo dat het doel de middelen heiligt, zoals de CIA predikt? Een andere vraag is of een dergelijke organisatie nog menselijk is, terwijl ze zichzelf geheel naast en boven de samenleving plaatst. De CIA is zo groot dat de rechterhand absoluut niet weet wat de linker doet en dat is dan een organisatie die zich het recht aanmeet over leven en dood te beslissen, die anderen afluistert en op grote schaal de privacy van mensen schendt. Allemaal dingen die ik in mijn boeken behandel."

JAPAN

"Dankzij de CIA kon ik in Japan aan het werk. Tijdens mijn jaren bij de CIA had ik me al verdiept in de Japanse cultuur en geschiedenis en heb ik Japans geleerd. Toen ik in Tokio kwam, heb ik mijn tijd verdeeld tussen werk en het bestuderen van de Japanse vechtkunst bij het Internationale Kodokan Judo Centrum. Het feit dat ik Japans sprak, maakte dat ik me er meteen thuis voelde. De Japanners zijn ongelooflijk aardige, gastvrije mensen, in ieder geval ten opzichte van Amerikanen. Natuurlijk blijf je een buitenstaander. Sommige mensen klagen daarover, maar waarom? Het is alsof jij bij mij thuis komt eten en je je vervolgens beklaagt over het feit dat je niet als familielied geaccepteerd wordt. Ik heb me in Japan altijd als een bezoeker gedragen, zo simpel is dat. Het feit dat ik Japans sprak, maakte wel dat de Japanners zich erg gevleid voelden. Ik weet wel dat je als buitenlander nooit vloeiend Japans zult spreken, dat is een illusie, maar ik kan wel alles begrijpen wat ze zeggen en ik kan zelf op behoorlijk niveau in het Japans converseren.

In Japan begreep ik voor het eerst dat ik tot die tijd de wereld alleen had bekeken vanuit Amerikaans perspectief. Maar nu in Japan zag ik dat je dingen op veel meer manieren kunt bekijken. Als je in een land opgroeit, zoals ik in Amerika, zijn er zoveel dingen die je klakkeloos aanneemt. In Japan besefte ik dat de kijk op de wereld voor een groot deel cultureel bepaald is. Dat inzicht heeft me enorm verrijkt. Ik heb heel wat van mijn vooroor-

"natuurlijk blijf je een buitenstaander"

delen zien sneuvelen. Zo worden in Japan, net als in Amerika, de kosten tegen de baten afgewogen van bepaalde zaken. Alleen wat Japan als baten beschouwt, verschilt als dag en nacht, met wat Amerika als baten beschouwt. Japanners kunnen spirituele bevrediging zien als baten, terwijl Amerikanen toch altijd denken in termen van geld.

Amerikanen staan voor individuele vrijheid, kapitalisme in een wereld waar volledige vrijhandel moet zijn. Zeven dagen per week, geen restricties. Als je een zaak wilt openen kan het, ook als dat een enorme zaak als Walmart is. Voor de burger leuk. Je kunt tegen lage prijzen alles krijgen wat je wilt. In Japan daarentegen zijn allerlei regels die bepalen hoe groot een zaak mag zijn. Daar zijn geen enorme winkels. Het merendeel is wat ze noemen de mom and pop shops. Kleine zaakjes, leuk en intiem. Je praat met mensen, je kent hun naam, je informeert naar elkaars gezondheid, er is een onderlinge band. Veel persoonlijker allemaal. Mensen zijn ook gelukkiger. Ik vind het dan ook niet zo gek dat de misdaadcijfers in Tokio stukken lager liggen dan in grote Amerikaanse steden waar alles anoniem is. Het leuke vind ik dus om te zien welke voordelen en nadelen de diverse systemen van bepaalde landen hebben. Als je probeert te begrijpen waarom mensen de dingen doen die ze doen, word je een wijzer en begripvoller mens."

MOORD IN EEN FLITS

Ongeveer een jaar nadat Eisler bij de CIA was weggegaan en zijn dagen in Tokio sleet, kwam als in een flits een beeld bij hem op dat het begin zou worden van zijn schrijverscarrière. "Ik reed op de snelweg, op weg naar mijn werk en toen zag ik plotseling het beeld voor me van twee mannen die een andere man achtervolgden in de Dogenzakastraat in Shibuya. Ik had geen idee wie die mannen waren, maar ik begon over hen te fantaseren. Wie waren ze? Waar kwamen ze vandaan? Waarom achtervolgden ze de andere man? En ik gaf mezelf ook de antwoorden. Het zijn moordenaars die de derde man gaan vermoorden. En toen had ik nog meer vragen, want waarom zouden ze hem willen vermoorden en werkten ze voor zichzelf of in opdracht van iemand? In wezen was ik bezig een verhaal te bedenken en toen ik thuis was, ben ik gaan schrijven. Het werd uiteindelijk de roman *Solo* en mijn hoofdpersoon was John Rain, een huurmoordenaar. Dat klinkt alsof het slechts het uitwerken was van een leuk idee, maar vanaf de eerste gedachte tot aan publicatie zaten acht jaar. Ik had een drukke baan en mijn eerste dochter was net geboren. Er waren tijden dat ik geen gelegenheid had om te schrijven, maar ik heb niet opgegeven. Nu schrijf ik een boek per jaar. Aan de ene kant gaat het gemakkelijker omdat ik meer tijd heb, maar ik ben ook veel tijd kwijt aan promotietrips, omdat ik wil dat mijn boeken een commercieel succes worden. Dus ik heb niet zo gek veel tijd om te schrijven, maar gelukkig ben ik nu veel efficiënter dan in het begin."

Eisler mag dan voor zijn geestesoog een huurmoordenaar hebben gezien, maar het lijkt niet het meest aangewezen beroep om de sympathie van de lezer te winnen. "Ik weet het. Rain heeft een onsympathiek beroep, maar ik heb eigenlijk nooit nagedacht over de mogelijkheid dat mensen zich daardoor niet met hem zouden kunnen identificeren. Het karakter

"een huurmoordenaar als hoofdpersoon heeft voordelen"

sprak mij aan en ik ging er vanuit dat hij daarom andere mensen ook wel zou aanspreken. Natuurlijk heeft hij ook sympathieke trekken, maar ik heb hem instinctief vorm gegeven. Rain is een beroepsmoordenaar maar hij heeft wel bepaalde codes. Hij zou bijvoorbeeld nooit een kind vermoorden. Zijn principes zijn wellicht niet de hoogste principes die er bestaan, maar toch. Je weet als lezer dat hij geen nihilist is, geen psychopaat. Verder dealt hij niet in drugs en is hij niet betrokken bij prostitutie. Hij is dus geen crimineel in de gebruikelijke zin van het woord. En, net als in de film *The Godfather*, wordt Rain geconfronteerd met mensen die stukken en stukken slechter zijn dan hij. En wat zo sympathiek is aan Rain, hij is loyaal en volstrekt eerlijk over datgene wat hij doet. Hij gebruikt geen eufemisme voor zijn beroep. Hij weet wat hij is en komt daar rond voor uit. In tegenstelling tot al die andere figuren die hij ontmoet, agenten, politici, overheidsdienaren die allemaal zo braaf lijken, maar die allemaal corrupt zijn en niet hun ware aard tonen. Te midden van hen is Rain een toonbeeld van oprechtheid. De bad guy wordt door de lezer gezien als held. De *Daily Record* noemde Rain ooit the coolest, sexiest killer on the block. Ik ben het er volkomen mee eens."

LOYALITEIT EN DILEMMA

Rain is een moeilijk mens. Zelf is hij loyaal, maar hij wantrouwt bij anderen elke vorm van loyaliteit. "Dat klopt. Diep vanbinnen zijn er bepaalde dingen die Rain graag zou willen, mensen vertrouwen bijvoorbeeld en geloven in loyaliteit, maar door slechte ervaringen beseft Rain dat dat niet mogelijk is. Rain denkt dat iedereen elkaar verraadt en hij wil zelf nooit meer verraden worden. Vertrouwen is iets voor dwazen, voor verliezers. Het keerpunt is in het boek waarin hij Dox leert kennen in Afghanistan. Hij vertrouwt hem voor geen millimeter maar op het moment dat Rain diep in de moeilijkheden zit en denkt dat hij verraden is, redt Dox zijn leven, waarmee hij de kans verspeelt om vijf miljoen dollar te verdienen. Na dat incident moet Rain zijn cynisme laten varen. Dat wil niet zeggen dat hij zich daardoor op z'n gemak voelt. Maar de loyaliteit van Dox zet zijn wereldbeeld op zijn kop. Hij kan niet meer ontkennen dat vertrouwen mogelijk is. Hij wil er nog steeds niet aan, maar hij moet wel. In het volgende boek zie je hem dan ook worstelen met zijn nieuwe gevoelens ten opzichte van vertrouwen. Hij is niet meer dezelfde man die hij eerst was. Dox is nu een soort sidekick van Rain geworden. Hij is een beer van een vent die Rain steeds te hulp schiet. Dox is iemand die ik direct ontleend heb aan mijn CIA-tijd. Hij was een instructeur, een keiharde kerel die er even gevaarlijk uitzag als hij in werkelijkheid was. Maar hij had ook een hilarisch soort humor. Als ik in mijn boek scènes met hem beschrijf en hem laat spreken, hoor ik de stem van mijn instructeur. Hij is dus naar het leven getekend."

Barry Eisler is dol op dilemma's, ongetwijfeld een overblijfsel van zijn jeugdliefde, psychologie. Hij brengt mensen in situaties waarin ze moeten kiezen tussen mensen of bepaalde zaken, waaruit men onmogelijk een keuze kan maken. Zo wordt Rain in *Schaduwleven* voor de keuze gesteld om een boef te doden, maar dan wel voor de ogen van zijn kind. Het alternatief is ook het kind doden. Rain besluit geen van beiden te vermoorden. Een ander dilemma dat aan bod komt betreft de mooie Delilah. Zij wordt heen en weer geslingerd tussen haar genegenheid voor Rain en haar plicht om in opdracht van haar land, Israël, Rain in de val te lokken zodat hij vermoord kan worden. Eisler is dol op dat soort dilemma's. "Delilah heeft een verplichting naar

"dilemma's werken dramatisch heel sterk"

haar land en naar de organisatie waar ze voor werkt Ze voelt zich verplicht haar opdracht te vervullen en Rain in de val te lokken, maar aan de andere kant voelt ze zich sterk aangetrokken tot Rain. Dergelijke conflictsituaties werken dramatisch heel sterk in een boek en maakt dat de lezer zich sterk kan inleven."

EXOTISCHE STREKEN

In de boeken van John Rain vliegt de hoofdpersoon van de ene exotische streek naar de andere. Hij bezoekt wereldsteden als Barcelona, Parijs en Amsterdam. De research moet geen straf zijn voor Eisler. "Ik word door mijn vrienden geplaagd omdat ik nogal veel exotische oorden en romantische wereldsteden uitkies voor mijn boeken. Ik ben naar Bali geweest en Thailand en Barcelona, Parijs en Amsterdam. Ze vragen of ik een leuke plaats uitkies om met vakantie te gaan en daarna besluit om die plaats ook in mijn boeken een rol te geven. Dat is maar ten dele waar. Ik moet natuurlijk wel een plaats hebben die functioneel is binnen het verhaal. Ik moet ook enige passie voelen als ik op papier probeer een stad of land tot leven te brengen en probeer de sfeer te schetsen. Ik hoef niet per definitie van die plekken te houden, maar ze moeten me wel interesseren. De exotische plaatsen zijn zo langzamerhand mijn handelsmerk geworden. Met name Japan en Tokio natuurlijk. Ik ken er veel clubs, restaurants, veel wijken en steegjes. Ik houd ervan de essentie van een stad weer te geven."

John Rain beleeft ook avonturen in Amsterdam, omdat Eisler zegt begeesterd te zijn door de stad. "Ik ben drie keer in die stad geweest en ik ben er dol op. Amsterdam heeft een aantal aspecten die de stad uniek maakt. Als je met een blinddoek om naar

Amsterdam wordt gebracht, weet je toch meteen waar je bent. Ik houd van de architectuur, de huizen die soms honderden jaren oud zijn. Maar tegelijkertijd is het een hele levendige stad. Ik vind het fantastisch, aan de ene kant die ouderdom van de stad, het is bijna een museum, en aan de andere kant die moderne vibrerende sfeer. Amsterdam heeft 'het'. Een stad heeft 'het' als er een groot aantal mensen in woont dat nergens anders ter wereld zou willen wonen. Amsterdam heeft die aantrekkingskracht. Mensen hier willen alleen Amsterdam. De uitdaging voor mij is om de steden te laten zien door het perspectief van John Rain en dat is iets anders dan mijn perspectief. Zijn beleving van de omgeving waarin hij verblijft,

"exotische plaatsen zijn mijn handelsmerk"

is nooit objectief. Het is altijd een reflectie van zijn gevoelens van dat moment. Het is ook de perfecte manier om iemands karakter of stemming weer te geven. Ik hoef niet zelf te schrijven dat Rain boos of eenzaam is. Door de beschrijving van zijn omgeving en zijn reactie daarop kan ik zijn gemoedsgesteldheid duidelijk maken. Ik doe dat door middel van metaforen. Als Rain zegt dat hij van Tokio houdt, van het licht en de verlichting, zegt dat iets over zijn stemming."

De avonturen van John Rain zijn inmiddels ook verfilmd.door regisseur Max Mannix. "De film is in Japan geproduceerd. De rol van de half-Amerikaanse/half-Japanse John Rain is in handen van Kippei Shiina en zijn tegenspeler, de schurk, is gespeeld door Gary Oldman. De film is in eerste instantie bestemd voor de Japanse markt. Ik denk dat dat een wereldwijde distributie in de bioscopen in de weg zal staan. Maar wie weet wordt het een hit top dvd. Het zou wel leuk zijn een Amerikaan die in Japan een half-Amerikaanse/half-Japanse held verzint, die daarna weer naar Amerika geëxporteerd wordt. Dan is de cirkel rond." ■

Karin Slaughter

"ik vind de doodstraf humaner dan levenslang in een supermax gevangenis"

Haar debuut *Nachtschade* (2001) waarin een jonge lerares wordt verkracht en vermoord, werd door de Washington Post meteen uitgeroepen tot de thriller van het jaar. Sindsdien is het succes niet meer van
haar zijde geweken. Alle boeken van Karin Slaughter werden bestsellers. In 2008 en 2009 stond Slaughter in Nederland zelfs maandenlang
met meerdere titels tegelijk in de top 10 van best verkochte boeken.
Haar specialiteit is om bloederige gewelddaden op uiterst gedetailleerde wijze te beschrijven, maar daarnaast in prachtig taalgebruik de
meest poëtische en sfeervolle beelden op te roepen. Als decor voor de
handelingen van haar uiterst menselijke personages dient het Amerikaanse plattelandsdistrict Grant County waar het geweld onderhuids
broeit en de misdaad welig tiert. Hoezeer het publiek de boeken van
Slaughter waardeert, blijkt uit het feit dat zij talloze awards heeft gewonnen, waaronder tweemaal De Zilveren Vingerafdruk, de publieksprijs van Crimezone.nl.

DOODMOE, MAAR BEWONDERD

Ze is moe. Ze is over, af en uit. Ze is uitgevloerd. Jetlag, slaap, onbehagen, te veel
landen in te weinig tijd. Het duizelt, het suist, het dwarrelt. Ze leeft dus ze bestaat. Ze
wandelt dus ze is wakker. Maar vraag niet hoe. Haar laatste vliegtrip was van Nieuw-
Zeeland naar Oud-Zeeland, Holland. Vele uren vliegen, heel veel uren. Ze heeft een
egaal, tikje gesloten, gezicht. Verlegen. Smalle wenkbrauwen, piekerig haar. Een vage
duiding van een glimlach. Bleekjes. Nauwelijks make-up. Geen zin? Geen tijd? Een
stem die van verre komt. Showtime baby. De keerzijde van het succes. Eindeloos praten met journalisten. Gelukkig alom bewondering. Het zoete bad van erkenning.
Daar put ze alle kracht uit voor een goed gesprek.

Karin Slaughter werd in 1970 geboren in Georgia. Na haar studie verhuisde zij
naar Atlanta waar zij een eigen bureau oprichtte dat gevelreclames verkocht. "Ik was
verkoopster binnen mijn eigen firma. Ik werkte met ontwerpers en tekenaars. Het was
een fase in mijn leven waarin ik ruim de tijd heb gekregen om de menselijke natuur
te leren kennen. Maar ik wist van tevoren dat het tijdelijk zou zijn. Ik wilde schrijven,
altijd gewild. Ik had me voorgenomen om voor mijn dertigste mijn eerste boek gepubliceerd te krijgen. Voor die tijd had ik al een stuk of wat korte verhalen geschreven
en een gewone roman, historische fictie.

Het probleem was dat uitgevers het niet wilden uitgeven. Ze vonden de schrijfstijl
wel leuk, maar het verhaal vonden ze niets. Gelukkig voor mij had ik er een misdaad-
element in verwerkt dat wel aansprak. Toen ik uiteindelijk een literair agent bena-

derde, kreeg ik meteen een contract voor drie boeken. Onder voorwaarde dat ik me zou concentreren op de misdaad. Daar kon ik goed over schrijven, zei men. Mijn eerste boek kwam uit op 12 september 2001 vlak na de terroristische aanslag op de Twin Towers. Het werd aan Nederland en zeventien andere landen verkocht. Ik werd meteen opgetrommeld om een publicitaire rondreis te maken naar alle landen waaraan mijn boek verkocht was. Het was een gekke tijd. Geen Amerikaan durfde te vliegen. En geen Europeaan zat te springen om met het vliegtuig naar Amerika te gaan. Ik zat vaak alleen met de stewardess in het vliegtuig."

TITEL

De titel van een boek is voor Slaughter het belangrijkst. Het is een overblijfsel uit haar reclametijd waarin ze samen met een creatief team lange tijd zat te broeden op een aansprekende slogan. Slaughter is er verzot op. Het spelen met woorden en woordklanken. Zoeken naar dat ene woord dat alles zegt, een cartoon in woordvorm. "Er gaat enorm veel tijd in zitten om die te bedenken. Maar de titel geeft aan waar het verhaal over gaat. *Blindsighted, Kisscut, Indelible, Faithless, Beyond reach, Fractured, Genesis*, titels van één of hooguit twee woorden die de essentie weergeven. Het zijn de boekenversies van merknamen, kort en krachtig."

Als Slaughter de titel heeft gevonden bedenkt ze welk personage ze extra wil uitdiepen. Vervolgens bedenkt ze een rampzalige situatie en vraagt ze zich af hoe haar personages op die situatie zouden reageren. In de meeste boeken, waaronder *Onaantastbaar*, lopen twee verhalen door elkaar. In de eerste verhaallijn wordt dokter Sara Linton beschuldigd van een medische misser waardoor een jongetje onnodig zou zijn gestorven. In de tweede verhaallijn wordt politieassistente Lena Adams

"titels zijn de boekenversies van **merknamen**"

beschuldigd van moord. Omdat het verhaal van *Onaantastbaar*, onder andere via flashbacks, diep ingaat op de jeugd en het leven van de donkergekleurde detective Lena Adams, zou het verhaal ook Lena's Story hebben kunnen heten. Karin Slaughter aarzelt bij die suggestie: "In elk boek licht ik er een personage uit en in *Onaantastbaar* was dat Lena. Maar haar leven is zo nauw verbonden met dat van haar baas Jeffrey dat ik Lena's Story een te beperkte titel zou hebben gevonden. Lena is een opvliegend type. Er zit veel onderdrukte boosheid in haar. Dat komt omdat ze zoveel heeft meegemaakt. Haar moeder is weg, haar vader is dood. Ze is opgevoed door haar oom Hank, een zuipschuit en junk. Ik heb in mijn vorige boeken al iets van Lena's verleden aangestipt. In *Onaantastbaar* wilde ik haar complete achtergrond uit de doeken doen. Lena is een product van haar verleden. Ze probeert op zichzelf te staan en zelf alle beslissingen te nemen. In haar streven naar zelfstandigheid weert ze bijna agressief en obsessioneel alle hulp af. Het enige wat ze wil is op het emotionele vlak contact krijgen met haar opvoeder Hank, maar als ze naar haar geboorteplaats teruggaat treft ze hem aan in een verdoofde toestand. Hij leidt weer het leven van een junk. Wat is er gebeurd? Lena is boos op zichzelf vanwege het feit dat ze geen emotioneel contact met Hank kan krijgen. Zij gaat op jacht naar zijn dealer. Uit boosheid om wat Hank wordt aangedaan, maar ook uit frustratie omdat ze daardoor geen contact kan krijgen met Hank. In mijn ogen doet Lena die dingen, verstandig en onverstandig, die van haar een compleet mens maken."

SARA

Bij het schrijven van haar boeken heeft Slaughter al haar hoofdpersonen duidelijk voor ogen. Kinderarts en lijkschouwer Sara Linton is wellicht haar meest geliefde karakter. In Slaughters ogen is Sara lang en heeft ze rood haar. Een ideale vrouw met veel begrip voor anderen. Ze is rustig, is in staat zich in het belang van een hoger doel weg te cijferen en is, volgens Slaughter, net zo geïnteresseerd in wetenschap als Slaughter zelf. In *Onaantastbaar* wordt zij beschuldigd van een medische misser. Iets wat haar erg aangrijpt omdat zij een leven van luxe en werk in een groot ziekenhuis met aanzien heeft laten schieten voor een minder luxe leven en werk in een plattelandsziekenhuis, uit de ideële overweging dat ook mensen in een kleine dorpsgemeenschap recht hebben op kwalitatief hoge medische hulp. Omdat Sara kinderarts is, kan ik me geen fouten permitteren. Ik heb veel tijd in ziekenhuizen doorgebracht om te weten wat haar taken

"medische missers en andere maatschappelijke problemen"

en plichten zijn. Hoe ze fouten kan voorkomen, hoe ze kinderen moet behandelen. Natuurlijk kan ik me wel wat dichterlijke vrijheden permitteren, maar niet te veel. Sara's andere beroep, lijkschouwer, biedt me meer dramatische mogelijkheden. Ik heb tamelijk veel boeken gelezen over autopsies en ik heb ook instructievideo's gezien. Dus ik weet waarover ik schrijf. Maar echt ooggetuige van een autopsie ben ik nog niet geweest. Het is mij meerdere malen aangeboden om bij een echte autopsie aanwezig te zijn. Een deel van mij wil dat ook wel. Een ander deel van mij vindt dat ik dat niet kan maken. Een autopsie is zoiets persoonlijks. Ik ben er nog niet uit."

JEFFREY

"En wat Jeffrey betreft, hij is mijn geweten. Hij deelt mijn gevoel van rechtvaardigheid. Jeffrey doet, net als Lena en Sara, wat hij denkt dat goed is. Jeffrey vraagt zich ook af wat het verschil is tussen een moordenaar en zijn eigen persoon. Hij weet dat hijzelf ook in staat is te doden. Hij denkt soms als Dirty Harry, oog om oog, tand om tand. Maar maak niet de fout om Jeffrey om zijn gedachten te veroordelen. Jij en ik worden niet elke dag geconfronteerd met de meest gruwelijke moorden en martelingen. Wij hebben geen nachtmerries van de afschuwelijke dingen die hij elke dag ziet en meemaakt. Wij hoeven niet in angst te leven dat we elk moment een kogel door ons hoofd geschoten krijgen. Jeffrey wel. Hij wordt dag in dag uit geconfronteerd met het slechtste van het slechtste dat de schepping voortbrengt. Sadisme, wreedheden, verminkingen, slachtingen, dood, bloed. In zijn geval is het niet vreemd dat je af en toe liever een kortere weg naar gerechtigheid wil dan die justitie te bieden heeft."

MACHT CORRUMPEERT

"Kijk, justitie heeft niet altijd de juiste middelen om recht te spreken. Jeffrey weet dat. Soms zijn de bewijzen niet voldoende om een misdadiger te veroordelen. En soms schiet het systeem gewoon schromelijk tekort. Zodra je mensen op posities zet waar ze voor gekozen moeten worden, zijn ze kwetsbaar en chantabel. Ze zijn altijd wel iemand iets verschuldigd. Gekozen functionarissen in de rechtspraak moeten altijd wel een wederdienst verlenen. Aan de andere kant hebben zij op dat moment de macht, dus verlenen zij op hun beurt ook weer diensten waar wat tegenover moet komen te staan. Ofwel macht corrumpeert.

In 1970 hebben ze op de universiteit van Berkeley een experiment uitgevoerd waarbij een aantal studenten de functie van bewakers kregen en waarin een aantal andere studenten zich in de rol van gevangenen moesten schikken. De bewakers draaiden keiharde muziek, lieten het licht ook 's nachts aan en zorgden ervoor dat de gevangenen geen moment rustig konden slapen. Ze sloegen en vernederden de gevangenen. Niet omdat dat bij hun rol hoorde, maar omdat zij op dat moment de macht hadden en dat blijkt dus iets vreselijks bij mensen teweeg te brengen. Iedereen kan onder bepaalde omstandigheden dus een soort dictator worden. Dat kan in een grote stad, maar ook in een plattelandsgemeenschap waar een persoon, een sheriff bijvoorbeeld, het voor het zeggen heeft. Macht corrumpeert."

DOODSTRAF

In *Onaantastbaar* laat Jeffrey iemand achter onder omstandigheden waarvan hij, en ook de lezer, weet dat het een kwestie van tijd is of diegene wordt door zijn vijanden vermoord. Toch laat Jeffrey de man achter. Op dat moment weglopen betekent het doodvonnis over iemand uitspreken. Slaughter is heel stellig over haar mening over de doodstraf in het algemeen: "Ik stem volledig in met de doodstraf, mits het op eerlijke gronden zou zijn. Maar dat is in Amerika onmogelijk. Als je arm bent of in bepaalde buurten woont, dan heb je geen schijn van kans. Dan kan je geen fatsoenlijke advocaat betalen die je eventuele onschuld zou kunnen bewijzen. Dan wordt je DNA niet getest. Dat is veel te kostbaar. In wezen ga je dan na een schijnproces de gevangenis in. Je schuld wordt nog steeds binnen een fractie van een seconde uitgesproken als de jury jou of je verdediger niet ziet zitten. En dan? Dan kom je in de gevangenis, waarna je nooit van z'n leven nog

"in gevangenissen worden littekens in je ziel gekerfd"

hoeft na te denken over een tweede kans in je leven. Daar worden voorgoed de littekens in je huid en ziel gekerfd. Ik ben in een aantal gevangenissen geweest, onder andere om met Hell's Angels te praten. Die gevangeniswereld is erger dan je in welke film of documentaire ook ziet. Daar worden mensen aan de lopende band verkracht en vermoord. Daarom hebben ze in Amerika Supermax gevangenissen uitgevonden. Maximaal beveiligd. Criminelen zitten er in eenzame opsluiting. Ze hebben die Supermax bovendien onder de grond gebouwd. De gevangenen zien dus nooit meer een straaltje licht. Het is een ongelooflijk uitzichtloos bestaan. Zeker voor de mensen die levenslang gekregen hebben. Velen van hen worden dan ook zwaar depressief. Ik vind een dergelijke vorm van hechtenis gemener dan de doodstraf. Wat mij betreft kunnen ze die mensen die daar gevangen zitten beter een dodelijke injectie geven dan ze te laten creperen. Wie nog geen psychopaat is, wordt het daar wel."

BESLOTEN GEMEENSCHAP

Karin Slaughter heeft een voorkeur voor kleine dorpsgemeenschappen. Plaatsen waarvan je denkt dat misdaad geen schijn van kans maakt, blijken broedplaatsen van onrust en geweld. Je kunt er je autosleutel rustig in je auto laten zitten, de achterdeur van je huis rustig openlaten. Maar of dat verstandig is? Slaughter knikt. "Ik ben zelf opgegroeid in een onrustig zuidelijk stadje, Jonesboro. Dat staat model voor Grant County. Kleine gemeenschappen, waar je de misdaad het minst verwacht, herbergen vaak gruwelijke geheimen en misdaden. Ik woonde in Atlanta en elke dag kon je in de krant lezen dat er twee of drie mensen vermoord waren. In bijna alle gevallen ging het om leden van gangs die elkaar hadden doodgeschoten. Maar de seriemoordenaars, de serieuze misdadigers, komen allemaal uit hele kleine gemeenschappen.

Misschien dat te veel rust en afzondering de menselijke geest negatief beïnvloeden. De mens is een sociaal dier en heeft gezelschap nodig om te functioneren. Dus in die dorpsgemeenschappen wordt veel nooit uitgesproken, wordt veel in achterkamertjes geroddeld. Het broeit er totdat de vlam in de pan slaat en iemand doordraait. Het leuke is dat jullie Europeanen dol zijn op onze Amerikaanse plattelandsgemeenschappen. Voor jullie betekent het de wereld van *Gone with the Wind* en *Uncle Tom's Cabin*. Maar het leven in dergelijke dorpsgemeenschappen is universeel, evenals de mensen die er wonen: de praatjesmakers en herrieschoppers, de drukke zakenman, de dorpshoer, de ijdele burgemeester die zich beter voordoet dan hij is, de dikke slager, de kleine criminelen en de corrupte autoriteit. In dat opzicht verschillen Amerika, Frankrijk en Holland niet van elkaar."

Slaughter staat erom bekend dat zij het geweld in haar boeken niet schuwt. Dat zij uitvoerig kan ingaan op de meest gewelddadige acties en met grote liefde de bloedigste details aan het papier toevertrouwt. Een meisje dat verkracht wordt, een man die gemarteld wordt, het wordt driedimensionaal, widescreen in full color aan de lezer voorgeschoteld. Karin Slaughter zelf noemt haar beschrijvingen realistisch. "Geweld en bloed kun je nu eenmaal niet realistisch beschrijven als je allerlei verzachtende woorden gebruikt of scènes weglaat. Maar verder is het ook niet helemaal waar wat de lezers zeggen. Ik gebruik veel minder geweld in mijn boeken dan mensen denken. Het varieert van boek tot boek. Zo vielen er in mijn tweede boek maar twee doden, maar mensen schreeuwden moord en brand over het gewelddadige karakter van mijn boeken. In het boek daarna vielen er zeven doden en wat schreven de recensenten? Dat het geweld dit keer meeviel! Geweld zit tussen de oren. Het is een psychologisch iets. Maar ik moet toegeven dat ik, naarmate ik meer boeken schrijf, beter in staat ben een goede balans te bewaren. Geweld is nu wat functioneler geworden."

LEZEN

Hoewel Karin Slaughter graag leest, heeft ze daar in het dagelijks leven niet al te veel tijd voor. Haar promotietours bieden in dat opzicht uitkomst. Ze leest veel in vliegtuigen, treinen, taxi's en hotels. Een van haar favoriete schrijvers is Val McDermid. Maar ook Denise Mina, Peter Robinson en Peter Moore Smith behoren tot haar favorieten. Niet vreemd als je bedenkt dat een aantal van hen ook uitsluitend schrijft over kleine, besloten dorpsgemeenschappen. "Als je het hebt over non-fictie, dan vind ik Kathryn Harrison absoluut briljant. *Poison* is een van de beste boeken die ik ooit gelezen heb. Verder adoreer ik Barbara Gowdy die me erg doet denken aan Flannery O'Connor. Maar vandaag zal ik niet veel meer lezen, zegt ze met een stem die vermoeidheid verraadt. Vandaag is de dag van mijn jetlag. Vandaag wil ik niets. Ja, interviews en dan rust. Promotietoers zijn vermoeiend, niet alleen vanwege het reizen, maar ook vanwege het praten. In wezen ben ik diep verlegen en dus kost het me altijd extra moeite om daar tijdens een gesprek overheen te komen. Verlegenheid is de onhandigste karaktereigenschap als je je boek onder de aandacht van de mensen wilt brengen. Gelukkig kan ik er steeds beter mee omgaan." ∎

Jo Nesbø

"in een oorlog is niets zo onrealistisch als de werkelijkheid"

Jo Nesbø (Oslo,1960) zag op jeugdige leeftijd zijn droomcarrière als profvoetballer in rook opgaan toen hij een zware blessure kreeg. Na zijn diensttijd studeerde hij zonder veel animo aan de Handelshogeschool in Bergen. Nog tijdens zijn studie stortte hij zich op de muziek. Als jongen op de rand van het man zijn combineerde hij als zanger de luidruchtige klanken van een heavy metal-band met de nerveuze klanken van de beursvloer waar hij in effecten handelde. Opgebrand en gestrest, snakkend naar rust, vertrok hij naar Australië, waar hij de inspiratie opdeed voor zijn eerste thriller *Vleermuisman* (1997). Het was het begin van weer een nieuwe carrière. Binnen korte tijd schreef Nesbø zich naar de top van het selecte groepje Scandinavische bestsellerauteurs. Hoofdrolspeler in veel van zijn boeken is Harry Hole, een verwarde alcoholist die als rechercheur probeert orde op zaken te stellen.

NOORSE PHIL COLLINS

Ook zonder voorkennis van zijn muzikale verleden doet Jo Nesbø ogenblikkelijk denken aan een Noorse versie van Phil Collins. Gemillimeterd haar en een vrolijk kwajongensgezicht. Hij is nonchalant gekleed, klaar voor elke vorm van vrijetijdsbesteding die ter plekke in hem opkomt. Joviaal, goedgemutst, ondanks de geruisloos neervallende sneeuw die het straatbeeld er allesbehalve lenteachtig uit doet zien. Uitgerekend tijdens de koudste maand maart in veertig jaar doet Nesbø Nederland aan. "Voor het weer had ik net zo goed thuis kunnen blijven," lacht hij, "maar voor de mensen niet. Ik houd van mensen en jullie Nederlanders zijn aardige mensen." Nesbø meent het, zoals hij in Parijs uit het diepst van zijn hart hetzelfde zou kunnen zeggen tegen de Fransen. Hij houdt van mensen.

Jo Nesbø werd geboren in Oslo, maar verhuisde met zijn familie op jonge leeftijd naar het piepkleine Molde. Hij bewaart warme herinneringen aan het plaatsje. Als fanatiek voetballertje had hij maar één ding voor ogen: de top bereiken en profvoetballer worden, het liefst bij een Engelse club als Tottenham Hotspur. "Voor mij bestond er weinig anders dan voetballen. Ik at en dronk voetbal. Kon me niet indenken dat ik ooit iets anders zou doen in mijn leven. School zag ik niet zitten. Daar deed ik niets. Ik denk dat ik een moeilijke leerling geweest ben. Daar staat tegenover dat ik een goede voetballer was. Voor voetbal had ik alles over. Dat zag ik ook als mijn toekomst. Toen ik een jaar of zeventien was, kwam ik in het eerste elftal van Molde. Nu is dat geen Barcelona of Madrid, maar toch. Ik heb in die tijd wel eens tegen een

Nederlands team gespeeld en met dikke cijfers verloren. Ik had mezelf beloofd naar Nederland terug te keren en dan met minimaal dezelfde cijfers te winnen. Maar dat is er nooit van gekomen. Ik ben er later nog wel eens geweest, maar iets te veel alcohol en drugs hebben de herinnering wat onduidelijk gemaakt. Van mijn hele voetbalcarrière is niets terechtgekomen. Ik scheurde mijn kruisbanden en dat was meteen het einde van mijn droom als profvoetballer. Ik heb het daar erg moeilijk mee gehad, want aan een ander beroep had ik nooit gedacht."

PROMOTIETOER

Plotseling slaat het gesprek op hol en wordt de chronologie in het leven van Nesbø compleet overboord gezet. Het bevalt hem wel. Even niet zijn verleden als popster of beursspeculant, maar praten over zaken die er voor hem toe doen. Nesbø is geen man van geëffende paden, nog steeds niet. Hij is de eerste die ogenblikkelijk toegeeft aan elke vorm van afleiding. Zoals vroeger op school zijn concentratie vervloog, zodra hij in de schoolbanken ging zitten, zo blij is hij met elke interruptie die hem van het schrijven afhoudt, al kan hij wel degelijk gedisciplineerd werken. Maar nu is hij op promotietoer. Een heerlijke onderbreking van zijn normale werkzaamheden. Hij geniet van de verschillende landen en verschillende mensen. Een klein probleem is dat de volgorde waarin zijn boeken worden uitgegeven in elk land anders is en dat betekent dat hij over boeken moet praten die hij niet meer tot in de details in zijn hoofd heeft. "Het is behoorlijk verwarrend. Op deze trip moet ik promotieverhaaltjes houden over verschillende boeken. Mijn grootste blunder op dat gebied is die keer toen ik op een podium zat en door een dame geïnterviewd werd, terwijl een vrij groot publiek in de zaal aandachtig zat te luisteren. Vol enthousiasme zat ik te praten over een boek dat ik op dat moment aan het schrijven was. Ik vertelde alles, van begin tot einde, inclusief de clou en de plotwendingen. De dame die mij interviewde was totaal in de war en ik had geen idee hoe dat kwam. Het bleek dat ze niets van mijn antwoorden begreep, maar dat durfde ze niet te zeggen. Dus ik praatte maar door en door en ik begreep haar vervolgvragen totaal niet. Het was complete chaos en ook het publiek snapte er niets van. Zij praatte over het ene boek en ik over een boek dat nog niet eens gepubliceerd werd. Wat een afgang."

OORLOGSVERLEDEN

In een aantal boeken van Nesbø speelt de oorlog een grote rol. In *Roodborst* worden Noorse frontsoldaten ten tonele gevoerd die tijdens de Tweede Wereldoorlog met nazi-Duitsland meevochten tegen de Russen. Nesbø kan zijn fascinatie wel verklaren. "Ik ben zelf niet opgegroeid tijdens de oorlog, maar ik ben wel van een generatie die veel over de oorlog heeft gehoord. Mijn ouders spraken er veel over. Tijdens WO II was er in Noorwegen net als in Nederland een kleinschalige verzetsbeweging actief. In Nederland waren het geloof ik de calvinisten en de communisten die tegen de jodenvervolging en de jodendeportatie streden. In Noorwegen was de koninklijke familie naar Londen gevlucht van waaruit ze radiotoespraken hielden om het moreel hoog te houden. Het was een verwarrende tijd. Helemaal in mijn familie. Mijn vader en een aantal van zijn familieleden vochten samen aan het Oostfront, samen met de Duitsers tegen de Russen. En mijn moeder en enkele van haar familieleden vochten in het verzet, dus tegen de Duitsers. Na de oorlog leidde dit tot behoorlijk wat problemen, al

"mijn vader vocht met de duitsers aan het Oostfront"

moet gezegd dat mijn moeders familieleden die in het verzet zaten, mijn vader wel begrepen. In zijn optiek vocht hij in het belang van Noorwegen. Buiten onze familie, in het dorp, dacht men daar overigens anders over. Mijn vader heeft het later uitgelegd. Toen hij achttien jaar oud was, woonde hij in Amerika. Daar is hij opgegroeid. En toen hij naar Europa terugkeerde, was er in zijn gevoel uitsluitend de keuze tussen Hitler of Stalin. Hij zat aan de andere kant van de wereld toen de landen in Europa met elkaar in conflict kwamen. Mijn vader heeft toen gekozen en duidelijk de verkeerde keuze gemaakt. Dat heeft hij na de oorlog ook ruiterlijk bekend. 'Ja, ik was fout,' zei hij, 'maar ik heb een schoon geweten. Ik was in de veronderstelling dat ik voor mijn land vocht.' Net als alle andere collaborateurs heeft hij na de oorlog twee jaar gevangen gezeten en hij kon daarmee leven. Hij vond dat zelfs rechtvaardig."

SYMPATHIE VOOR HITLER

"Ja, natuurlijk was het voor ons als kinderen een schok. Wij waren grootgebracht met het idee van mijn moeder dat Hitler de duivel was. En toch had mijn vader met hem gesympathiseerd. Toen mijn vader later zei: 'Ik moet je een verhaal vertellen, over datgene wat ik in de oorlog heb gedaan,' was dat dan ook een enorme schok. Maar mijn broers en ik waren wel enorm geïnteresseerd. En het goede van de zaak was dat de ellende van de oorlog en de tweespalt in de familie op deze manier bespreekbaar werden gemaakt. Bovendien putte mijn vader een merkwaardig soort optimisme uit het hele gebeuren. Het feit dat hij het er levend en zonder kleerscheuren van had afgebracht, vervulde hem met blijdschap. Met een aantal vrienden van hem was het slechter afgelopen. Een van hen was na de oorlog zo depressief geraakt, dat hij mijn vader vanuit een telefooncel opbelde om hem te vertellen dat hij depressief was en terwijl ze met elkaar aan de lijn waren, schoot die vriend zichzelf dood. Dat hakt erin. Maar hoe dan ook, als kleine jongen groeide ik op met oorlogsverhalen. Dat is de reden dat WO II een prominente rol speelt in boeken als *Roodborst*. Alle details heb ik van mijn vader en andere familieleden. Voor mij waren de verhalen van mijn vader mijn eerste belangrijke levenslessen. Waarom doen de mensen de dingen die ze doen, ook al worden ze door anderen slecht gevonden? Dat is ook veelal het basisidee in mijn boeken. In *De Verlosser* speelt de oorlog in Kroatië een grote rol. Wat dat betreft ben ik geïnspireerd door een kapitein uit het Kroatische leger met wie ik lang heb gesproken. Hij had een boek geschreven over de Balkanoorlogen. Ik gebruik de basis van de verhalen die ik lees en hoor, maar ik geef er wel mijn eigen draai aan. Maar het is me opgevallen dat de realiteit en de details uit waargebeurde oorlogen zo bizar zijn, dat niemand ze zou geloven als ik ze op zou schrijven. Ik zwak de werkelijkheid dus eerder af dan dat ik hem aandik. Natuurlijk is dat wat ik schrijf fictie, maar voor een schrijver is het wel een gemakkelijk houvast om je te kunnen baseren op de werkelijkheid. In *De Verlosser* wordt een belangrijke rol gespeeld door een huurmoordenaar, een man die als kleine jongen al meevocht tegen de Serviërs. Hij heeft een ellendige jeugd gehad. Voor hem was het een traumatische ervaring toen in zijn bijzijn de arm van zijn vader geamputeerd moest worden. Dat verklaart zijn haat, zijn gevoelloosheid bij het moorden."

VADER

De vader van Nesbø heeft dus veel invloed gehad op de karaktervorming van de kleine Jo. Is alles wat hij is en doet dus genetisch bepaald? Nesbø strijkt bedachtzaam over zijn stoppelkin voor hij antwoord geeft. "Moeilijk te zeggen. Als ik naar het leven van mijzelf en dat van mijn vrienden kijk, zie ik dat je milieu, de achtergrond waar je vandaan komt en je ervaringen bepalend zijn voor je leven. Daar kan je zelf niet veel aan veranderen. Het is inderdaad waar dat als je voor een dubbeltje geboren bent, je nooit een kwartje wordt. Ik denk dat met name voor jongens de achtergrond van hun vader heel belangrijk is. De rocklegende Nick Cave zei ooit: 'Als ik naar mijn kind kijk, zie ik pas hoeveel ik op hem ben gaan lijken.' Dus,

"een vader is een rolmodel, in het goede en het kwade"

niet: 'als ik naar mijn vader kijk,' maar: 'als ik naar mijn kind kijk'. Heel poëtisch. Maar het is wel zo. Als ik naar mijn eigen handelingen en mijn eigen leven kijk, zie ik pas hoe enorm veel ik op mijn kind lijk, hoeveel dingen ik precies hetzelfde doe als hij. Ik denk dat dat voor iedereen geldt, zelfs voor diegenen die een slechte relatie hebben met hun vader en die hem zelfs nauwelijks kennen. Op de een of andere manier is een vader altijd een rolmodel voor je, in het goede of in het kwade. En als mannen kinderen krijgen, geven ze diezelfde eigenschappen van hun eigen vader weer door aan hun kinderen. Zo was mijn vader een uitmuntend verteller. Hij hield niet van korte verhaaltjes, maar van hele lange. Dat heb ik zonder meer van hem. Ik heb ook de grootste moeite om mijn verhalen een klein beetje binnen de perken te houden. Mijn vertellen is dus voor een deel genetisch bepaald."

LEGER DES HEILS

Het boek *De Verlosser* speelt zich af in kringen van het Leger des Heils. Geen alledaagse achtergrond voor een thriller. "Ik heb bij diverse gelegenheden samengewerkt met het Leger des Heils. Het is in Noorwegen een heel populaire organisatie. Waarschijnlijk omdat Noorwegen een welvarend land is en toch niet in staat is om voor haar arme mensen te zorgen. Het maakt dat de wat bemiddelde mens wel bereid is om geld te geven aan een organisatie die wel voor de minderbedeelden zorgt. Het is misschien een soort afkopen van schuld, maar dat maakt niet uit. Het Leger des Heils helpt mensen zonder onderscheid des persoons, zonder vragen te stellen. Dat is het mooie. Voor mij als schrijver is het ook een mooie organisatie. Ze hebben de naam goed werk te verrichten en integer te zijn, en het is een zeer besloten groepje mensen. Maar net als met alle groepen, je kunt ook de politie noemen, gebeuren er toch dingen die je als misdadig zou kunnen beschouwen. Omdat ik met Het Leger had samengewerkt, mocht ik een tijdje met hen meelopen en het reilen en zeilen van dichtbij meemaken. Op voorwaarde dat ik de kennis die ik opdeed wel op een loyale en integere manier zou gebruiken. Ik heb in mijn boek dan ook zeker niet geprobeerd te vertellen dat het Leger des Heils een afschuwelijke instelling zou zijn om bij te werken. Het zijn geen vreselijke mensen. Maar wel mensen en geen heiligen. Mensen met alle goede en kwade eigenschappen. Corruptie en machtsmisbruik is ook hun niet vreemd."

LITTEKENS OP DE ZIEL

In een aantal boeken van Nesbø spelen beschadigde figuren een rol. Veel mensen die aan de onderkant van de maatschappij leven en ogenschijnlijk geen enkele kans hebben om op te krabbelen. Nesbø schrijft met een diep mededogen over de verslaafden, gesloopt door alcohol en drugs, de verschoppelingen van de maatschappij, de mensen die beschadigd zijn in de oorlog, die in hun jeugd verkracht zijn, de mensen met littekens op hun ziel. Hij moet ongetwijfeld een speciale band hebben met de minder gelukkigen uit deze maatschappij. "In een aantal van mijn boeken komt inderdaad een aantal personages voor met een ongelukkige achtergrond. Ik heb meer gevoel bij de minder gefortuneerden uit deze maatschappij dan met de over het paard getilde welgestelden. Dat voorop. Dat zal wel komen omdat ik mezelf ook een weg omhoog heb geknokt en ik in de tijd dat ik in een rockband zat heel wat zwakke broeders heb zien ondergaan in hun verslaving. Je ziet dan ook hoe dun de scheidslijn is tussen een normaal bestaan en een bestaan in de goot, van roes naar roes wandelend. Maar als schrijver probeer ik ook personages een achtergrond te geven die aannemelijk maakt dat ze doen wat ze doen. En ik vind het interessant als het leven van mensen volledig in elkaar stort, als alle zekerheden wegvallen, als er een complete mentale vernietiging dreigt. Zo is het leven. Dat maken veel mensen mee. Maar het wonderlijke is dat vanuit die zwakte mensen kracht kunnen putten en weer op kunnen krabbelen. Dat proces is fantastisch om te beschrijven.

Mijn hoofdpersoon, Harry Hole, is natuurlijk ook zo'n beschadigd karakter, een alcoholist pur sang. Maar dan tot in het diepst van zijn wezen. Niet iemand die je elke dag met een glas whisky in zijn hand aantreft, maar een alcoholist die weet dat hij bij de eerste de beste slok helemaal verloren zal zijn en dat verloedering en de goot constant op de loer liggen. Het is slopend. Ja, en de andere figuren in mijn boeken, massamoordenaars of seriemoordenaars, het zijn in wezen abstracte begrippen waar je als lezer weinig meer dan verachting voor kunt voelen. Tenzij je hun achtergrond

"mededogen met verschoppelingen"

kent en misschien begrip kunt putten uit de oorzaak waarom ze doen wat ze doen. Maar als schrijver moet je proberen je in te leven in de kronkels die dergelijke geesten nu eenmaal hebben. Als je dat niet doet, blijven het clichés of monsters. En er is niets zo vervelend als het schrijven over monsters."

GELUK

Nesbø's vaste hoofdpersoon, Harry Hole, is niet altijd even gelukkig. De trouwe lezer vraagt zich af of geluk ooit nog voor hem weggelegd zal zijn. Nesbø lacht satanisch. "Ik kan je vertellen dat zijn toekomst er niet echt best uitziet. Ik denk dat zijn toekomst er nog donkerder uit zal zien dan zijn heden is. En dan gaat hij uiteindelijk regelrecht naar de hel. Nee, wees niet ongerust, maar zijn toekomst wordt wel degelijk bepaald door zijn karakter. Je mag zelf invullen of dat positief is of negatief. Maar hij is een alcoholist en dat blijft hij." ∎

Denise Mina

"ik heb iets met de zelfkant van de samenleving"

Denise Mina zwierf met haar ouders door heel Europa voordat ze rechten ging studeren aan Glasgow University. Ze schreef uitgebreide studies over de medische behandeling van vrouwen met afwijkend gedrag. Met *De kwetsbare getuige* (2001) won Mina de John Creasey Award voor de beste misdaadroman van het jaar. Maar haar echte commerciële succes begon met *Bloedakker*, het eerste deel in een serie met de wankelmoedige maar strijdvaardige redactieassistente Patty Meehan in de hoofdrol. De veelzijdige Denise Mina is tevens tv-presentatrice, schrijfster van de Amerikaanse strip *Hellblazer* en auteur van een toneelstuk over vrouwenprostitutie.

OGEN ALS MEREN...

Ze heeft ogen waar dichters hun leven lang inspiratie uit kunnen putten. Haar allesomvattende regenjas en grote, onverslijtbare sportschoenen zijn berekend op gure herfststormen en lange wandelingen. Ze is levendig en een tikkeltje balorig. Nog niet toe aan een serieus interview. Terwijl ze een koekje bij een willekeurig koffiekopje weggrist, vertelt ze dat ze een enorme zoetekauw is. Dat Schotten sowieso grote snoepers zijn. Maar dat ze het gebrek aan fantasie haat waarmee lekker snoep wordt verkocht. In grote bruine zakken. Ziet interviewer haar al staan in een eigen snoepwinkel? Vindt hij het een goed idee? Verslaggever vindt dat eenieder moet doen in het leven waar hij/zij zich het best bij voelt. Denise Mina knikt, springt op. Ze is, zoals de Amerikanen zeggen, 'a bundle of joy'. Wijd gebarend duidt ze aan wat voor mooie verpakking ze om haar afzonderlijke snoepjes zal doen. Zal ik bij haar snoep komen kopen? Zeker, zeker, wie zou deze aanstekelijke vrouw iets kunnen weigeren?

Volgens eigen zeggen is Denise Mina overal en nergens opgegroeid. "Mijn vader was een ingenieur in de oliebusiness. In dat beroep heb je geen vaste standplaatsen. Ik ben met mijn ouders in achttien jaar tijd eenentwintig keer verhuisd. We hebben in Parijs gewoond, in Londen, in Bergen (Noorwegen), in Amsterdam, in Kent waar alle punks vandaan komen. Ik heb mijn hele jeugd op kostscholen gezeten. Ik ontmoette veel mensen. Maar als je klein bent, denk je alleen maar aan diegenen met wie je wilt spelen. Veel verschillende talen heb ik niet geleerd. Maar het was ondanks alles een mooie tijd. Ik kom uit een grote familie die in het begin heel stabiel was. Mijn moeder komt uit een gezin met vijftien kinderen. Toen mijn ouders gingen scheiden ben ik het huis uit gegaan. Ik heb erg veel baantjes gehad. Ik werkte in bioscopen, een vlees-fabriek en waar al niet. Lessons of life. Ik heb geleerd dat je, als je een baantje hebt dat je niet bevalt, ervoor moet zorgen dat je er goed voor betaald wordt. Ik heb ook geleerd dat je het best kunt gaan studeren. Dat ben ik gaan doen. Ik ben avondlessen gaan volgen aan de universiteit."

GLASGOW

Denise Mina heeft in al haar romans Glasgow gekozen als achtergrond voor haar verhalen. De mistroostige wijk waar haar hoofdpersoon Patty Meehan woont is East-field Star, een buitenwijk van Glasgow. Denise Mina schetst een droefgeestig beeld van een grauwe arbeiderswijk vol afval, schuttingen met graffiti en vervallen huizen. De mensen die er wonen zijn grotendeels werkloos en straatarm. Mina geeft toe dat zij een haat-liefdeverhouding heeft met haar geboortestad.

"droefgeestig beeld van een buitenwijk"

"Glasgow is een harde stad. Mensen houden er van pra-ten, lachen, feesten en vech-ten. Het lijkt wat dat betreft op New York. Het is een eerlijke stad. Je weet precies wat je aan de mensen hebt. Je krijgt terug wat je erin stopt. Ben je aardig en beleefd, dan is iedereen aardig en beleefd tegen jou. Gedraag je je als een klootzak, dan gedraagt Glasgow zich ook zo. Ik herken veel van mezelf in die stad. Ik ben op een gegeven moment naar Glasgow teruggegaan omdat daar veel ruimte was en ik er voor weinig geld een huis kon huren. Ierland is peperduur. Londen ook. Bovendien is Londen oerlelijk, in ieder geval de voorsteden. Terug naar Glasgow was voor mij terugkeren naar mijn geboorteplaats. En dat gaf een speciaal gevoel. Bovendien staan er tegenwoordig mooie huizen. De buurt die ik beschrijf ken ik goed. Er woont familie van me. Maar het oorspronkelijke Eastfield dat ik beschrijf is helemaal platgegooid. Daar worden allemaal dure huizen gebouwd."

PATTY

Patty is een van de meest bijzondere hoofdpersonen uit de geschiedenis van het misdaadverhaal. Ze is veel te dik, heeft een geknakt zelfbeeld en is als assistente op de lokale krantenredactie de voetveeg van iedere collega. Ze onderhoudt haar werkloze familie die benauwend katholiek is. Gelukkig is Patty slim en heeft ze een stalen door-zettingsvermogen. "Ik wilde een verhaal schrijven over een jonge werkende vrouw in een bar met veel dronken mensen. Het was een aardig karakter te midden van vrese-lijke mannen. Wel is die bar een krantenredactie geworden, maar het principe is over-eind gebleven. Ik wilde laten

"hoofdpersoon met een geknakt zelfbeeld"

zien dat je je eigen principes trouw moet blijven, dat je je niets van anderen aan moet trekken en dat je je droom moet volgen. Als je nergens in gelooft, heb je op voorhand verloren. In mijn volgende boeken ontwikkelt Patty zich langzaam. Ze wordt columniste. Dus haar ambitie wordt beloond. Ze blijft keihard werken om nog hogerop te komen en ze krijgt een beetje meer waardering van haar omgeving. Vanaf het prilste begin, voordat ik met de serie begon, heb ik geweten dat ik een karakter wilde hebben dat zich fors kon ontwikkelen. Niet een klein beetje, zoals in de meeste misdaadseries het geval is. Mijn ultieme wens om het in de vorm van een biografie te verpakken, met een begin, een middenstuk en een einde, heb ik laten varen. Maar ik kom aardig in de richting. Ik heb me voorgenomen om vijf boeken met Patty als hoofdpersoon te schrijven. Dan is het tijd voor iets anders.

Het is moeilijk om in een boek een dynamisch verhaal te schrijven waarin de karakters ook nog eens volledig tot hun recht komen. Het leuke van een serie is de mogelijkheid tot karakterontwikkeling. Veel mensen hebben verloren idealen, gebroken dromen. Iedereen krijgt grote teleurstellingen in zijn leven te verwerken. Ik heb me wel eens afgevraagd hoezeer wij mensen veranderen tijdens ons leven. Je hebt natuurlijk allemaal de gewone veranderingen. Je wordt dikker en valt weer af, je wordt religieus of je ontsnapt eraan. Je uiterlijk verandert, je kledingsmaak, je wisselt van partner, je krijgt een andere baan, je politieke voorkeur verandert. Maar ik denk dat de mens in wezen altijd zichzelf blijft. Een mens verandert niet wezenlijk, hoe teleurstellend dat ook is. Ikzelf probeer altijd nieuwe wegen in te slaan, ook op het gebied van schrijven. Dat wil zeggen dat de omstandigheden en de werkvoorwaarden veranderen, maar ikzelf niet. Door veel over Patty na te denken en te schrijven, hoop ik erachter te komen hoe het nu precies in elkaar zit."

VROUWEN

Het is een wonder dat een onzeker meisje als Patty, dat zowel thuis als op haar werk geestelijk wordt vernederd, zo zelfstandig en volhoudend is. Denise Mina ziet hier geen tegenstrijdigheid in. "Een atmosfeer van onderdrukking leidt juist tot opstandigheid en ontplooiing van individuen. Het is een logisch verzet. Nergens ter wereld zal iedereen zich bij het gezag neerleggen alleen maar omdat men dat probeert af te dwingen. Wist je dat er ooit een team vrouwen uit Iran volledig in burka gekleed de Mount Everest heeft beklommen? Dat is zuiver protest. Ikzelf kan nog niet eens over de drempel van mijn deur stappen in een burka. Kan je nagaan wat een doorzettingsvermogen die vrouwen hadden."

In de boeken van Denise Mina wordt veel maatschappijkritiek geventileerd. Zowel het falen van de gemeente als van de overheid wordt aan de kaak gesteld. Het enorme percentage werklozen en de armoede in bepaalde achterstandsbuurten worden schrijnend beschreven. "Op de een of andere manier zijn Schotse schrijvers politiek bewust. In sommige streken praat men daar niet over, maar in Schotland is het een nationale sport om over politiek te praten. Daarom

"schotse schrijvers zijn politiek bewust"

ga ik dat in mijn boeken ook niet uit de weg. En als je het over politiek hebt, heb je het over misleiding, over corruptie, over het gebruik van mooie woorden en loze beloften en over het falen op het gebied van armoedebestrijding en het scheppen van banen. De monden van de mensen die regeren prediken sociale waarden, maar ze zijn niet in staat om sociale zekerheid te scheppen. Ik beschrijf dat door middel van de toestand waarin de familie van Patty en het merendeel van hun buurtgenoten verkeren."

ROOS OP VUILNISBELT

Een Engelse criticus schreef eens dat Denise Mina over stof en vuil kon schrijven en dat ze zelfs dat tot een boeiend verhaal zou weten te maken. "Dat is vleiend. Maar misschien moet ik juist over het vuil en over de ellende schrijven om iets moois te kunnen maken. Of het nu om mijn boeken of om toneel gaat, ik heb iets met de zelfkant van de samenleving, iets met mensen die zich tegen de verdrukking in staande moeten houden, mensen die zich niet door tegenslagen laten ontmoedigen, die zich niet neerleggen bij de geboden en verboden die hun milieu hun

"ik heb iets met de zelfkant van de samenleving"

oplegt en die hen dreigen te verstikken. Ik beschrijf mensen die met minder wilskracht zouden zijn verdronken. Ik beschrijf dus de zwarte kant van het menselijk bestaan, de worsteling om het licht te laten zien." Een roos op de vuilnisbelt? "Precies, zelfs op de meest onvermoede plaatsen kunnen mooie dingen tot bloei komen."

Denise Mina schrijft veel, heel veel. Ze ziet haar beroep deels als literaire uiting en deels puur als werk van een ambachtsvrouw. "Bij misdaadverhalen heb je natuurlijk niet uitsluitend te maken met een individuele uiting van een individuele emotie. Je moet zoeken naar een aanknopingspunt, een moord of ongeval. Je moet een idee hebben. Om dat idee vorm te geven heb je vakmanschap nodig. Om je emoties te kanaliseren via de karakters is een literaire bezigheid. Voor mijn boek *Het dode uur* kwam het idee overigens vanzelf. Ik heb een politieman aan de deur gehad met achter hem een bloedende vrouw. De buren hadden keiharde muziek gedraaid en hadden die vrouw niet horen gillen. Of ik iets wist? Goed, in mijn boek heb ik de situatie een beetje aangepast en gaat mijn hoofdpersoon naar een dure villa waar toevallig ook al een politieagent is gearriveerd. Als de deur wordt opengedaan ziet ze achter de heer des huizes een bloedende vrouw. Dat is het beginpunt van mijn verhaal. Het meeste geweld komt uit gecompliceerde toestanden voort. Huiselijke drama's waarbij al lange tijd spanningen zijn opgebouwd."

PYJAMA

Denise Mina is een veelzijdige vrouw. Ze geeft les aan de universiteit, presenteert een televisieprogramma, schrijft boeken, comicbooks en sinds kort een toneelstuk. Een gespleten leven, deels leunend op een innerlijk leven, deels op communicatieve vaardigheden. "Ik geef les en ik schrijf, dat zijn in principe uitersten. Schrijven is een introverte bezigheid en lesgeven een extraverte bezigheid. Ik heb beide kanten in me. Ik doe ook live-televisie. Daar kan ik mijn extraverte kant in kwijt. Het is een manier van denken. Als ik schrijf loop ik in oude ongewassen kleren rond. Dat past het best bij me. Als ik op televisie kom, trek ik keurige schone kleren aan, wordt mooi opgemaakt. En dan ben ik tijdelijk iemand anders. Het is in het leven nu eenmaal zo dat je je omgeving nodig hebt die je af en toe uit je isolement haalt. Anders liep ik altijd in een T-shirt of in mijn pyjama rond. Ik ben ook niet iemand voor gezellige dineetjes in keurige kleding. Ik raak geïrriteerd, maak foute opmerkingen tegen de verkeerde personen. Kortom, ik ben graag alleen. Maar ik ben niet zielig. Ik heb het altijd druk. Ik moet zoveel schrijven, zoveel voorbereiden. Ik heb geen tijd voor gezelligheid."

HELLBLAZER COMICS

Sinds kort schrijft Denise Mina ook de teksten en het verhaal voor de Amerikaanse comicbookserie *Hellblazer*, uitgegeven door D.C. Comics. Een ruwe en gewelddadige strip die Denise al las voordat ze gevraagd werd aan de serie mee te werken. "*Hellblazer* is heerlijk om te doen. I eat my own guts to write *Hellblazer*. Alle agressie die ik in me heb, kan ik op deze manier kwijt. Jongeren met piercings en lekkere kreten als 'Where the fuck have you been?' Het schrijven van comics is een heel andere manier van schrijven. De roman is grotendeels een innerlijke wereld, waarin de emoties van mensen heel belangrijk zijn. In strips werkt het niet goed om innerlijke monologen te beschrijven. Het verhaal wordt verteld door de tekeningen. Alles is statisch. De meest woeste handelingen zijn in een plaatje verstild. Je brein ervaart het overigens geheel anders, namelijk als keiharde, snelle actie. Toen ik aan *Hellblazer* begon, waarschuwden de redacteuren van D.C. Comics me voor het feit dat ik in termen van 'status' flink zou dalen op de maatschappelijke ladder. Dat ik als schrijfster van serieuze boeken plotseling minder serieus genomen zou worden. Ik geloofde hen niet, maar achteraf gezien hadden ze gelijk. Maar, een mens moet doen wat hij leuk vindt. Zonder passie, geen leven.

Naast mijn misdaadromans en mijn comics ben ik ook bezig met het schrijven van toneelvoorstellingen. Het National Theater had me gevraagd een stuk te schrijven. Dat heb ik gedaan. Het gaat over prostitutie en over een hoer die allerlei verschillende identiteiten heeft aangenomen. Ik laat zien hoe

"al mijn **agressie** kan ik kwijt in hellblazer"

ze zich probeert staande te houden. Toneel is weer een heel andere manier om een verhaal te vertellen, maar wel heel erg boeiend. Ik heb ook geëxperimenteerd. Het is namelijk ook interessant om de manier van schrijven die je hanteert bij romans, toe te passen op een toneelstuk. Zo maak ik in het toneelstuk tijdsprongen. Dat is niet gebruikelijk bij toneel. Het is overigens een mooi stuk geworden. Het publiek was geschokt en dan te bedenken dat ik me nog had ingehouden."

VOORKEUREN

"Vrouwen lezen misdaadverhalen anders dan mannen. Mannen gaan voor de plot. Vrouwen gaan voor de karakters. Maar boeken die de karakters verwaarlozen en alleen aandacht hebben voor de plot zijn onzinboeken. Daarom vind ik de boeken van een plotgerichte mannenschrijver als Andy McNab pure rommel. Maar aan de andere kant hebben de zogenaamde chicklit-romans voor vrouwen weer totaal geen plot. Als er maar mannen in de buurt zijn die iets willen met de vrouwen in het boek, is het verhaal al klaar. Dat is ook rommel. Maar je moet niet vergeten dat mensen om verschillende redenen lezen. Ontspanning, intellectuele prikkeling, ontroering, ethische waardering. Dus wordt er voor al die smaken wat geschreven. En zo hoort het ook." ∎

Franck Thilliez

"schrijven over gruweldaden en **horror** is voor mij een soort **therapie"**

Hoewel Franck Thilliez (1973) al een viertal thrillers op zijn naam heeft staan met veelzeggende titels als *Train d'enfer pour Ange rouge*, *La chambre des morts*, *La forêt des ombres* en *La mémoire fantôme*, debuteerde hij in Nederland pas in 2006 met *Het Gruwelhuis*. In Frankrijk won hij er de belangrijkste publieksprijs mee: de Prix Polar SNCF. Het boek werd verfilmd en kwam eind 2007 in de bioscopen. In Nederland zijn ook in vertaling verkrijgbaar *Schaduw van de beul*, *De kleur van het duister* (dun promotieboekje) en *Het einde van Pi*. Stuk voor stuk bloedstollend spannende psychologische thrillers vol horrorachtige elementen.

LIEFDE VOOR HORROR

Hij spreekt bedachtzaam Engels met het zware Franse dialect waarmee Maurice Chevalier wereldberoemd is geworden. Een tengere man met kort krullend donkerblond haar, diepliggende ogen en een stoppelbaard. Met zijn geruite overhemd en zijn losjes bij elkaar gegaarde casual kleding heeft hij de uitstraling van een verstrooide leraar wiskunde. Hij is uitermate vriendelijk, kan het succes dat hem ten deel valt nauwelijks bevatten, maar geniet met volle teugen van de vrijheid die het schrijversbestaan hem te bieden heeft. We praten over zijn jeugd, over Franse films, over thrillers en over het leven zelf. Thilliez drukt zich uitermate behoedzaam uit. Hij poneert eerder korte statements dan dat hij uitvoerig verhaalt. Pas als we over gruwel en angst praten raakt hij in zijn element. Thilliez houdt van horror, zoveel is duidelijk.

Dat maakt dat de inhoud van de boeken van Franck Thilliez zonder meer heftig is te noemen. De auteur beschikt over een zeer gewelddadige fantasie. Het is echter geen fantasieleven waar Thilliez dag in dag uit mee rondloopt. "Toen ik jong was, was ik altijd gefascineerd door horrorfilms. Mijn favoriete auteur was Stephen King. Toen ik ouder werd had ik een verhaal in mijn hoofd dat nogal donker was en dat bleef maar rondspoken. Ik zei toen tegen mezelf dat ik dat verhaal op de een of andere manier kwijt moest. Ik kon geen film maken, want ik had een baan en bovendien had ik het geld er niet voor en daarom wilde ik het proberen op te schrijven. En toen ik achter mijn computer ging zitten, lukte het me om vorm te geven aan dat duistere gewelddadige verhaal. Ik vond het fantastisch. Het was een opluchting voor me dat ik op die manier al die gruwelbeelden van me af kon schrijven. Het maakte mijn hoofd leeg. Schrijven bleek voor mij de oplossing om mijn vreemde ideeën kwijt te raken. Het werkt voor mij therapeutisch. Niet dat ik een psychopaat ben ofzo. Ik denk alleen aan andere dingen dan de doorsnee-mens."

HORROR IN BED

"Ik denk uiteraard niet de hele dag aan gruwelijke dingen. Pas als ik naar bed ga komen die beelden en verhaallijnen boven. En als ik overdag schrijf, ben ik meer bezig een verhaal vorm te geven dan dat ik aan gruweldaden denk. Natuurlijk, ik schrijf ze op, maar het zijn de beelden die zich 's nachts hebben aangediend. 's Nachts krijg je ideeën die je overdag nooit zou krijgen. Het is een vreemd mechanisme. Als ik overdag niet schrijf, doe ik de normale dingen die iedereen doet. Ik doe boodschappen, kijk televisie, eet met de familie. Pas als ik naar bed ga begint mijn fantasie te malen. Ik heb dat mijn hele leven gehad. Ik heb wiskunde gestudeerd en op de een of andere manier dienden de oplossingen voor de vraagstukken zich altijd 's nachts bij me aan."

Iemand die leraar of taxichauffeur is kan met zijn vrouw over zijn beroep praten, leuke anekdotes vertellen. Franck Thilliez schrijft over sadistische psychopaten en seriemoordenaars. Dat lijkt wat moeilijker. "Mijn familie wist in het begin helemaal niet dat ik bezig was met het schrijven van een boek. Toen ze mijn eerste boek, *Het Gruwelhuis*, lazen, zeiden ze: 'Waarom schrijf je over dit soort dingen? Dat hoort niet bij je. Zo ben je helemaal niet.' Ze waren behoor-

"als ik naar bed ga denk ik aan gruwelijke dingen"

lijk verbaasd, vonden het eigenlijk ook niet helemaal normaal. Mijn vrouw heeft veel grapjes te verduren gekregen. Mensen vroegen haar hoe ze naast een man met een dergelijke fantasie durfde te slapen. Of ze een groot mes onder haar kussen had liggen. Pas maar op, straks vermoordt hij je en snijdt hij je in stukken. Mijn vrouw reageerde bezorgd. Ze vroeg of het wel goed met me ging en hoe ik me voelde. Maar ik heb haar uitgelegd dat ik een gewoon, doodnormale man ben en dat de dingen die ik beschrijf gewoon verhalen zijn en dat ze voor mij horen bij het fantasie- en schrijfproces."

PUBER DOL OP PSYCHOPATEN

Franck Thilliez, geboren in het Franse Annecy, woont momenteel in Mazingarbe, een stadje vlakbij Lens. Tijdens zijn beschermde jeugd, die hij vooral doorbracht aan het mooie bergmeer bij zijn geboorteplaats, was hij een onopvallend kind dat voornamelijk in zijn fantasie leefde. "Het lezen of schrijven was absoluut geen familieaangelegenheid. Toen ik vijftien jaar was waren de films die mij bovenmatig boeiden: *The Exorcist, The Texas Chain Massacre* en *The Shining*, films die me de stuipen op het lijf jaagden, maar die bedoeld waren als entertainment en dat geldt voor mijn boeken natuurlijk ook. Voor mensen als ik, en dat zijn er miljoenen, kijk maar naar het succes van Stephen King, is angst en gruwel een wezenlijk onderdeel van entertainment. Toen ik op leeftijd was dat ik veel naar de film ging, tussen mijn dertiende en vijftiende, wist ik van tevoren dat ik bang zou zijn. Maar dat gevoel was spannend, ik kon niet aan de verleiding weerstaan het op te zoeken. Ik hield er zelfs heel erg van om bang te zijn. Dus als ik boeken schrijf, houd ik dat gevoel goed voor ogen. Ik wil dat mijn lezers bang zijn. En liefst ook nog op een hele sterke intense manier. Voor mensen is bang zijn vaak een tijdelijke vlucht uit de werkelijkheid. Het is hetzelfde systeem als kinderen die in Disneyland naar een spookhuis gaan of in de achtbaan gaan zitten. Met mijn boeken probeer ik eenzelfde soort adrenalinestoot te bewerkstelligen. Alles in mijn verhalen is daarop toegespitst."

Voor sommige schrijvers is het vertellen van een verhaal een bijna fysieke noodzaak. Een verhaal moet op papier, of dat ooit door iemand gelezen wordt is bijzaak. Een tweede categorie schrijvers maakt een boek uitsluitend uit creatieve noodzaak. Ook deze categorie denkt niet aan het publiek. Bij Thilliez ligt dat anders. "Ik ben geen schrijver die boeken voor zichzelf schrijft. Ik denk continu aan mijn lezers. Als ik een paar pagina's af heb herlees ik ze en vraag me steeds af of dit interessant genoeg is voor mijn lezers. Ik ben wat dat betreft heel kritisch. Het verhaal moet constant spannend zijn. Als het boek klaar is, kan ik niet beoordelen of het goed of slecht is. Daarvoor ben ik te subjectief. Maar ik kan wel goed beoordelen of het verhaal de aandacht van de lezer constant vast kan houden. Vanuit dat oogpunt herschrijf ik bepaalde scènes. De lezer moet op het puntje van zijn stoel blijven zitten. Spanning, spanning en nog eens spanning, daar draait het om."

Spanning mag dan het allerbelangrijkst zijn voor Thilliez, dat neemt niet weg dat hij ook de hoogst mogelijke zorg besteed aan stijl en taalgebruik, dat soms zelfs poëtisch is. "Ja, bij het herschrijven probeer ik extra sfeer te scheppen, door mooie beelden en vergelijkingen te maken. Taal helpt mee aan schoonheidsbeleving, de waardering van de lezer. Het geeft een extra emotionele lading mee voor diegenen die er oog voor hebben. Soms herschrijf ik zinnen wel vijf keer. Mooi taalgebruik heeft extra zeggingskracht."

SCHADUW VAN DE BEUL

Zijn tweede boek in Nederlandse vertaling, *Schaduw van de beul*, is een soort kruising tussen *Misery* en *The Shining*. Spannend, macaber en vol verrassingen. Het verhaal draait om een seriemoordenaar met de bijnaam Beul 125 die ooit op gruwelijke wijze jonge vrouwen vermoordde. Hun kinderen spaarde hij, maar hij tatoeeerde zijn handtekening op hun hoofden: 101703… 101005… 89784. De beul werd 27 jaar geleden opgehangen zonder dat de betekenis van de nummers werd opgehelderd. Hoofdpersoon David Miller is begrafenisondernemer die in zijn vrije tijd thrillers schrijft. Hij aanvaardt de opdracht de seriemoordenaar in een boek tot leven te wekken. De gruwelen komen weer tot leven. Franck Thilliez vindt *Schaduw van de beul* een van zijn

"waarom iemand vermoorden van wie je houdt?"

betere boeken. "De inspiratie voor *Schaduw van de beul* heb ik gekregen tijdens het lezen van een dik boek, dat ging over iemand die een ander vermoordde van wie hij hield. De grote vraag daarbij is natuurlijk: waarom zou je dat doen? Maar ik vond het als onderwerp intrigerend. Bovendien wilde ik in mijn boek het schrijfproces duidelijk maken. Daarom heb ik als hoofdpersoon een schrijver genomen die voor morele dilemma's komt te staan. Ik had vijf of zes verhaallijnen waaruit ik kon kiezen. Uiteindelijk heb ik gekozen voor het meest bizarre. Ik heb een normaal personage als David de schrijver tegenover een totaal curieus karakter, de zonderlinge rijkaard

meneer Doffre, geplaatst. Het aardige is dat ik in het begin alle karakters als vrij normaal voorstel. Maar naarmate het verhaal vordert komen er steeds meer slechte eigenschappen van hen naar boven. Ik vind dat in principe zo boeiend omdat vrijwel ieder mens goede en slechte eigenschappen heeft. Daarom is de strijd tussen goed en kwaad ook altijd lichtelijk kunstmatig. Het is maar wat er in het leven met je gebeurt. Ieder mens kan onder bepaalde omstandigheden goed of onder andere omstandigheden slecht zijn."

SERIEMOORDENAAR

In *Schaduw van de beul* beschrijft Thilliez op gedetailleerde wijze het leven en de gedachtegang van een seriemoordenaar. Om dat te kunnen, heeft hij veel boeken en documentaires over seriemoordenaars gelezen. "Ja, om op een geloofwaardige wijze over een seriemoordenaar te kunnen schrijven moet je je wel in de geestesgesteldheid van een dergelijk personage verdiepen. Ik heb het altijd fascinerend gevonden. Hoe steekt de psychologie in elkaar van iemand die in koelen bloede mensen vermoordt en die daar nog plezier aan beleeft ook. Ik wilde graag weten of dergelijke mensen ook een normaal leven leiden. Of ze hun gruwelijke daden ook aan hun familie vertellen of dat ze het in een geheim compartiment van hun geest opslaan. Ik heb met psychiaters gesproken en de literatuur bestudeerd. Ik wilde hun daden en beweegredenen kunnen verklaren. Het is duidelijk dat de meeste seriemoordenaars er heel normaal uitzien, dat ze een gewoon leven leiden en dat achteraf niemand hen tot hun vreselijke daden in staat had geacht. Maar toch doen ze het. Het zijn abnormale mensen in een normale verpakking."

"angst is een mooie emotie"

FORENSISCH ENGE DINGEN

Thilliez is ook sterk in de beschrijving van ontbindende menselijke lichamen, hetgeen de gruwel van het verhaal in hoge mate versterkt. "Ja, ook daar heb ik me in verdiept. Ik heb bijvoorbeeld de boeken van Jefferson Bass verslonden. Hij heeft een forensisch onderzoeksinstituut in Amerika, de Bodyfarm genaamd, waar ze de ontbindingsprocessen van dode lichamen onderzoeken. Enorm boeiend om te lezen welke insecten en kevers een rol spelen bij dat proces. Voor elk boek dat ik schrijf doe ik grondig research naar een bepaald onderwerp. Ik wil dat de lezer ook iets leert. In dit boek kan men leren over insecten en ontbindingsprocessen. Sommige mensen zullen er van gruwen, dat is goed. Anderen zullen er iets van opsteken, dat is zelfs beter. Ik vind het belangrijk om in elk boek iets gedetailleerd te beschrijven waar de mensen iets van kunnen leren. Ik schrijf voor de lezer. En sommige lezers zijn dol op beschrijvingen van lijken, wat de natuurlijke processen met lijken doen en welke andere, levende have daar baat bij heeft. Mensen houden van enge, griezelige dingen. Ze hoeven het zelf niet te zien in de werkelijkheid. Maar om er in de veilige beschutting van het huis over te lezen, is lekker veilig griezelen."

VERFILMING

Franck Thilliez heeft sinds enige jaren zijn vaste baan opgegeven om fulltime schrijver te worden. "Mijn boeken verkopen zo goed, dat ik me helemaal op schrijven heb toegelegd. *Het Gruwelhuis* is zelfs verfilmd. In september 2007 is hij in de bioscoopzalen te zien geweest. En hoewel het een hele goede, Franse film is, was het niet bepaald een kassucces. Heel snel gefilmd, mooi. Maar de Franse film is niet populair in andere landen. Het is natuurlijk deels een taalprobleem. Maar het vreemde is dat men vroeger in Frankrijk trots was op films uit eigen land: Truffaut, Alain Resnais, Claude Chabrol, Luc Besson etc. Maar dat is niet meer zo. Jonge Franse bioscoopgangers zien liever Amerikaanse films dan Franse films. Of mijn andere boeken verfilmd gaan worden, weet ik dus niet. Schrijven is voor mij hoofdzaak. De lezers wachten op mijn boeken, niet op mijn films. Zelf zie ik mijn boeken als thrillers. De dreiging is voornamelijk psychologisch van aard. Maar natuurlijk zitten er ook flink wat horrorelementen in mijn boeken. Angst is een mooie emotie. Voor lezers en voor schrijvers. Angst is als een dikke ketting die je gevangen houdt. Je wilt vluchten, maar je kunt niet weg. Maar in je achterhoofd weet je dat je zelf de ketting opzij kunt doen. Je kunt je boek wegleggen. Zelfgekozen angst, dat is entertainment." ∎

Annet de Jong

"ik ben erg ongeduldig en snel verveeld"

Ze heeft een ideale stem voor radio en luisterboeken. Melodieus en bijzonder aangenaam om naar te luisteren. Toch is het niet in de audiovisuele sector waarin Annet de Jong (1970) werkzaam is, maar in de dagbladjournalistiek. Zij werkt op de kunstredactie van *De Telegraaf*, een krant waarvoor zij recensies over toneel, cabaret en film schrijft. Niet langer over musicals. "Ik was te zuur geworden voor musicals. Daar moet je eerlijk in zijn." Kritiek geven is iets anders dan kritiek ontvangen. Dat mocht zij meemaken na haar eerste thriller *Vuurkoraal*. Een boek dat lichtelijk gebaseerd was op de zaak Natalee Holloway en dat goed werd ontvangen, op een enkele nare recensie na. "Ik heb die recensie ritueel staan verbranden op het terras, maar dat doe je één keer en daarna niet meer." Het was ook niet nodig. Annets tweede boek *Dossier Tobias* mocht zich verheugen in louter positieve reacties. Met dit boek gaf ze tevens aan een van de meest veelbelovende thrillerschrijfsters van de toekomst te zijn.

GRAPJES

Het is een zonnige voorjaarsdag in Amsterdam-Zuid. Het rustgevende huis in de rustgevende straat waar Annet de Jong samen met haar partner Dominique resideert, noodt tot een diep innerlijk leven. Het is een omgeving waar veel schrijvers, journalisten, schilders en docenten hun toevlucht hebben gezocht. Hier ligt de inspiratie voor het oprapen, zo lijkt het tenminste.

In werkelijkheid is creëren hard werken. Naast haar journalistieke werk, schrijft Annet de Jong vijf dagen per week achthonderd woorden. Vierduizend in totaal. Goed voor één boek per jaar. Slechts twee boeken staan er nu op haar cv, maar met haar tweede boek heeft Annet kwalitatief gezien een enorme stap voorwaarts gemaakt. Een proces dat louter intuïtief tot stand is gekomen, want De Jong zou niet onder woorden kunnen brengen wat ze van haar eerste boek geleerd heeft. "Ik heb geen rijtje punten waarmee ik dat kan aangeven. Het enige is misschien dat ik bewust minder grapjes maak. Ik houd van grappen maken en die passen lang niet altijd. In *Dossier Tobias*, dat op zich een ernstig boek is over kinderontvoering, had mijn uitgever in de kantlijn weer een paar keer gezet: 'Kill your darlings. Je hoeft niet altijd grappig te zijn'. Nee, dat klopt, maar soms gaat dat vanzelf. Ik ben er nu meer op gaan letten. Humor is niet in alle boeken een voorwaarde. In *Vuurkoraal* zitten een aantal flauwe grappen, die ik zelf nog steeds heel grappig vind overigens, haha. Maar het hoeft niet. Dat is iets wat ik geleerd heb, maar verder zou ik het niet weten."

VUURKORAAL

Wil elke journalist eigenlijk een boek schrijven? Volgens Annet de Jong wel. Het was in ieder geval haar droom. "Ik zat al heel lang tegen mijn vrienden te bluffen dat ik voor mijn dertigste zou debuteren. Goed, het heeft iets langer geduurd, maar dat ik het wilde stond vast. Ik dacht ook wel dat ik het zou kunnen, alleen als je een drukke baan hebt, is het natuurlijk moeilijk om een begin te maken. Ga je iets schrijven en dan leuren met een manuscript? Daar had ik helemaal geen zin in, want ik heb het nooit gedaan. Tot ik op een goed moment in gesprek kwam met Annette Portegies, die mij vertelde dat uitgeverij Querido ook Nederlandse thrillers wilde gaan uitgeven. Ze vroeg aan mij of ik het zou kunnen. Ik zei ogenblikkelijk ja. En al pratende legde ik ook meteen mijn idee op tafel, want ik was erg gefascineerd door die Natalee Holloway-zaak. Ik dacht dat ik vanuit die fascinatie gemakkelijk een boek kon schrijven.

"ik was erg gefascineerd door de verdwijning van natalee holloway"

Annette Portegies zei me dat ik het maar moest proberen en dat ik een maand later maar een paar hoofdstukken moest inleveren. Zo is het gegaan en toen was *Vuurkoraal* er ineens. Het verhaal over een meisje op een zonnig eiland dat spoorloos verdwijnt. Ik sta nog steeds volledig achter het boek, maar ik had en heb niet helemaal het idee: dit is mijn boek. Het is nog niet hét boek. Dus ik was wel bang voor de reactie, maar gelukkig werd het best goed ontvangen. Het grootste pluspunt was dat ik mezelf bewees dat ik een boek kon schrijven. Kijk, artikelen en een boek zijn totaal verschillende disciplines. Het is heel fijn te ontdekken dat je iets kunt."

Veel auteurs hebben ouders die hun het lezen met de paplepel hebben ingegoten. Zo niet de ouders van Annet de Jong, die beiden zeer sportief waren. "Mijn moeder had de sportacademie gedaan in Den Haag en mijn vader had CIOS gedaan en was turnleraar. Mijn moeder was ook een hele goede turnster. Ze is nog een keer reserve geweest voor de Olympische Spelen. Dus ik was vroeger gewoon gefocust op sport en niet op literatuur."

Samen met haar oudere broer Peter zwom Annet tien uur per week met de selectie van zwemvereniging Poseidon '56. Schrijven deed Annet alleen voor de schoolkrant. Haar liefde voor literatuur kwam pas tijdens haar studie. "Ik wist in eerste instantie totaal niet wat ik wilde gaan studeren. Mijn broer deed Nederlands. Reden voor mij om het niet te doen. Ik wilde hem niet kopiëren. Ik dacht: ik ga gewoon Engels doen en iets vaags erbij, Europese studies in Amsterdam. Maar ik ben in Leiden blijven hangen toen ik bij het *Leidsch Dagblad* stage liep. Daarna bij het *Universitair Weekblad* in Leiden en toen heb ik de postdoctorale studie journalistiek gevolgd. Een elitaire particuliere opleiding aan de Erasmus Universiteit. Ze namen twintig studenten per jaar aan. Je moet echt laten zien dat je wat kan en dat je wat hebt geschreven en dat ze met je aan durven komen bij een krant. De dagbladen, in mijn geval *De Telegraaf,* betalen de helft van de opleiding. Als student krijg je geen stagevergoeding en je betaalt zelf de andere helft. Ik kreeg ook geen studiebeurs. Dus je moet er echt wel wat voor over hebben om het te kunnen doen. Alles bij elkaar kost het negen maanden. Mij is het daarna gelukt om bij de De Telegraaf te blijven. En ik zit er nog steeds."

POLEN-IDENTITEITSCRISIS

Na enkele jaren algemene verslaggeving te hebben gedaan, werd Annet gevraagd op de politieke redactie, waar zij ruim zeven jaar doorbracht. Later stapte zij over naar de kunstredactie, een lang gekoesterde wens, waar zij schrijft over theater, film en cabaret.

Toen zij vorig jaar (2008) ontdekt had dat zij naast haar journalistieke werkzaamheden ook de tijd en discipline had om een boek te schrijven, was het voor Annet duidelijk dat boeken schrijven voor haar de toekomst had. Al vindt zij boeken schrijven alleen leuk in combinatie met haar journalistieke werk. Na *Vuurkoraal* had De Jong een aantal ideeën die zij voorlegde aan haar uitgeefster. Het werd uiteindelijk het verhaal dat ten grondslag ligt aan *Dossier Tobias*. Het verhaal waarin twee echtelieden van verschillende nationaliteiten, Pools en Nederlands, uit elkaar groeien, scheiden, en er een felle strijd ontbrandt over de zeggenschap over de kinderen. Rechtszaken en ontvoeringen zijn het gevolg. "Het verhaal ligt erg dicht bij me omdat het geïnspireerd is op een waargebeurd verhaal. Het gaat natuurlijk over kinderontvoering. Dat is het thema. Mijn neefje, ons neefje is dat overkomen. Dus Dominique en ik hebben het van heel dichtbij meegemaakt en we zijn zelfs betrokken geweest bij het terughalen van het ventje uit Polen. Polen was sowieso interessant om te nemen als land voor het verhaal omdat ik op die manier heel goed de identiteitscrisis van mijn hoofdpersoon Nicolas Kozinski kon weergeven. Die is een beetje gelijk aan de identiteitscrisis die Polen gehad heeft, een land dat decennialang van de landkaart geveegd is. Ik vond het allemaal heel mooi samenkomen met de psychologie van zo'n man. Het thema was volgens mijn uitgever ook mooi actueel, boven op het nieuws. En zeker door mijn bevlogenheid en betrokkenheid bij het onderwerp was dit wat ik wilde doen."

KINDERONTVOERING

In *Dossier Tobias* beschrijft Annet de Jong het nachtmerriescenario van kinderen die een speelbal worden in de handen van hun gescheiden ouders. De schrijfster heeft zich in het onderwerp vastgebeten en diepgaand research gepleegd. "Ik heb ook alle dossiers en echtscheidingsdossiers bestudeerd omdat ik wilde laten zien hoe het tussen ex-echtelieden zover kan komen dat ze kinderen over en weer gaan ontvoeren. Het is ook iets afschuwelijks. Niemand wil dit. Niemand vraagt erom. Maar er gaat natuurlijk van alles aan vooraf. Dat wilde ik ook opschrijven. Er zijn in Nederland jaarlijks zestig tot zeventig ontvoeringen. Soms komt er een mediator en dan komt het niet eens tot een zaak, maar ik geloof dat het in zo'n dertig gevallen echt tot een rechtszaak komt. Het zijn vaak Nederlandse vrouwen die terugkeren na een avontuur met

"bij een scheiding zijn kinderen altijd de dupe"

een buitenlandse man en het gaat vaak na een echtscheiding zo dat een Nederlandse vrouw in dat buitenland niet zo heel veel meer te zoeken heeft, vaak geen werk heeft. En als je dan ook nog een man hebt die geen alimentatie betaalt, zoals in dit verhaal, en je hele familie in Nederland woont, ja, dan wil je natuurlijk terug. En als er dan geen rechtbank is die daaraan mee wil werken, dan neem je je kinderen gewoon mee. Ik vind het een heel normale reactie. De reactie van mensen is natuurlijk vaak: 'Had je maar niet met een buitenlander moeten trouwen. Eigen schuld, dikke bult.' Dat vind ik zo kortzichtig. Het trieste is ook dat het Kinderontvoeringsverdrag uit 1980 erg star is en onrechtvaardigheid in de hand werkt. Ik heb er met Fred Teeven over gesproken en er worden binnen niet al te lange tijd een aantal dingen veranderd, maar ja, iedere rechtbank gaat op zijn eigen manier met de uitzonderingsregels om, dus veel vastigheid is er niet. Dat er nu gespecialiseerde rechtbanken gaan komen is wel een stap in de goede richting, maar nog geen definitieve oplossing. Als een buitenlandse vader het kind meeneemt naar het buitenland heb je plotseling weer geen poot om op te staan. In het verhaal in mijn boek hebben we niet willen wachten op een rechtszaak in het buitenland. We hebben het kind gewoon teruggehaald. Maar in het algemeen is het zo triest dat ouders alleen maar denken: 'Ik heb er recht op.' Denk nou toch eens aan dat kind. In principe zou dat de basis moeten zijn van het verdrag: het belang van het kind. Het staat natuurlijk ook wel in de wet. Maar in de praktijk blijkt dat de meeste rechtszaken helemaal niet over het belang van het kind gaan, maar alleen om de ouders."

KINDEREN DE DUPE

"In Polen kun je gevangenisstraf krijgen als je geen alimentatie betaalt. Maar tegelijkertijd wil een vrouw ook niet dat de vader van haar kind in de gevangenis zit. Dus je kunt het wel in de wet hebben staan, maar wat hebben de kinderen eraan? Kinderen zijn altijd de dupe.

Het is heel moeilijk om te zien wat er in een kind omgaat en of hij ernstig lijdt onder de situatie. Er blijft altijd een loyaliteitsconflict. "Mama, ik heb papa aan de telefoon. Kan ik dan blij zijn? Of verraad ik dan mijn moeder?" Ik ben gaan praten met psychologen om te vragen wat de eventuele gevolgen zouden kunnen zijn van zoiets. Maar ja, voor kinderen blijft het verschrikkelijk. Kinderen hebben er niet om gevraagd. Die zijn het slachtoffer van wat volwassenen elkaar aandoen. Tijdens het schrijven voelde ik woede en verontwaardiging over de bestaande wetgeving die met name zorgt dat de kinderen een speelbal zijn in handen van volwassenen en een ontoereikende wetgeving. Het is een emotie waar ik niet aan ontkwam." De Poolse vader Nicolas in *Dossier Tobias* worstelt in het boek steeds meer met het geloof. Hij wordt steeds strenger in de leer. Het betekent niet dat Annet de Jong zelf ook het katholicisme van haar hoofdpersoon omarmt. "Ik ben niet katholiek en ook niet gelovig in de zin van christelijk.

"of het vaticaan ooit een huwelijk ontbindt?"

Wel gelovig in de zin van: ik geloof in één ziel. Dat iedereen met elkaar verbonden is. Ik geloof in een hogere kracht, maar ik geloof ook dat wij dat zelf zijn, dat onze zielen dat zijn. Het wordt heel zweverig, hoor, als we hierop doorgaan. Maar ik heb wel research gedaan wat betreft het katholicisme. En het is wel degelijk waar dat een parochie in Polen tegen iemand kan zeggen: 'Ik hoor dat u gescheiden bent. Ik heb liever niet dat u hier nog komt.' Ik ben tijdens mijn research ook gestuit op een gescheiden Poolse vrouw die in Nederland weer voor de kerk wilde trouwen, maar dat dat niet kon omdat haar eerste huwelijk eerst ontbonden moest worden door het Vaticaan. Anders kon ze niet opnieuw voor de kerk trouwen. En of het Vaticaan een huwelijk ontbindt? Ik heb het in ieder geval nog nooit gehoord, al zou het moeten kunnen, lijkt me."

SCHRIJVEN EN VERVELING

Over haar nieuwste boek wil Annet niets zeggen omdat het anders 'wegloopt'. In een *Telegraaf*-interview uitte ze het vermoeden dat de zelfmoord van haar vader wellicht een rol zou spelen in het boek, omdat dat iets was wat al een kwart eeuw in haar hoofd rondspookte. Wel wil Annet loslaten dat haar nieuwe boek opnieuw een maatschappijkritische ondertoon zal krijgen. "Ik signaleer inderdaad dingen. Ja, ik signaleer. Een serie met een vaste hoofdpersoon zal ik niet schrijven. Ik ben niet zo van series. Ik ben snel verveeld. Aan het einde van mijn boek heb ik er ook eigenlijk meer dan genoeg van. Dan wil ik naar het volgende. Dat is dagbladjournalistiek, denk ik. Ik verveel me ook snel in het dagelijks leven. Ja, dat is wel eens moeilijk. Ik heb heel veel prikkels nodig. Ik ben heel ongeduldig. Het is al heel bijzonder dat ik erin slaag om boeken te schrijven. Maar ik kan me niet langer dan een uur of drie, vier concentreren op het schrijven. Dan houdt het toch op. Dan moet ik iets anders gaan doen. Naar buiten. Ik zou niet hele dagen kunnen schrijven. Ik heb het wel eens geprobeerd om hele dagen te schrijven. Ik nam me voor om heel veel woorden te schrijven. Het werd niets. Ik schreef evenveel als de keren dat ik drie uurtjes ging zitten. Maar ik schrijf nog steeds in vier, vijf maanden een boek. Omdat ik het dan wel iedere dag doe. Daar ben ik wel gedisciplineerd in. Veel herschrijven doe ik niet. Dat wil ik ook niet. Bij *Vuurkoraal* heb ik meer moeten herschrijven dan bij *Dossier Tobias* omdat ik toen een hele strenge persklaarmaakster had. Zij wilde dat ik allerlei zinnen omgooide. Ik dacht waar bemoei je je mee? Ik heb toen heel veel dingen ook niet aangepast. Ik ben daarin heel eigenwijs. Gewoon een algemeen voorbeeld. Het kan dat je als schrijfster twee jonge meiden tegen elkaar laat zeggen: 'Waar is Anja?' Waarop de ander antwoordt: 'Die is neuken'. Een strenge persklaarmaakster zou dat kunnen veranderen in 'Anja is uit neuken'. Ik ben niet zo naïef dat ik zoiets zomaar zou overnemen. Dan zou je een heel truttig boek krijgen. Het zou niet meer van mezelf zijn. Ik ben daar ook zeer kritisch op. Ik denk dan: jongens jullie kunnen op je kop gaan staan, maar dat ga ik gewoon niet doen. Ik ben geen mooischrijfster. Ik ga niet eindeloos zitten beeldhouwen aan een zin. Zo kan ik niet werken." ■

Brian Freeman

"ik schrijf over mensen, dus over seks"

Brian Freeman werd geboren in Chicago, verhuisde in zijn jeugd naar Californië en verhuisde vervolgens naar Minnesota waar hij magna cum laude afstudeerde aan Carleton University. Na een periode als marketingmanager van een advocatenbureau, schreef hij op zijn eenenveertigste zijn eerste succesvolle thriller *Verdorven* (2005) waarmee hij de Macavity Award for Best First Mystery Novel won. Met zijn tweede boek *De stripper* (2007) brak hij internationaal door, waarna zijn boeken *De stalker* (2008) en *De voyeur* (2009) meteen in zeventien talen werd vertaald en nu in zesenveertig landen in de boekwinkels liggen.

MAN UIT MINNESOTA

Klein van gestalte, kort haar, een bril met licht montuur die hij nu eens opzet en dan weer afneemt. Hij is on-Amerikaans gekleed in een zwart leren jasje over een zwarte trui, met daaronder een zwarte broek en zwart-witte sneakers. Zijn manier van doen en spreken is minder eenduidig. Brian Freeman heeft iets ongelooflijk energieks. Zijn stem is levendig en harmonieus, vol intonatie, van hoog naar laag. Een stem waar leerlingen op school van wakker blijven omdat hij noodt tot luisteren. Freeman is een doorzetter. Alles wat hij aanpakt wordt een succes: studie, werk en nu zijn carrière als schrijver. Hij noemt het een kwestie van hard werken, nooit opgeven en altijd positief blijven denken. Als man van het koude noorden houdt hij van Minnesota dat hij ooit verruilde voor het warme Californië. Hij praat even gemakkelijk over de eenzaamheid in zijn jeugd als over de grote rol van seks in zijn boeken. Een warm en toegankelijk man, die ook na het interview per e-mail regelmatig contact zoekt.

Freeman wilde al vanaf zijn prilste jeugd schrijven. Grote inspiratiebronnen waren zijn oma en een lerares op school. "Mijn oma was een gepassioneerde lezer en had ook enorm veel boeken. Zij gaf mij heel meelevend voornamelijk boeken waarin veel lijken werden gevonden, haha. Toen ik negen jaar was verhuisden mijn ouders van Chicago naar Californië, dus moest ik een omgeving verlaten waar ik me veilig en op mijn gemak voelde. In mijn nieuwe omgeving waren er weinig kinderen van mijn eigen leeftijd. Op school vond ik eigenlijk bij niemand aansluiting. Dus de eerste jaren in Californië was ik heel erg eenzaam. Het gevolg was dat ik erg in mijzelf gekeerd raakte en veel las. Ik creëerde mijn eigen wereld. Ik had een bijzonder actief fantasieleven. Het was een moeilijke en pijnlijke periode in mijn leven. Maar toch kijk ik niet met bitterheid terug, want in die tijd heb ik wel veel geleerd over het bedenken en vormgeven van verhalen. Mijn liefde voor spannende verhalen lezen en schrijven werd ook op school gestimuleerd. Ik had in Californië een lerares die mijn sluimerende talent aanmoedigde. Ze zei tegen me: 'Als je naar de les komt, vergeet dan gewoon te luisteren. Ga zitten en schrijf gewoon een verhaal. Dat bespreken we later.' Toen ik klaar was met school, schreef ik die zomer mijn eerste boek. Toen al wist ik dat ik later mijn brood zou verdienen met schrijven. Vervolgens heeft het me heel veel moeite gekost om te bereiken wat ik wilde, maar het is gelukt. Overigens waren er geen schrijvers in mijn familie, maar wel lezers. Voor iemand die wil gaan schrijven, is veel lezen altijd de basis."

"op school vond ik bij niemand aansluiting"

VERDORVEN

"Voordat ik schrijver werd heb ik veel banen gehad. Ik werkte een paar jaar als computerprogrammeur voor enkele liefdadigheidsinstellingen. Daarna heb ik gewerkt voor de Carleton University, waar ik zelf had gestudeerd, met het schrijven van brieven en ander materiaal om fondsen te werven. Omdat ik er goed in was, heb ik ook voor andere instellingen materiaal voor fondswerving geschreven. Ik eindigde bij een advocatenkantoor waar ik directeur marketing en public relations werd. Dus veel zakelijk schrijfwerk. Maar in die periode trok ik ook tijd uit om privé mijn schrijven te ontwikkelen. Het liep allemaal door elkaar. Ik voltooide mijn eerste boek toen ik nog bij het advocatenkantoor in dienst was. Via hen leerde ik een literair agente kennen. Zij vond mijn boek *Verdorven* mooi en daarmee begon een heel nieuw hoofdstuk in mijn leven."

Omdat het verhaal een zevenstapssprong lijkt te maken verduidelijkt Freeman zijn plotselinge carrièrewisseling. "Om eerlijk te zijn, had ik voor *Verdorven* al vijf complete boeken geschreven. Vanaf mijn dertiende was ik al bezig. Mijn eerste boek ging over een schaakgrootmeester. Ik schreef het in de hoogtijdagen van Bobby Fischer en Boris Spassky. Het boek heette *Schaakmat*. Ach ja, er zijn ergere jeugdzondes denkbaar. Maar er zijn nu eenmaal niet veel uitgevers die houden van verhalen die met gele inkt in schoolschriftjes zijn geschreven. Dat neemt niet weg dat ik de sensatie van een boek voltooien al een paar keer had meegemaakt toen mijn agente een uitgever wist te strikken voor *Verdorven*. Ik was redelijk zelfverzekerd, want ik wist dat ik het vak van schrijven inmiddels toch aardig onder de knie had. In *Verdorven* komt ook een deel van mijn levenservaring bij de advocatenfirma naar voren. Iedereen heeft wel dingen in het verleden waar hij niet mee te koop loopt. Eigenlijk wist ik tijdens het schrijven al dat het een goed boek was. Er was een zekere mate van volwassenheid in mijn manier van schrijven en mijn stijl gekomen. James Michener (auteur van het beroemde boek *Centennial*) zei ooit: 'Geen schrijver zou ooit gepubliceerd mogen worden voor hij een miljoen woorden heeft geschreven.' Nou, ik geloof dat ik verdomd aardig in die richting kwam, dus was het helemaal mijn tijd om gepubliceerd te worden."

LUDLUM

De schrijfstijl van Freeman is een geheel eigen stijl. Volgens eigen zeggen heeft hij geen enkele schrijver als direct voorbeeld genomen. "Schrijven leer je door onnoemelijk veel te lezen en te schrijven. Het is een vak, weet je. Ik heb schrijvers bestudeerd. Gekeken hoe ze hun karakters vormgaven, hoe ze hun verhalen opbouwden, waar ze de voornaamste spanningselementen inbouwden. Als je al over inspiratie moet spreken, dan is er wel iemand die mij tot schrijven aangezet heeft. Dat was Robert Ludlum, die ik, toen ik heel jong was, enorm bewonderde. Ik heb zijn boek *Het Hoover archief* in veertien uur, zonder ook maar iets te eten, uitgelezen. Nu is wat ik schrijf totaal anders dan wat Ludlum schrijft, maar het lezen van zijn boek veranderde mijn leven. Een ander boek dat ik mateloos bewonder is *De Maltezer Valk* van Dashiell Hammett. In dat boek is werkelijk alles goed, verhaal, intrige, karakters, toonzetting. Een etiket is moeilijk op mijn boeken te plakken. Ik zie ze als boeken met psychologische spanning. Mijn plots worden gedragen door de karakters, door hun achtergrond, milieu, ervaringen, wensen, hoop, jaloezie, haat en wraak. Ik focus me niet op de manier waarop een misdaad wordt opgelost, maar op het 'waarom' een misdaad is gepleegd. De emotionele puzzel is voor mij het belangrijkst."

VERKRACHTINGEN

In *De stalker* spelen verkrachtingen een grote rol. Er is een rol weggelegd voor een verkrachter, er zijn vrouwen die verkracht zijn en er is een vrouw die ziekelijke seksuele fantasieën heeft over verkracht worden. Bovendien geeft Freeman ook de nodige informatie over het gewelddadige fenomeen. "Ik heb veel research gedaan en ik heb ook met mensen van de politie gesproken. De politie staat nogal sceptisch tegenover veel aanklachten die ze krijgen van vrouwen die zeggen verkracht te zijn. Ik heb met een vrouwelijke agent gesproken die me vertelde dat tweederde van alle aanklachten wegens verkrachtingen die bij de politie worden aangemeld, vals is.

"tweederde van de aanklachten van verkrachting zijn vals"

Het probleem voor de politie is om echt van vals te onderscheiden. Dat betekent dat ze in het algemeen een aanklacht tamelijk cynisch benaderen door weinig medeleven te tonen en keiharde vragen te stellen. Uiteraard is dat rampzalig voor de vrouwen die wel zijn verkracht. In Amerika is het bovendien zo dat de naasten het eerst verdacht worden. Dus ook de ouders worden weinig zachtzinnig ondervraagd. Maar goed, het merendeel is gewoon gefantaseerd. Ik wilde in mijn boek de gevaarlijk smalle richel van die fantasiewereld bewandelen. Ik wilde in de psyche van een vrouw duiken die min of meer het slachtoffer is van haar eigen fantasieën. Ik wilde ook het pad bewandelen van die relatief onschuldige fantasieën naar de gevaarlijke realiteit die kan leiden tot daadwerkelijke seksuele onderwerping. Het is erg intens wat er in de menselijke psyche kan omgaan en dat wat er uit voort kan komen kan nog intenser en gewelddadiger zijn. Ik kan me indenken dat *De stalker* voor veel lezers, met name vrouwen, een heftig boek is om te lezen. Veel vrouwen kunnen zich er heel ongemakkelijk bij gaan voelen. Verkrachting is de grootst denkbare inbreuk op het leven van een vrouw. Het blijft hen hun leven lang achtervolgen."

SEKS ALS DRIJFVEER

"Ik heb ook duidelijk een andere vorm van seksualiteit willen beschrijven dan in mijn vorige boek. In *De stripper* is de seksualiteit open. Vrouwen verdienen hun geld met het blootgeven van hun lichaam, op het toneel, gadegeslagen door mannen die graag naar blote vrouwen kijken. Voor sommige vrouwen is dat uit financiële noodzaak, voor anderen is het vanuit hun narcistische aard geen enkel probleem. Seks in Las Vegas is een kwestie van vraag en aanbod. Seks ligt zogezegd op de straat. In *De stalker* is de seksualiteit juist erg verborgen. De een fantaseert erover, anderen hebben ongewilde seks gehad en houden dat verborgen voor de buitenwereld en verder zijn er nog de uiterst geheime clubjes waar vrouwen zich aan iedereen aanbieden die daar maar zin in heeft. Maar dan wel in het grootste geheim, achter gesloten deuren. Er zijn maar weinigen die ervan weten. Er zit in dat opzicht een wereld van verschil tussen het kille Duluth uit *De stalker* en het broeierige Las Vegas uit *De stripper*. Zelfs het weer staat in de boeken symbool voor de seksualiteit in beide steden. Koud, Duluth. Heet, Las Vegas."

Veel karakters in de boeken van Freeman worden gedreven door hun seksualiteit, zowel in *Verdorven, De stripper, De stalker* als *De voyeur*. Freeman schrijft vrijmoedig over seks. Maar makkelijk is iets anders. "Eeeh, schrijven over seks? Nah, eh, no. Eh, ik vind het niet erg gemakkelijk, maar voor mijn type boeken is het essentieel omdat ik over emotionele drama's schrijf. En ik probeer mijn karakters door middel van de beschrijving van hun achtergronden tot levende personen te maken. Seksualiteit maakt daar deel van uit. Het vormt de mensen tot wie ze zijn. Als ik niet over het seksuele aspect zou schrijven, zouden lezers niet begrijpen waarom de personages handelen zoals ze dat doen. En bovendien is het een gebied dat me heel erg interesseert. Ik ben geïnteresseerd in de manier waarop seksualiteit mensen verandert, in goede en in kwade zin. Seksualiteit heeft zo'n enorme impact. Het is de sleutel die het menselijk gedrag bepaalt. Zelfs als je het over ogenschijnlijk onschuldige vormen hebt. Zo behandel ik in *De voyeur* het voyeurisme. Nu heeft ieder mens wel iets van een voyeur in zich. We kijken op stranden en terrassen graag naar andere mensen. Maar, er zijn ook mensen die seksueel opgewonden raken bij het zien van zich uitkledende of luchtig geklede mensen. Het kijken geeft sommigen zelfs een grotere kick dan daadwerkelijk seksuele handelingen bedrijven met iemand. Verder is er ook een vorm van voyeurisme die levensgevaarlijk kan zijn. Tijdens het, in het geniep, gadeslaan van ontkleding of seksuele handelingen, kunnen de spanningen bij een voyeur zo hoog oplopen dat hij in staat is om zich in extreme gevallen over te geven aan verkrachting of moord."

"in las vegas ligt seks op straat"

Dat seks zo'n enorme rol speelt in de belevingswereld van Freeman maakt dat hij er natuurlijk ook in al zijn volgende boeken een belangrijke plaats voor zal inruimen. "Ja, seksualiteit zal altijd een rol spelen. Soms in grotere mate, soms in mindere mate, maar wie seksualiteit als drijfveer ontkent, ontkent de mens zelf. En daar schrijf ik over, over mensen. In Amerika krijg ik overigens regelmatig mails van lezers die zich bezorgd uitdrukken over de hoeveelheid seks in mijn boeken. Vreemd genoeg maken ze zich nooit druk over het geweld. Maar ik zeg altijd: 'Als het je niet bevalt, sluit je je ogen en blader je door naar de volgende pagina.'"

HOOFDPERSONEN

"Ik heb drie hoofdpersonen van wie Jonathan Stride de belangrijkste is. Stride is een product van de noordelijke wildernis van Duluth. Hij heeft veel mensen verloren in zijn leven en toen ik hem bedacht wilde ik niet weer zo'n clichématige emotieloze speurder. Stride leeft in een omgeving waar mensen veel geheimen hebben en hun emoties niet tonen. Hij ziet de gevolgen van die houding en probeert zichzelf daarom open te stellen. Dat maakt hem menselijk, temeer daar hij regelmatig fouten maakt en verkeerde inschattingen doet. Af en toe heeft hij zoveel begrip voor een slachtoffer dat hij niet doorheeft wat er allemaal speelt. Hij worstelt dus met zijn emotionele kant. Dat brengt hem vaak in de moeilijkheden.

De andere twee hoofdpersonen zijn Serena, de partner en minnares van Stride en Maggie, een collega en goede vriendin. Er is altijd spanning tussen Maggie en Serena omdat beide vrouwen dol zijn op Stride. Serena weet dat Maggie sterke gevoelens heeft voor Stride en dat maakt haar houding wat afstandelijk en behoudzuchtig. Beide vrouwen hebben in hun verleden ook nogal wat deuken opgelopen en ze worstelen daar op dezelfde manier mee als Stride. Hij is een complexe, beschadigde man. Maar zijn de meeste mensen niet beschadigd? Krab de dunne laag van mooie schijn open en je komt bij vrijwel iedereen de nodige zorgen, tegenslagen en verdriet tegen. Dat maakt mensen ook fascinerend. Iedereen vecht moedig tegen zijn of haar tegenslagen, in de privésfeer en op het werk. Je ziet normaliter alleen het topje van de ijsberg. Daaronder zit pijn en tegenslag."

VEGAS VERSUS DULUTH

Dat Freeman zijn nieuwe boeken weer in Duluth laat spelen, in plaats van in Las Vegas, is voor hem een uitgemaakte zaak. "Minnesota is mijn thuis. Dus kan ik op een meer natuurlijke manier over Duluth schrijven dan over Las Vegas waar ik natuurlijk ook wel geweest ben, maar dat ik zie als een bezoeker niet als een inwoner. En als bezoeker zie je altijd eerder de slechte kanten, de openlijke manier van seks, de honger naar geld, alle andere viezigheid. Dat heb ik minder met Duluth, een stad die ik goed ken. In Duluth kan ik meer drama, mysterie en geheimen inpassen. Ik pretendeer overigens niet over de grotestadsproblematiek te schrijven. Ik schrijf niet over gangs of de maffia. Mijn verhalen spelen zich af in een meer intieme setting. Ik schrijf over vervelende dingen die gebeuren in vriendschappen en families. Het drama is daar niet minder om, want er kunnen zich heel wat dingen afspelen in kleine gemeenschappen. Dat soort intiem drama werkt beter in een kleine gemeenschap als Duluth dan in het grote ongrijpbare Las Vegas waar op elke hoek van de straat wel iets ernstigs gebeurt. Kijk, de scheidslijn tussen entertainment en gruwelijkheden is moeilijk. Bij een naargeestige zaak als die van Natalee Holloway gaat het de nieuwszenders niet om de zaak zelf, maar om de sensatie. Het is voor hen entertainment. Daar wil ik voor waken. Geweld mag nooit entertainment zijn." ∎

SIMONE VAN DER VLUGT

" spanning voor **vrouwen** is iets anders dan spanning voor **mannen "**

Samen met *Esther Verhoef* en *Saskia Noort* behoort Simone van der Vlugt tot de populairste Nederlandse misdaadschrijfsters van dit moment. Enkele jaren geleden introduceerden de Grote Drie een totaal nieuwe vorm misdaadroman: vrouwelijk, emotioneel, spannend en zich weinig aantrekkend van de geldende thrillerconventies. Met al een flinke reeks kinderboeken op haar conto maakte *Simone van der Vlugt* in 2004 met *De reünie* de overstap naar de literaire thriller. In 2005 volgde *Schaduwzuster*. Daarop volgden *Het laatste offer*, de psychologische thrillers *Blauw water* en *Herfstlied* en vervolgens keerde zij terug naar haar oude liefde, de historische thriller, met *Jacoba, Dochter van Holland* (2009). Haar laatste boeken stonden maandenlang in de top 10 van bestverkochte boeken. In 2009 won Simone de prestigieuze publieksprijs De Zilveren Vingerafdruk voor haar boek *Blauw water* en werd bekend dat er meer dan een miljoen boeken van haar zijn verkocht. Aan succes geen gebrek.

WIT

Als een huis werkelijk de spiegel is van de ziel van zijn bewoners, dan duidt het lichte en voornamelijk in wit gedecoreerde huis van Simone van der Vlugt erop dat hier mensen wonen die houden van inzichtelijkheid, orde en netheid. Groot, ruim, helder, een oase voor de denkende en schrijvende geest. Hier kost het concentreren op werk geen moeite, zoveel is duidelijk. Het perfectionisme straalt van alles af. Het is dan ook niet meer dan normaal dat Simone kenbaar maakt even van trui te willen wisselen. Zachtblauw moet plaats maken voor wit. Geheel in stijl.

Simone van der Vlugt werd op 15 december 1966 in Hoorn geboren als Simone Watertor. Als oudste dochter in een gezin van twee kinderen groeide zij op in harmonie. Liefhebbende moeder, hard werkende vader en een huis met tuin waarin konijnen en cavia's ronddartelden. Het was de ideale omgeving voor het wegdromen naar andere tijden. Geheel in de ban van Thea Beckmans *Kruistocht in spijkerbroek* stortte Simone zich op het schrijven, hetgeen uitmondde in volwaardige boeken waar zij in haar tienertijd de uitgevers mee bestookte. Simone kijkt met een glimlach op die tijd terug. Zij heeft *Terug op Kreta*, dat zij op haar zeventiende schreef, nog wel eens herlezen: "Als je daar later naar terugkijkt zie je heel wat mankementen. Herschrijven heeft geen zin. De uitgever vond het ongeloofwaardig. Hij had gelijk, maar dat zie je later pas. In die tijd dacht ik dat het niet zoveel anders was dan de boeken van Agatha Christie en die zijn ook lang niet altijd geloofwaardig."

VROUWEN VERSUS MANNEN

Omdat de schrijfkunst door de halsstarrige houding van de uitgevers vooralsnog weinig perspectief leek te bieden, volgde Simone de lerarenopleiding Frans en Nederlands. Het heeft haar literaire smaak niet blijvend beïnvloed. "Ik vond Albert Camus mooi. En toevallig heb ik enige tijd geleden *Bonjour Tristesse* van Françoise Sagan weer gekocht. Dat leest heerlijk weg. Ik was in mijn studietijd erg onder de indruk van *Hersenschimmen* van Bernlef en *De donkere kamer van Damocles* van W.F. Hermans. Maar over het algemeen is de Nederlandse literatuur somber. Oorlog, dood, daar haal ik weinig voldoening uit. Op mijn boeken wordt ook het etiket 'literair' geplakt. Het is een verkooptechniek van de uitgevers. Ik heb niet de pretentie literair te zijn. Ik wil boeken schrijven die gewoon lekker lezen."

"vrouwen willen onderhuidse spanning"

Literair of niet, Simone is zich wel degelijk bewust van het feit dat haar voornaamste doelgroep uit vrouwen bestaat en dat zijzelf als vrouw anders schrijft dan een mannelijke auteur. "Vrouwen schrijven anders, op een subtiele manier. Datzelfde geldt voor het lezen. De thrillers die nu populair zijn, zijn op vrouwen gericht. Vrouwen willen zich herkennen. Ze willen geen harde en rauwe beschrijvingen van lijken met allerlei onprettige details. Vrouwen willen meer onderhuidse spanning. Ook het fenomeen angst heeft voor de vrouw een heel andere lading dan voor de man. In het donker, alleen op straat, is voor vrouwen een angstiger belevenis dan voor mannen. Mannen schrikken niet zozeer van voetstappen in het donker. Vrouwen wel. Zie jij het voor je dat mannen met een busje pepperspray in hun zak rondlopen omdat ze bang zijn dat ze worden aangevallen? Nee toch? Dus het begrip spanning betekent voor iedereen wat anders."

CHICKLIT?

Veel van de literaire thrillers van dit moment worden door barse mannelijke critici afgedaan als futloze en fruitige romannetjes uit de Bouquetreeks. Chicklit voor en door vrouwen. Maar wat houdt de neerbuigende kwalificatie chicklit eigenlijk precies in? Simone is resoluut in het maken van onderscheid. "Chicklits zijn boekjes over alleenstaande twintigers en dertigers waarin alles uitsluitend draait om het vinden van de grote liefde, zoals in *The Diary of Bridget Jones*. Dat zijn de hedendaagse Bouquetreeks-romannetjes. Het zoeken naar of het wachten op de prins met zijn witte paard. In mijn eerste twee boeken zit ook wel een vleugje chicklit, maar het is een absolute bijkomstigheid. Het vinden van de grote liefde is geen doel op zich. Natuurlijk is dat wel iets wat vrouwen bezighoudt en dus is het niet zo vreemd dat het ter sprake komt. Maar mijn verhalen gaan over veel wezenlijker zaken."

Simone geeft toe dat er in de boeken van veel vrouwelijke auteurs wel erg veel dagelijkse beslommeringen worden beschreven, dat er veel tijd is voor het shoppen en dat het drinken van thee en wijn soms wat uitvoerig wordt beschreven. Eenzelfde voorliefde van mannelijke auteurs voor het beschrijven van typisch mannelijke zaken als voetbal en auto's, zou zeer zeker ook de aandacht trekken. "Ik heb onlangs een boek gelezen waarin erg veel aandacht werd besteed aan poolen, biljarten. Dat heb je op een gegeven ogenblik inderdaad wel gehad. Maar het is wellicht een overgangsperiode voor ons vrouwelijke auteurs. In mijn laatste boeken kom je geen vleugje chicklit meer tegen. Ik heb er een beetje afstand van genomen."

VROUWELIJKE MISÈRE

Opvallend is dat vrouwen het in de boeken van Simone niet gemakkelijk hebben. In *De reünie* is de hoofdpersoon een depressieve 23-jarige vrouw die eerst op school en later op het werk gepest wordt. In *Schaduwzuster* wordt Marieke, een lerares op een zwarte school, bedreigd waardoor ze in angst leeft, in *Blauw water* worden een moeder en dochter gegijzeld door een tbs'er en ook in *Herfstlied* heeft een moeder het moeilijk. In *Het laatste offer* is de hoofdpersoon Birgit een eenzame 26-jarige vrouw met vele mislukte relaties en een problematische jeugd. En dat terwijl Simone zelf een onbezorgde jeugd en studietijd heeft gehad. "Ik schrijf wat ik zelf graag zou lezen. Ik ben erg geïnteresseerd in dat wat de mensen gevormd heeft. Misschien komt het omdat ik het zelf allemaal niet heb meegemaakt. Maar als je van je personages meer wilt maken dan pionnen die op een schaakbord heen en weer geschoven worden, moet je beschrijven hoe ze in hun jeugd gevormd zijn. Veel krijg je mee door je genen, maar ook minstens zoveel door je achtergrond. Zo was mijn moeder vroeger altijd bang om met de auto het water in te rijden. Ik kreeg als kind de boodschap mee dat langs het water rijden gevaarlijk is. Ik heb die angst volledig overgenomen. Ik heb een emergency glow hamer in de auto en mijn kinderen geïnstrueerd wat ze moeten doen als we in het water terechtkomen.

"bang om met auto langs water te rijden"

In *Blauw water* heb ik die angst beschreven, daarin laat ik een journaliste met haar auto het water inrijden en alle angsten doorstaan die ik me voorstel bij een dergelijke gebeurtenis. Zo zie je maar, waar bepaalde angsten goed voor zijn."

GESCHIEDENIS

Simone van der Vlugt heeft altijd veel belangstelling gehad voor geschiedenis. Voor haar jeugdboeken documenteerde zij zich grondig. Dat was voor haar historische thrillers voor volwassenen niet anders. De inspiratie voor *Het laatste offer* kwam toen Simone op de televisie een Teleac-uitzending over verdwenen beschavingen zag. "Ze verkondigden de theorie dat er ver voor de jaartelling een wereld was waarin het beschavingsniveau bijna net zo hoog was als dat van nu. Maar dat die vrijwel volledig verdwenen is ook al zijn er allerlei aanwijzingen en bewijzen te leveren van dat beschavingsniveau. Zo had men al een uiterst nauwkeurige wereldbol waarop de hele wereld, met coördinaten en al, in kaart was gebracht. En zo zijn er ook bewijzen dat men al heel lang geleden bekend was met de basisprincipes van elektriciteit. Ik dacht eerst dat het een broodje aap was. Het zette mijn hele wereld op zijn kop. Ik ben meteen naar de bibliotheek gegaan en heb alles gelezen wat er te krijgen was. Toen wist ik in ieder geval waar mijn boek over moest gaan. Ik heb eerst een aantal scènes geschreven en toen ben ik samen met mijn gezin gaan reizen om de locaties die ik wilde beschrijven ook in het echt te zien, onder andere naar Egypte. Ik schrijf liefst zo realistisch mogelijk over het verleden." Dat geldt ook voor haar eerste historische roman voor volwassenen, *Jacoba, Dochter van Holland*, die gaat over het leven van de feministe avant la lettre, Jacoba van Beieren. "In mijn boeken wil ik geen bewijsmateriaal verzinnen. Iedereen kan natuurlijk zeggen dat hij het niet gelooft, maar niemand kan zeggen dat het niet waar is."

KERKGEHEIMEN EN SEKSUEEL GEWELD

In een interview met *de Volkskrant* had Simone stevige kritiek op de boeken die in navolging van de *Da Vinci Code* het ene kerkgeheim na het andere ontrafelden. "Weer een geheim uit het Vaticaan, weer die tempeliers." Nog steeds heeft Simone haar buik vol van de tempeliers, maar met haar grote voorliefde voor de historie kon ze toch niet om de kerk heen. "Ik was het eerst helemaal niet van plan om kerkgeheimen in mijn verhaal te betrekken. Maar zodra je de geschiedenis induikt, stuit je op de kerk. Die had zo'n allesoverheersende invloed op het leven van vroeger. Ik vind het ook wel leuk om erover te schrijven. Ik heb zelf een tikje van het katholieke geloof meegekregen.

"er gaat niets boven afwisseling"

Bij ons thuis hadden we een losse manier van kerkbeleving. Mijn moeder was katholiek en mijn vader was niet gelovig. Mijn oma had prachtige vooroorlogse kinderbijbels met intrigerende verhalen over Filistijnen en afgehakte hoofden. Toch heb ik wel een uitgebreide Bijbelkennis. Toen ik voor de NS Publieksprijs verslagen werd door de Nieuwe Bijbel heb ik die cadeau gekregen. Ik vertel mijn kinderen wel Bijbelverhalen, gewoon uit culturele overwegingen. Wat ik in mijn boek opschrijf over de Bijbelse geschiedenis komt aardig overeen met de heersende opvattingen, al moet ik voor het verhaalverloop Mozes wel eens iets laten doen met de uitdrukkelijke vermelding dat dat niet in opdracht van God is."

Het lijkt een hele overstap om van historische jeugdboeken naar literaire thrillers en vervolgens naar een psychologische avonturenroman over te stappen. Maar Simone vindt die overstap niet zo groot: "Ik heb een brede belangstelling. Mijn jeugdboeken spelen zich ook allemaal in een andere periode af. Je kunt van mij echt alle soorten boeken verwachten. Ik vind het schrijven voor de jeugd overigens moeilijker dan het schrijven voor volwassenen. Veel mensen denken dat ze voor kinderen kunnen schrijven. Het is een misvatting. Met name kinderen van dertien jaar en ouder moet je niet kinderachtig toespreken. Ik kreeg vroeger wel kritiek dat mijn jeugdboeken te hard waren. Ik schreef over hoeren en verkrachtingen. Juist die boeken werden onsterflijk populair omdat ze op bepaalde scholen verboden werden. In *De slavenring* (2003) wordt in de openingsscène een meisje door twee soldaten verkracht. Een jongen schiet met zijn pijl en boog de verkrachters neer. De kinderen vonden het prachtig, maar de recensenten zaten boordevol kritiek. Maar ik houd me wat dat betreft niet in. In *Jeanne d'Arc* beschrijf ik de scène waarop zij op de brandstapel staat vanuit haar ogen. Ik ben in haar huid gekropen bij het beschrijven van de verbrandingsscène. De uitgever belde me en zei dat hij een beetje misselijk was. Maar uiteraard waren ook hier de meningen weer verdeeld. Daarom schrijf ik waar ik zin in heb. Ik ga ook weer eens een historische thriller voor volwassenen schrijven, een boek dat zich in het verleden afspeelt. Zoals gezegd, er gaat niets boven afwisseling."

Ondanks het feit dat Simone gehinderd wordt door een fysiek ongemak, waardoor zij niet in staat is om lang te schrijven, houdt zij er een ijzeren werkdiscipline op na. Zij wordt bijgestaan door haar man, die deels de teksten die Simone hem dicteert keurig uittikt. "Ik begin 's ochtends vroeg. Je moet fris zijn om de emoties van je personages te kunnen oproepen. Ik zorg er altijd voor dat ik om drie uur klaar ben. Als de kinderen van school thuiskomen, wil ik er voor hen zijn. Ik ben dan ook uitgewrongen. Na twee uur werken ben ik helemaal leeg. Dan heb je de emoties van de personages in alle hevigheid meegemaakt. Je hele lichaam doet mee. Dat geldt natuurlijk niet voor de verbindingsstukken met historische informatie en de stukken waarin je beschrijft dat het hard regent.

Ik schrijf altijd vanuit het perspectief van de vrouw. Ik leef me in de vrouw in. Dat is noodzakelijk, want anders verval je al snel

"het is moeilijk om aan clichés te ontsnappen"

in clichés. Het is sowieso moeilijk om aan clichés te ontsnappen. Je moet steeds een andere vorm bedenken voor verliefdheid en seks. Veel schrijvers maken gebruik van hun eigen ervaringen, maar hoe meer boeken je schrijft hoe meer ervaringen je zou moeten hebben."

WRITERS ON HEELS

Simone van der Vlugt heeft zich aangesloten bij een groepje schrijfsters, dat zich onder de naam Writers on Heels afzet tegen elke vorm van literatuur die zichzelf te serieus neemt. Enkele deelnemende dames: Marion Pauw, Susan Smit en Cindy Hoetmer. De naam Writers on Heels roept associaties op vrouwen op stilettohakken, het soort stoute vrouwen zoals Heleen van Rooyen die propageert. Simone schrikt duidelijk van de associatie: "Nee, nee, nee. Het heeft niets met stoute vrouwen te maken. Het is een initiatief waarbij een aantal vrouwelijke schrijvers zich afzet tegen al dat serieuze gedoe. Schrijven is ook leuk. Het is niet alleen maar drank en zwaarmoedigheid. Het is gewoon gezellig om lid te zijn van zo'n clubje vrouwen. Het zijn leuke meiden, leuke collega's. Het is gewoon lachen. Maar zou het te stigmatiserend zijn, denk je? Ik zal er eens over nadenken." ∎

David Hewson

"rome is mijn muze"

Het is broeierig warm in Amsterdam. Verhitte mussen zoeken vertwij-
feld verkoeling onder het bladerdak van de schaarse bomen. Op het
Damrak hebben de voorbijgangers uitsluitend aandacht voor ijsverko-
pers en frisdrankstalletjes. Wijze meteorologen hebben een nog hogere
temperatuur voorspeld. Kalm aan is het motto, ofwel 'piano, piano', zoals ervaren Italië-ganger David Hewson (1953) het formuleert. Ook de
Engelsman, gewend aan de zinderende hitte van Rome, zucht beschaafd, terwijl hij traag een onderkoeld understatement debiteert: "Ik
prefereer medium. Nu is het wellicht een tikkeltje te raw."

SNEEUW IN ROME

David Hewson kan er de humor wel van inzien. Terwijl hij de transpiratie van zijn
voorhoofd dept, verhaalt hij met graagte over de barre weersomstandigheden die hij
ooit in zijn geliefde Rome heeft meegemaakt. "Ik ben vijfentwintig jaar geleden in
Rome geweest, toen de hele stad ondergesneeuwd was. Kan je je dat voorstellen,
Rome onder de sneeuw? Het was een chaos van jewelste. Niemand kon een kant op.
Ik raakte in een bar verzeild waar ik aan de barkeeper vroeg hoe vaak het in Rome
sneeuwde. Niet vaak zei de man, maar het kon hem niet vaak genoeg sneeuwen. Hij
vond het prachtig. Want er heerste een complete chaos en onder die omstandigheden
hoefde niemand te werken. De barkeeper vertelde mij overigens ook hoe hij de sneeuw
in spiralen naar beneden had zien dwarrelen. Dat beeld heb ik gebruikt in mijn boek
De Pantheon getuige. Het is een bijzonder beeldende manier om het verschijnsel aan te
duiden."

We zijn meteen bij de kern aanbeland, Rome. In de boeken van Hewson is de oude
stad met zijn rijke historie zo prominent aanwezig dat ik in een recensie ooit enthou-
siast memoreerde dat je tijdens het lezen van Hewsons boeken meerdere zintuiglijke
waarnemingen tegelijk ondergaat. "Je proeft, je ruikt, je ademt Rome." Hewson knikt
bescheiden: "Rome is voor mij een onuitputtelijke inspiratiebron. De Trevi-fontein,
het Pantheon, de Spaanse trappen, het Colosseum: als buitenlander ben je meer
gebiologeerd door die prachtige Romeinse gebouwen dan de Italianen zelf. Ik ben
gefascineerd door de warmte, de schoonheid, de mensen. Zodra ik in Rome aankom,

heb ik alweer genoeg stof voor meerdere thrillers. In sommige steden lijkt het wel of de verhalen tussen de stenen door sijpelen. Rome is zo'n stad. Niet dat ik in het begin zo dol was op Rome. Ik vond het er warm en druk. Liefde groeit bij mij langzaam, ik heb dat met alles. Maar dan is de liefde ook blijvend. Nu is Rome mijn muze. Het is bovendien een aardige bijkomstigheid dat mijn verhalen, waarin het recht zijn beloop dient te krijgen, gesitueerd zijn in de stad waar men in de oudheid al wetten heeft gemaakt om onrecht en misdaad te bestraffen."

IDEALISTISCH

Na een vijftal op zichzelf staande boeken begon David Hewson in 2003 aan een serie succesthrillers met vaste hoofdpersonen. Het eerste deel, *De Vaticaanse moorden*, behandelde een reeks moorden die overeenkomsten vertoonde met de schilderijen van de zestiende-eeuwse kunstenaar Caravaggio. In dat boek introduceert Hewson zijn hoofdpersonen, de jonge rechercheur Nic Costa en de eigenzinnige patholoog-anatoom Teresa Lupo. "Mijn boeken zijn ontworpen rond mijn karakter Costa. Hij is naïef, idealistisch, heeft veel meegemaakt, maar is nog net niet cynisch geworden. Ik heb hem bedacht als tegenwicht tegen het traditionele beeld dat er bestaat van de Italiaanse politie: corrupt, lui, gek op bier, cynisch. Het bekende stereotype. Dat soort agenten beschrijf ik ook. Met hen ligt Costa vaak in de clinch. Dat zorgt voor drama, het botsen met andere karakters die minder idealistisch zijn dan hij. Hij komt zelfs tegenover de hogere autoriteiten te staan als dat moet. Costa gelooft nog in rechtvaardigheid en die kan helaas niet altijd gegarandeerd worden door de wet of de overheidsdienaren. Dat zijn de momenten waarop hij behoorlijk dwars kan zijn."

Een ander kleurrijk karakter is Teresa Lupo, die de absolute lieveling van David Hewson blijkt te zijn. "Teresa Lupo is een sleutelfiguur, een outsider. Ze staat niet direct onder controle van iemand. Ze komt als vrouw weg met dingen waar ze als man niet mee weggekomen zou zijn. Ze is geen sekssymbool en ze is soms behoorlijk agressief. Ze is in de dertig en volstrekt onafhankelijk. Ik krijg veel brieven van vrouwen die dol zijn op Teresa. Ze kan zich in alle kringen begeven, maar ze staat overal buiten. Ze is geen agent en veroordeelt ook niemand op voorhand. Ze is alleen geïnteresseerd in de menselijke kant. Een fantastische vrouw. Ze is een bijfiguur, maar door haar charismatische optreden een van de belangrijkste figuren. Een tijdje geleden is mijn boek *De Vaticaanse moorden* verfilmd. De film heeft goed gelopen. Dus kwamen de producenten bij me om een optie te nemen op *De Pantheon getuige*. Het eerste wat ze zeiden is: 'Mogen we Teresa mooi en jong maken?' Ik heb dat resoluut geweigerd. Teresa is een echte strijdbare Italiaanse van boven de dertig. Op haar personage moet je geen jonge starlet loslaten. Veel eerder een rijpere vrouw zoals Sophia Loren in haar goede dagen. Iemand met een vurig Italiaans temperament die alle mannen om haar vingers windt. Teresa Lupo is opvliegend, maar wel een hele goede vrouw."

EXTRA'S

De boeken van Hewson zijn heel gemakkelijk leesbaar, maar toch hebben ze meerdere verhaallijnen en vaak ook historische achtergronden. "Ik houd van complexe verhalen die daarnaast ook nog impliciet iets extra's bieden. Dat kan om hele simpele dingen gaan. Een spannend gesprek in een auto of in een kantoor bijvoorbeeld. Boeken zijn slecht als er geen gevoel is voor beweging, voortgang. Er moeten problemen zijn die opgelost moeten worden en die problemen moeten beetje bij beetje inzichtelijker worden. Sense of motion is belangrijk. Halverwege moet je je als schrijver even inhouden om dingen op een rij te zetten en dan kun je daarna de bus weer door laten rijden. In *De Pantheon getuige* heb ik een politieke achtergrond verwerkt, maar ook de religie komt aan bod. Ik ben altijd gefascineerd geweest door het tegenstrijdige van wat de kerk is en wat zij predikt. De kerk draagt liefde, vrede en reinheid uit, maar de vroege kerk was geobsedeerd door martelaarschap en vocht zonder moeite de meest bloedige gevechten uit. Er kleeft een ongelooflijke gewelddadigheid aan het verspreiden van het geloof die niets te maken heeft met de vredelievende boodschap."

Dat hij veel research moet plegen voor zijn boeken, vindt Hewson normaal. "Als je lang journalist bent geweest zoals ik, is het plegen van research een tweede natuur. Het hoort bij je vak. Ik heb het eigenlijk mijn hele leven gedaan. Ik groeide op in Yorkshire, Noord-Engeland. Op mijn zeventiende ging ik van school om bij een plaatselijke krant te gaan werken. Ik schreef de overlijdensberichten en verder allerlei lokaal nieuws. Maar ik was ambitieus. Op mijn vierentwintigste was ik een redelijk volwaardig journalist. Helaas wel een freelancejournalist met onzekere inkomsten. Omdat ik al vrij jong vrouw en kinderen had,

"wat de kerk is en wat het predikt, is volkomen tegenstrijdig"

deed ik alles om aan geld te komen. Dat is de reden dat ik vroeger ook een soort reisboeken heb geschreven. En hoewel ik journalistiek gezien steeds hoger op de ladder kwam, wist ik dat dat niet mijn bestemming was. Ik ben vanaf 1978 redacteur geweest bij *The Times* en tot vier jaar geleden was ik columnist voor *The Sunday Times*. Maar ik wilde boeken schrijven. Dat ben ik pas op latere leeftijd gaan doen. Vanaf 1995 ofzo."

ACTIE

Zijn gedrevenheid om te gaan schrijven, is volgens Hewson voor een groot deel te herleiden tot zijn jeugd waarin hij mateloos veel las. Hij beschouwt het als een kwestie van goed voorbeeld doet goed volgen. "Mijn ouders hadden een kinderopvang aan de kust van Bridlington. Daar was ook een bibliotheek. Ik heb als kind de hele bibliotheek gelezen. Ik hield van alles, ook van misdaadverhalen. Lezen heeft de eerste vijftien jaar van mijn leven gevormd. Victoriaanse romans, Amerikaanse hard boiled detectives, Conan Doyle, Agatha Christie en veel avonturenromans. Wat me opvalt is dat fictie tegenwoordig veel minder avontuurlijk is dan vroeger, dat vind ik wel jammer. Avonturenromans prikkelen de fantasie van jonge lezers. Er wordt momenteel minder van de fantasie gevraagd dan vroeger. Het wordt de mensen allemaal expliciet voorgeschoteld. Mensen van nu zijn films gewend. Diezelfde snelle actie willen ze ook in boeken terugvinden. De meest verkochte boeken zijn actieromans. Je kunt niet zeggen dat het goed of fout is. Mensen willen snelle, directe verhalen. De uitdaging voor een schrijver is om origineel te zijn binnen die grenzen. Lezers willen over het algemeen niet buiten die grenzen. Ze zijn conservatief. In welk genre ik zelf schrijf weet ik niet eens. Geen idee, ik schrijf omdat ik het leuk vind. Maar naast alle historische feiten, zorg ik altijd voor genoeg actie in mijn boeken."

GENERATIEKLOOF EN ROMEINEN

"Ik ben me er de laatste tijd pas bewust van geworden dat ik rekening moet houden met het feit dat nieuwe generaties de verhalen die ze kennen niet meer uit boeken hebben, maar uit films. En de nieuwe generatie houdt van actie. Daarnaast weet ik dat veel vrouwen mijn boeken lezen. Waarom? Ik heb voor mezelf vastgesteld dat dat met passie te maken heeft. Mijn boeken spelen zich af in Italië en mensen zijn daar erg emotioneel. Ik beschrijf die emoties in mijn boeken en dat valt erg goed bij vrouwelijke lezers. Ik schrijf niet alleen een misdaadverhaal, ik beschrijf ook sfeer, Italiaanse sfeer. Als Engelse of Amerikaanse vrouwen geld hebben en ze mogen kiezen, dan verkiezen ze een zonnige en romantische vakantie in Italië boven een vakantie in eigen land. In mijn boeken krijgen ze alvast een voorproefje."

Hewson mag graag over zijn manier van schrijven vertellen, maar toch komt het gesprek steeds weer terug op Italië. "Ik houd van Italië en de mooiste stad van de hele wereld. Rome verveelt me nooit. In Rome werkt bij mij alles beter dan in Londen. Als je uit het koude noorden komt, is Rome het paradijs. Het heeft kleur, warmte, passie. Toen ik boeken ging schrijven, heb ik Italiaans geleerd. Ik heb een appartement in Rome gehuurd. Mijn Italiaans is inmiddels behoorlijk goed. Ik zou mijn boeken niet hebben kunnen schrijven zonder Italiaans te spreken. Ik streef naar authenticiteit en geloofwaardigheid. Dat wil zeggen dat ik niet alleen grondige research pleeg, maar dat ik ook achteraf laat controleren of de door mij beschreven feiten waarheidsgetrouw zijn weergegeven. Ik laat mijn boeken altijd eerst aan Italianen lezen voordat ik ze ter publicatie aanbied. Ik zal een voorbeeld geven van een fout die ik gemaakt zou hebben, zonder controle van de Italianen zelf. Ik schreef in het manuscript van een boek dat het op vrijdag altijd heel druk was bij het Colosseum. Daar moesten mijn Italiaanse vrienden erg om lachen. Volgens hen waren er heel wat drukkere dagen."

DOMANI

Romeinen zijn anders dan Venetianen. Het mooie aan Romeinen is dat ze niet liegen. Ze vertellen je ronduit de waarheid. Ze zijn oprecht, eerlijk, ook als je daar geen behoefte aan hebt. En voor een schrijver is eerlijkheid een heerlijke eigenschap. Bovendien zijn ze erg behulpzaam. Zelfs de Italiaanse agenten. Ze zijn mensen die grote fouten maken, maar daar komen ze rond voor uit. Dat is voor een schrijver heerlijk. Ik heb die eigenschap ook in *De Pantheon getuige* beschreven. In mijn ogen zijn Romeinen net kinderen. Ze hebben hun prioriteiten, 'domani, domani'. Mensen zijn geneigd dat als negatief te kwalificeren. Maar ik vind het juist heel erg geciviliseerd. Ze zijn erg gefocust op de kwaliteit van het leven en die kwaliteit en het tijdsbesef staan elkaar in de weg. Wie constant haast heeft, kan nooit genieten. Ik zal je nog een voorbeeld geven. Ik heb een hele aardige, maar ook hele arme talenlerares gehad. Ze vond alle mannen schoften, omdat ze haar te weinig geld gaven om goed van rond te kunnen komen. Maar als zij geld kreeg, kocht ze meteen dure schoenen. Dat moment van blijdschap en kwaliteit van leven, vond ze belangrijker dan de hele maand die nog moest volgen en waarin ze weer arm was. Rome is a tough city to live. Veel mensen moeten er elke dag worstelen om rond te komen. Maar dat is in elke grote stad het geval. Ik romantiseer Rome niet. Maar toch is het in de zon gemakkelijker om op straat te zitten, dan in de regen in Engeland."

"rome is de mooiste stad ter wereld"

HARMONIE

Wat sfeer en decor betreft mag Rome dan de muze zijn van Hewson, er is ook nog zoiets als het bedenken van een nieuw verhaal. "Ik begin vanuit een ruw idee. Ik was bijvoorbeeld in Rome toen de oorlog met Irak uitbrak. Romeinen zijn liberale, ruimdenkende mensen. Maar toen de oorlog met Irak uitbrak was iedereen woedend. Een woede die niet Romeins was. Ik werd door het contrast geraakt. Toen kwam ik op het Pantheon-idee, een harmonische wereld in conflict met ongrijpbare onharmonische gedachten. Harmonie en disharmonie. Ik dacht: hoe zouden mijn karakters reageren als in het Pantheon een van de belangrijkste culturele gebouwen van Rome een barbaarse daad wordt verricht, een moord? Ik laat de woede van de Italianen nog groter worden doordat ik als een zijlijn in mijn verhaal de Amerikaanse FBI laat ingrijpen in een typisch Italiaanse moordzaak. De

"romeinen zijn liberale, ruimdenkende mensen"

Italianen stromen over van woede en minachting voor de Amerikanen. De Italianen waren destijds zo boos over Irak omdat zij dachten dat Berlusconi onder één hoedje speelde met Bush. Ik denk dat Italianen banger waren voor Bush dan ze ooit voor Saddam Hussein geweest zijn. Het was pure morele verontwaardiging. Ze vonden het amoreel."

Omdat Hewson in al zijn boeken over Rome schrijft, verblijft hij enkele maanden per jaar in een klein Romeins appartement. Hier proeft hij de sfeer en van hieruit kan hij zijn opkomende gedachten het best vormgeven. "Schrijven is een combinatie van vakmanschap en artisticiteit. Je moet eerst je vakmanschap ontwikkelen, dan moet je leren structureren. Je bent een soort schrijvende architect. Als je een verhaal niet goed opzet, dondert je hele bouwwerk in elkaar. Je moet geloofwaardige oplossingen verzinnen. Veel beginnende schrijvers kopiëren het werk van anderen en missen net dat beetje originaliteit om geloofwaardig te zijn. Er staan boeken in de Amerikaanse bestsellerlijsten van mensen die absoluut niet kunnen schrijven. Het zijn comics in romanvorm. Schrijven is een vak. Er zijn mensen die schrijver willen worden, maar die niets willen lezen. Onzin! Je moet willen lezen. Je moet kunnen analyseren wat goed en slecht is. De karakters zijn cruciaal voor mij. Het mogen geen stereotypen zijn. Ook de bijfiguren moeten interessant zijn. De lezer moet in hen geïnteresseerd raken en blijven."

TOEKOMST

"Ik heb ooit een boek in Venetië gesitueerd, maar nu houd ik me alleen nog bezig met Rome. Ik merkte dat ik schreef over mensen en dingen die me minder aan het hart lagen. De inwoners van Venetië zijn noordelijken, net als Engelsen: geobsedeerd door geld. Wantrouwig ook. Romeinen zijn interessanter. Maar natuurlijk gaat het in veel van mijn boeken over het grote kwaad van de eenentwintigste eeuw, een maatschappij waarin politici en andere hoogwaardigheidsbekleders het begrip 'eerlijkheid' volkomen overboord hebben gezet. Ik denk dat dat een jaar of vijftien geleden nog een typisch Italiaans thema was. Nu geldt het voor vrijwel alle landen. Oneerlijkheid is universeel geworden. Voor de eerstkomende honderd jaar heb ik genoeg materiaal voor mijn boeken, dat is duidelijk." ∎

Mari Jungstedt

" in de schoolklas had ik mijn **baby** bij me op schoot **"**

Mari Jungstedt (1962) is in Zweden een beroemdheid. Zij was fotomo-del, presenteerde radioprogramma's, was als anchor woman betrokken bij een tv-actualiteitenrubriek, maakte tal van spraakmakende documentaires en presenteerde grote shows. In 2003 presenteerde ze haar eerste thriller *Die je niet ziet*. Het was het startschot voor een jaarlijkse thriller die haar ster steeds feller doet schitteren aan de hemel van de misdaadroman. Mari Jungstedt woont met man en kinderen in Nacka bij Stockholm, maar 's zomers verblijft ze vooral op het eiland Gotland, waar al haar misdaadromans zich afspelen.

MODEL EN PRESENTATRICE

Ze is een wervelwind met een levendig gezicht dat duizend emoties per minuut vertoont. De innemendheid ten top. Nieuwsgierig en alert. Een journaliste die talloze prominenten heeft geïnterviewd, even behendig is in het stellen van vragen als in het beantwoorden daarvan. Haar lange periode als model en tv-presentatrice heeft haar niet hooghartig gemaakt. Hoewel ze gewend is aan tv-lampen, aandacht en compli-menten, kent ze ook de keerzijde van de roem. Op het moment dat persoonlijke zaken ter sprake komen is ze ten volle bereid haar diepste zielenroerselen op tafel te leggen: haar moeilijke jeugd, eenzaamheid, het alcoholisme van haar vader en de gees-tesziekte van haar moeder. Een zeldzaam openhartig en intiem gesprek met een vrouw die verslaafd is aan schrijven, maar niet houdt van te lang binnen zitten.

Mari Jungstedt verontschuldigt zich voor het feit dat ons geplande gesprek van een jaar daarvoor niet door kon gaan vanwege ziekte van haar moeder. Als goedmaker biedt ze me met verlekkerde ogen een koekje aan. "Hmm, happy cookie, wil je er ook een?" Sterkere mannen dan interviewer zijn voor een dergelijk aanbod bezweken. Het cookie is overigens het enige wat happy is gedurende het begin van het gesprek dat gedomineerd wordt door de jeugdervaringen van Mari Jungstedt. Ze is verrassend open. "Ik ben geboren in 1962. In Stockholm. Ik ben opgegroeid met mijn broer en zuster en mijn moeder. Ik heb mijn vader niet zó lang meegemaakt. Mijn ouders zijn gescheiden toen ik een jaar of negen was. Mijn vader was een alcoholist, dus dat was best zwaar. Mijn vaders alcoholisme drukte een zware stempel op het gezin. Ik was best goed op school, maar een moeilijk kind. Dat kan niet geheel los gezien worden van de situatie natuurlijk. Ik voelde me in de steek gelaten. Eenzaam. Maar goed, ik heb het overleefd. Na de middelbare school wilde ik twee dingen: reizen en de journalistiek in. Ik ben begonnen met reizen. Als een toergids heb ik de hele wereld rondgereisd. Ik ben naar de voormalige Sovjet-Unie geweest, naar Mexico. Ik heb Spaans gestudeerd en ben met hele groepen door Zuid-Amerika gereisd. Maar ook in Zweden heb ik mensen door alle kerken en kathedralen geleid en ik denk dat ik toeristen elke denkbare Scandinavische fjord heb laten bewonderen.

BABY OP SCHOOL

"Tijdens al dat reizen had ik besloten om toch journaliste te worden. Op mijn achtentwintigste ben ik naar de school voor journalistiek gegaan. Ik had mijn roeping gevonden en dat maakte me behoorlijk zelfverzekerd. Ik schreef toen al korte verhalen en al mijn leraren moedigden me aan daarmee verder te gaan. In die periode begonnen veel dingen door elkaar te lopen. Ik heb tijdens mijn studie mijn man ontmoet. Hij zat in dezelfde klas als ik. Hij komt van het eiland Gotland, waar ik zo vaak over schrijf. Na het tweede studiejaar raakte ik zwanger. We hadden geen flauw idee hoe dat nu moest met verder studeren. In diezelfde periode had ik voor het vak tv-journalistiek stage gelopen bij een tv-station. De programmaleider bood me aan een show te gaan doen voor de lokale televisie. Daar ben ik op ingegaan. Dus ik had mijn eigen show terwijl ik nog op school zat. Plus een baby. Gelukkig woonden we op loopafstand van de school en kreeg ik van de schoolleiding toestemming om de kleine mee naar school te nemen. Dus toen de baby een maand oud was, namen we haar mee naar school. Zat ze op mijn schoot. Wel grappig, ik denk dat dat alleen in Zweden kan. Tussen de middag gingen we snel naar huis om eten te maken en de baby te verschonen. Het was een idiote toestand, maar het werkte wel. Mijn man en ik zijn allebei geslaagd en de baby was uitermate zoet."

RADIO EN TV

"Het lijkt wel of mijn beginjaren worden gedomineerd door werk en zwangerschap, want ik was net zwanger van de volgende baby toen ik bij een van de meest prestigieuze radiostations kon gaan werken. Dat was toen echt een bijzonder drukke tijd. Bovendien werd het allemaal erg krap in het appartement waar we woonden. We hadden niet veel geld, maar van het geld dat we hadden kochten we een zomerhuis, heel klein, maar prachtig gelegen aan een meer, net buiten Stockholm. Gelukkig was mijn man bouwvakker geweest voordat hij journalistiek ging studeren. Dus hij heeft eigenhandig steeds meer kamers aan het huis gebouwd. Het werd groter en groter.

"ik had het zo druk dat ik nauwelijks kon ademhalen"

Maar hij wilde wel dat ik meehielp met inrichten, verven etc. Ik kreeg het steeds drukker. Ik was als nieuwslezeres gevraagd, als anchor woman, voor de nationale televisie. Ik had het zo druk dat ik nauwelijks kon ademhalen, laat staan dat ik kon schrijven.

Maar toen het huis min of meer af was, waren de kinderen al wat ouder. Ze gingen overdag naar school. En eindelijk kreeg ik wat vrije tijd. Tussen haakjes dan, want als je voor de televisie werkt maak je erg lange dagen. Je gaat 's ochtends vroeg de deur uit en komt er 's avonds laat pas weer in. Ik ben toen op een gegeven moment wat minder frequent gaan werken, zodat ik in ieder geval om de dag kon gaan schrijven aan mijn eerste thriller, *Die je niet ziet.* Dat was in 2002."

Een schrijver ziet het merendeel van de dag de vier muren van een werkkamer. Dat is andere koek dan de levendige wereld van de televisie. Is het mogelijk om dat vorige leven geheel vaarwel te zeggen? "Oh, ik ben nog steeds gek op televisie. Het meeste hield ik van de spanning. Het muzikale riedeltje, tiedeliedelie, prommm, het aftellen, 3, 2, 1, camera loopt, actie.

"heerlijk als er wat druk op de ketel staat"

En dat je dan nooit precies wist wat er ging gebeuren. De sfeer, de nervositeit, maar ook het teamwork, ik was er dol op. Ik werkte bij de nieuwsrubriek als nieuwslezeres met zoveel mensen samen. En die tijdsdruk, sommige mensen gruwen bij de gedachte, maar ik genoot ervan. Heerlijk als er wat druk op de ketel staat. Ik vond het ook heerlijk om 's ochtends te vergaderen en te besluiten wat we die dag voor items zouden gaan maken. Om vervolgens op stap te gaan, weer naar iets nieuws. Die afwisseling. Aii, tsja. Het creatieve proces, daar was ik aan verslaafd. Maar goed, van elke verslaving kun je afkomen."

AANDACHT EN COMPLIMENTEN

Een tv-presentatrice wordt constant omringd door mensen die complimenten maken en die dingen voor haar willen doen. Hoe is het om zonder die aandacht te moeten leven? "Ik ben nooit bij de tv gegaan vanwege de aandacht of om mijn ego te laten strelen. Ik ben gek op journalistiek, zowel voor de krant als voor de radio als voor televisie. Dat was wat ik leuk vond. Aandacht en complimenten zijn leuk, maar daar deed ik het niet voor. Ook al ben ik een vrouw en is niets vrouwelijks mij vreemd, ik hoef niet steeds in de spotlights te staan. Als je voor de tv werkt moet je steeds veel geven. Meer geven dan ontvangen. Dat kost veel energie. Ik vind het ook heerlijk om alleen te zijn. Anders zou ik ook niet kunnen schrijven. Toen ik voor de televisie programma's presenteerde moest ik er altijd op zijn mooist uitzien. Dat betekende dat ik de hele tijd de aardigste complimenten kreeg. Nu ik fulltime schrijfster ben, verkeer ik in de luxe dat ik dagenlang op zijn allerlelijkst achter mijn pc kan zitten schrijven. Natuurlijk, ik ben een vrouw en wat complimenten nu en dan zijn altijd meegenomen. Achter mijn pc kan ik die vergeten. Daarom dof ik me, na een paar dagen schrijven, helemaal op, doe mijn mooiste kleren aan en ga naar buiten, mensen ontmoeten. Dan smaken de complimenten extra zoet. Vorig jaar vergat ik, in mijn haast om weer mensen te ontmoeten, mij op te maken en leuk te kleden. Het was een les in nederigheid. Iedereen vroeg of ik ziek was."

SEKSCLUB

Mari Jungstedt praat nog geruime tijd vol nostalgie over haar televisietijd. Ze heeft veel geleerd en die kennis komt haar uitstekend van pas bij het schrijven van haar thrillers. "Voor de televisie leer je een verhaal goed te vertellen, de hoofdlijnen vast te houden, de shit weg te laten. Ik schrijf ook heel beeldend, in die zin dat mijn verhaal in hoofdstukken is onderverdeeld, zoals een item of een documentaire in scènes is onderverdeeld. Ik schrijf ook hele korte hoofdstukken. De locatie en het beeld wisselen snel. Dat houdt de vaart erin. Ik houd van veel scènewisselingen en van cliffhangers aan het einde van een hoofdstuk. Mijn drama is dan ook gebaseerd op drama zoals we dat voor de tv opbouwen.

Het belangrijkst is natuurlijk de research. Als journaliste ben je gewend om grondig te researchen voordat je je verhaal opbouwt. Dat doe ik ook voor mijn thrillers. Het brengt je op de meest vreemde plekken. Voor *Verwrongen levens* heb ik een kijkje genomen in een seksclub. Zo'n volstrekt foute club waar op grote schermen pornofilms te zien waren en waar je vanachter glas, dat aan één kant doorzichtig was, kon kijken naar homoseksuele mannen die met elkaar bezig waren. Als vrouw word je daar niet vrolijk van, maar ik moet zeggen dat ik de sfeer nooit van zijn leven had kunnen beschrijven zonder die club gezien te hebben."

ETHISCHE PROBLEMEN

Een van de hoofdpersonen in de psychologische thrillers van Mari Jungstedt is commissaris Anders Knutas. Een ander prominent karakter is de vasthoudende verslaggever Johan die getrouwd is met Emma. Met name de scènes met Johan hebben een hoog authenticiteitsgehalte. "Voor zijn ervaringen kan ik natuurlijk putten uit mijn eigen ervaringen als tv-journalist. Geloofwaardiger kan het niet. Ik laat hem niet alleen heel natuurgetrouw de dagelijkse handelingen doen die een journalist nu eenmaal doet, maar hij is ook een goede kapstok om allerlei ethische problemen aan op te hangen. Want daar ben je als journalist continu mee bezig. Elke dag moet je ethische en morele beslissingen nemen. Johan moet dat ook doen. In *Verwrongen levens* vraagt hij zich bijvoorbeeld af of het moreel verantwoord is om een foto in de krant te laten zetten van een burger die in de stadspoort opgehangen is. Een luguber gezicht. Moet je lijken willen tonen aan de lezers van

"als journalist moet je elke dag ethische beslissingen nemen"

een krant? Daar waar anderen de foto zonder problemen willen plaatsen, heeft hij ethische bezwaren. Ikzelf zou ook geaarzeld hebben. Je wilt naar eer en geweten handelen. Dat kan soms strijdig zijn met je werk. Voor de televisie wil je ook een goed en spannend programma maken. 'Alles voor het plaatje' zeggen ze in vakkringen. Maar dat is soms problematisch. Je wilt de eerste zijn, je wilt iets wat exclusief is. Dat is het instinct van een journalist. Als je echt mooi materiaal geschoten hebt, wil je het ook gebruiken. De vraag is hoe je het gebruikt. Toen ik nieuw was, maakte ik bijvoorbeeld een reportage over jongelui die industriële alcohol dronken en daaraan stierven. Ze gingen slapen en werden nooit meer wakker. En een van de vaders van een slachtoffer kwam naar ons toe. Hij wilde het verhaal naar buiten brengen als waarschuwing voor andere jongelui. En we vonden het een goed idee. De dag nadat die jongen gestorven was ging ik naar de familie toe. Ik was jong, ambitieus en wilde een goede indruk maken. De hele familie zat in de keuken en rouwde. Iedereen was heel verdrietig. Ik heb hen allemaal geïnterviewd. Vrij openhartige vragen gesteld. Maar toen ik buiten stond voelde ik me beroerd. De vader wilde het verhaal vertellen en deed dat ook, maar hij kon de consequenties niet overzien. Een dag later werd hij door iedereen aangeklampt en door anderen juist gemeden. Dat is de impact van televisie. Journalisten hebben een eigen verantwoordelijkheid. Omdat mensen ja zeggen of een verhaal vertellen hoef je het nog niet altijd te publiceren. Het is een gewetenskwestie."

GOTLAND

De thrillers van Jungstedt spelen zich voornamelijk af op het eiland Gotland. Het eiland waar Mari Jungstedt vanaf haar negende jaar kwam, waar haar man geboren is en waar een groot deel van haar familie woont. Een eiland dat ze liefheeft maar waar ze in haar boeken de meest gruwelijke dingen laat gebeuren. "Gotland is een prachtig eiland. De natuur is er beeldschoon. Je kunt er nog rust vinden en genieten van mooie vergezichten. De zonsondergangen van Gotland zijn beroemd. We gaan er elke zomer naartoe. Elke keer als ik er kom, haal ik eens extra diep adem. Het is steeds of ik thuiskom. Ik houd echt van dat eiland, van de zee, de brede zandstranden. Voor een misdaadverhaal is de geïsoleerdheid natuurlijk perfect. Vanaf augustus is er geen toerist meer te bekennen en begint mijn zomer. Dan zijn de stranden verlaten, kun je de wind weer door de bomen horen ruisen, genieten van de jeneverbesstruiken, de vlier, bloemen, de krijtrotsen en oeroude pilaren die er al zijn sinds de ijstijd. Ze staan soms in zee of vlak bij de zee. Gotland is historisch gezien een onuitputtelijke bron. De stadsmuur rond Visby dateert uit de dertiende eeuw, kennelijk een gouden eeuw want de ruïnes midden in de stad stammen uit dezelfde periode. Kom maar eens kijken, op het platteland vind je archeologische velden uit de tijd van de Vikingen en als je religieus bent of spiritueel besef hebt, kun je je hart ophalen, want er zijn meer dan negentig kerken of overblijfselen daarvan. Merk je dat ik toermanager ben geweest? Haha."

Veel van wat Jungstedt in haar boeken beschrijft is direct ontleend aan haar eigen leven. Intieme zaken die zij toeschrijft aan haar personages: liefde, haat, jaloezie, ontrouw, nieuwsgierigheid, liefde voor de natuur. En vaak nog persoonlijker zaken: "O ja, absoluut. Ik heb natuurlijk de ambitie om misdaadverhalen te schrijven, ik wil amusement bieden. Maar daarnaast wil ik ook op een ander niveau bepaalde zaken communiceren. Het politiewerk is interessant, maar wat me het meest bezighoudt, is het psychologische aspect. Hoe kunnen mensen elkaar bepaalde dingen aandoen? Schrijven is vaak ook een soort therapie. Je kunt de dingen die je niet begrijpt in het leven op een meer geconcentreerde wijze overdenken en problemen op die manier van je afschrijven. Ik merk dat ik steeds meer psychologisch ga schrijven."

"afgelegen en rustig, een ideale voedingsbodem voor thrillers"

EENZAAMHEID

Vorig jaar werd de moeder van Mari ziek, een ingrijpende gebeurtenis voor de schrijfster. Zou ze zover gaan om hierover te schrijven in haar boeken, zoals ze ook al zijdelings over het alcoholisme van haar vader heeft geschreven? Mari kijkt heel ernstig, maar gaat het onderwerp niet uit de weg. "Ja, ik laat mijn kwetsbaarheid volledig toe in mijn verhalen. Ik schrijf over kinderen en stel de vraag hoe ze zich zo eenzaam kunnen voelen, zo intens eenzaam. Dat is natuurlijk een kwestie die mijn eigen jeugd betrof. Ik vraag me ook af hoe de littekens van die eenzaamheid, die stille pijn doorwerken als mensen later volwassen zijn geworden. Sommige mensen hebben er meer last van dan anderen, maar je moet er hoe dan ook mee leren omgaan. Ik ben niet de enige die een ongelukkige jeugd heeft gehad. Zo lopen er veel kinderen rond. Welk effect heeft dat extreme gevoel van eenzaamheid op hen gehad? Ze delen hun angsten en zorgen met niemand. Ze voelen zich schuldig aan de scheiding van hun ouders, ze schamen zich. Het is echt verschrikkelijk, hoor. Een jeugdtrauma kan zo enorm doorwerken op de geest van diegenen die volwassen worden.

Toen ikzelf klein was, was het grote zwarte schaap mijn vader, omdat hij dronk. Maar toen ik ouder werd begon ik te beseffen dat er misschien wel een reden was voor zijn constante dronkenschap. Ik had erover geschreven in mijn boek en dat gedeelte weer geschrapt voordat het naar de drukker ging. Maar het stond wel in het manuscript en toen ik het terug las, begreep ik plotseling veel meer over mijn eigen jeugd en het alcoholisme van mijn vader. En dat was een enorme schok. Tot dat moment had ik mijn moeder altijd op een voetstuk geplaatst en haar gezien als de meest ideale moeder ter wereld. Maar plotseling kwam ik tot de ontdekking dat mijn vaders drankzucht wel eens iets met haar te maken kon hebben. Het plaatje begon zich steeds scherper af te tekenen en dat was bijzonder confronterend. Merkwaardig genoeg besefte ik pas heel laat dat mijn moeder ijskoud was. Dat zij niet in staat was echte liefde uit te stralen of sympathie te hebben voor mensen. Zij had een persoonlijkheidsstoornis. En waarschijnlijk had zij dat al haar leven lang, zonder dat iemand dat ooit heeft benoemd. Ook zij moet zich diep eenzaam en alleen hebben gevoeld. Het was erg moeilijk om dat te accepteren en haar niet alsnog kwalijk te nemen dat mijn vader zo was afgegleden. Kort geleden is het geëscaleerd en is haar ziekte naar buiten gekomen. Zij is opgenomen in een inrichting. Achteraf begrijp ik de situatie nu beter en begrip is een goede remedie om dingen te leren accepteren. Daarom vergeef ik het haar wel. Nu ik het een plaats heb kunnen geven ben ik in staat om erover te schrijven. Dat zal ik ook doen in een van mijn boeken. Als je als schrijver wat hebt te vertellen, worden je boeken vanzelf interessant. Dan kunnen mensen zich identificeren. Een goed boek moet altijd herkenbare emoties verwoorden. In mijn volgende boek heb ik vrij veel dingen uit mijn jeugd verwerkt."

"mijn ouders voelden zich eenzaam en ongelukkig"

LEUKSTE VAN ZWEDEN

Tot slot iets optimistisch. Wat is naast Ikea en Abba het leukste dat Zweden te bieden heeft? "Het mooist is de vrijheid om te handelen, de vrijheid van meningsuiting en de vrijheid van reizen. Dat je overal naartoe kunt. Voor mij is het ook leuk dat er veel bossen zijn waarin ik met de hond kan wandelen. Ik wandel veel. Ik ga graag naar de bioscoop en ontmoet dolgraag veel mensen. Ik ben een heel sociale vrouw. Ik ben dol op uitgaan naar restaurants en cafés. Ik houd ervan de deur uit te gaan… in Zweden." ■

TOMAS ROSS

"bij **honderd** minnaars van **mata hari** ben **ik opgehouden** met tellen"

Hij oogt nors, als een man die de wereld in al haar facetten heeft bestudeerd en heeft besloten dat er weinig te lachen valt. Een permanente frons, gegroefd tussen de zware wenkbrauwen. Een vorsende oogopslag en een stevige handdruk. Bij het leven past ernst, zoveel lijkt zeker. Hoe kan het ook anders? Tomas Ross (1944) heeft tal van zaken bestudeerd en beschreven die niet tot lachen stemmen: de moord op vier Ikon-journalisten in El Salvador, de moorden op Pim Fortuyn en de prostituee Blonde Dolly, de oorlog in het voormalige Joegoslavië, de dramatische dood van raspoliticus Wouter Burger en natuurlijk de vele affaires rond het Nederlandse koningshuis: Lockheed, Greet Hofmans en King Kong. In *Het meisje uit Buenos Aires* wordt de achtergrond van Maxima kundig neergezet. Daarnaast heeft Tomas Ross ook kans gezien om de kleurrijke detective *De Schaduw*, schepping van Havank, nieuw leven in te blazen. Ons gesprek gaat uiteraard over de Oranjes, maar voornamelijk over Nederlands meest beroemde staatsburger ooit, de vermeende spionne Mata Hari, wier opkomst en ondergang door Ross is beschreven in de spraakmakende factionthriller *De tranen van Mata Hari*.

PSEUDONIEM

Tomas Ross is het levende bewijs van het gegeven dat vooroordelen voorgoed naar de prullenmand verwezen dienen te worden. De ogenschijnlijke norsheid verdwijnt als sneeuw voor de zon zodra hij begint te praten over zijn werk. Levendig en gedreven, een man die WEET en die wetenschap graag wil delen. Hij is een man die al pratend weer jongen wordt, een belezen auteur die verandert in een jonge onderzoeker. Zijn eerste boeken zijn verschenen onder zijn echte naam W.P. Hogendoorn, maar hij is bekender onder zijn pseudoniem. Het is een samenstelling van de meisjesnaam van zijn Schotse vrouw (Ross) en de voornaam van zijn kind dat nog geboren moest worden en dat de naam Thomas gekregen zou hebben. Door een fout van de zetter werd het Tomas. "Dus sinds een jaar of dertig leef ik met dat pseudoniem. Nonfictie boeken zijn dus onder mijn eigen naam verschenen en fictie of faction onder mijn pseudoniem Tomas Ross.

Ik heb de eerste vier jaar van mijn carrière non-fictie geschreven om aan geld te komen. In het begin wist ik niet hoeveel geld ik daarvoor zou vragen. Maar op een keer kwam ik Heere Heeresma tegen bij de uitgever en ik vroeg hem wat ik aan honorarium moest vragen. Heere Heeresma zei: 'Bent u schrijver?' Ik zei: 'Ik begin net, maar ze willen me wel graag hebben.' 'O,' zei hij, 'dan zeg je: 'Meneer de uitgever, u verdient ook een salaris, dat wordt elke maand op de vierentwintigste gestort. Waarom betaalt u mij dat niet? Dat is toch heel normaal?' Dat vond ik goed van hem en ik ging geheel voorbereid het gesprek in met mijn toenmalige uitgever, Robbert Ammerlaan. En Robbert zei: 'Dat bespreken we nu niet hier. Dat doen we morgenavond lekker in een restaurantje. Dan gaan we eens kijken wat je nu eigenlijk wilt.' Een dag later zaten we in het restaurant en vroeg Robbert me: 'Wil je iets drinken, een glaasje whisky ofzo?' En na drie glazen whisky vroeg hij me wat ik zou willen. Dus ik zei: 'Vijftienhonderd gulden per maand, dat is achttienduizend per jaar en daar schrijf ik drie boeken per jaar voor.' 'Da's goed,' zei hij, 'wat wil je eten?' Het ging zo snel dat ik dacht: godverdomme, ik had meer moeten vragen. Vijf jaar geleden belde hij me en zei: 'Hee, ik hoor dat je weggaat bij De Fontein. Wil je niet bij De Bezige Bij komen?' Toen ik toestemde zei hij: 'Dan spreken we af bij hetzelfde restaurant als toen.' We zaten net en hij vroeg meteen of ik nog een whisky wilde. Ik zei: 'Dat gaan we dit keer niet doen.'"

"meneer de uitgever, u verdient ook een salaris"

FACTION

In de beginjaren had Tomas Ross totaal geen behoefte aan het schrijven van spannende boeken. "Aan spannende boeken vond ik niets. Ik las ze ook nooit. Ik weet dat mijn vader thuis Havank en Simenon had en Leslie Charteris enzo. Dat las ik wel tussendoor. Maar ik weet wel dat ik later gefascineerd *De Dag van de Jakhals* van Forsythe heb gelezen. Toen ik dat boek las dacht ik: dit is een enorm goede manier om geschiedenis en fictie met elkaar te verbinden. Het is een moeilijk genre, maar ik doe in de boeken die ik schrijf fictie en realiteit om en om. Een hoofdstuk met historische setting en een hoofdstuk waarin de personages verzonnen zijn. In het geval van *De tranen van Mata Hari* is het fictieve personage de journalist Willem Bentinck en in de andere hoofdstukken vertel ik de wederwaardigheden van Mata Hari, de Duitsers of haar minnaars. Dus als lezer kun je heel goed zien wat realiteit is en wat fictie. Vroeger liet ik heel principieel de fictieve hoofdpersoon nooit kennismaken met het personage dat echt bestaan heeft. Maar, ik ben eroverheen gestapt, want Hella Haasse zei me ooit dat ik gek was en dat er op die manier nooit historische romans geschreven konden worden. Nu heb ik Bentinck en Mata Hari elkaar laten ontmoeten op de boot en ja, dat kan natuurlijk niet, maar ik had het nodig voor de plot. En zo laat ik Elisabeth Schragmuller, hoofd van de Duitse inlichtingendienst in Frankrijk, in een auto zitten waar mijn fictieve personage Willem Bentinck in wordt getrokken. Volgens mij is dat voor het eerst in al die jaren dat ik dat heb gedaan. Het werkt lekker. De moeilijkheid van faction is natuurlijk dat je niet alles mag verzinnen. Ik kan Mata Hari helaas geen dingen laten doen die ze niet gedaan heeft."

MATA HARI MET PRINS HENDRIK

In het boek heeft Mata Hari een verhouding met prins Hendrik, een vrouwenliefhebber die allerminst genoeg had aan de liefde van zijn vrouw Wilhelmina. Fictie of werkelijkheid? "Het is waar wat ik schrijf dat Mata Hari in Den Haag gewoond heeft. Het enige waar ik op speculeer is de kennismaking met prins Hendrik, die ik wel uit bronnen heb, maar waarvan ik niet zeker weet of het zo gegaan is. Ik kwam elf jaar geleden in Den Haag wonen en ik maakte kennis met mijn buurman van 97. Hij vertelde me dat hij, toen hij twaalf was, bij de Salpeter Maatschappij werkte, tegenover Mata Hari. Dat was heel wat in die jaren. Men lette altijd scherp op haar. En altijd kwam er eens in de week op vrijdagmiddag een limousine en daar stapte prins Hendrik uit en die liep dan met een tas naar een pianolerares. Zodra hij binnen was, werden op de eerste verdieping de gordijnen dichtgetrokken. Dus wat was dat voor pianoles? Mata Hari woonde er drie huizen vandaan. Het is in ieder geval leuk dat ik nog één ooggetuige heb gesproken die Mata Hari heeft gezien."

In het boek staat ook een scène beschreven waarin een jonge Haagse jongen prins Hendrik bij het naar buiten gaan waarschuwt dat zijn gulp nog open staat. Volgens Tomas Ross is dat waargebeurd. "Ik woonde in een fraaie laan in Den Haag om de hoek van de Simon van Oldenbarneveldtlaan en daar had prins Hendrik ooit een andere Wilhelmina. Hij noemde haar Mien en had bij haar ook kinderen. Daar is toen een vader bijgekocht. Hendrik kwam daar eens per week en de kinderen dachten dat het oom Henk was. Dan ging hij met Mien naar boven en de vader zat beneden met de kinderen die met een treintje speelden of zoiets. Maar dat waren Hendrik z'n kinderen en we weten dat er drie van hem waren. In een boek over Den Haag staat geschreven dat er aan de overkant een jongen van de groenteboer was die tegen Hendrik zei dat zijn gulp openstond, niet als grap maar als waarschuwing. Dus ik dacht: ik draai dat om in mijn boek."

SCANDALEUS KONINKLIJK HUIS

Dat Tomas Ross graag over het koninklijk huis publiceert is duidelijk. Niemand heeft zoveel schandalen boven water gehaald als hij. Maar de keuze om een boek te schrijven over Mata Hari lag minder voor de hand. "De aanleiding was een krantenbericht dat de Mata Hari-archieven niet open zouden gaan voor 2017. Dat wist ik niet. Er is een regel dat er een generatie voorbij moet zijn. In het geval van Mata Hari lijkt dat onzinnig. Of ze is onschuldig aan de beschuldiging van spionage voor de Duitsers en dan kom je er als Frankrijk eerlijk voor uit dat je haar ten onrechte geëxecuteerd hebt. Of ze is schuldig en dan zeg je: 'Frankrijk heeft gelijk gehad.' Maar waarom zou je de archieven honderd jaar dichthouden?

"wilhelmina is geen kind van willem III"

Dat vond ik intrigerend en toen ben ik eens gaan lezen en die andere plotlijn over de afstamming van het koningshuis speelt al honderden jaren door mijn kop. Kijk, die Wilhelmina, dat is geen kind van Willem III, dat is gewoon niet zo. Ze is een bastaardkind van een hoveling. Dat is altijd een wijd en zijd verspreid gerucht geweest, maar dat werd afgewimpeld als zijnde nonsens van de anarchisten. Maar er zijn ook serieuzer mensen mee bezig geweest en die zijn allemaal de mond gesnoerd, afgekocht. Willem III had een eerste vrouw, die heette Sofie. Was een doodongelukkig huwelijk. Had daar drie zonen bij. De jongste daarvan moest koning worden, maar wilde dat niet. Hij was een beetje gek. Hij woonde in Den Haag op de Kneuterdijk en hij had een secretaris. Daar dicteerde hij alle schandalen aan omdat zijn vader zijn moeder kapot had gemaakt in het huwelijk. Hij wilde zijn vader pakken, schandalen publiceren. Hij stopte dat in een kistje en dat werd elke avond op de Kneuterdijk weggeborgen. In 1924 is dat kistje gevonden door een Oranjeklant. En daar lag een briefje bij met de tekst: 'Gelieve dit kistje met inhoud na mijn dood aan de nieuwe regerende Oranje te geven.' De man heeft de inhoud niet gelezen, maar heeft het kistje naar Wilhelmina gebracht. Hij heeft er duizend gulden voor gekregen. Onbestaanbaar want Wilhelmina gaf nooit geld. Het verhaal gaat dat in het kistje het medisch attest zat waarin koning Willem III in 1868 of 1870 steriel werd verklaard. En dat is natuurlijk waar, want Willem had een zwaar verwaarloosde syfilis en het gevolg daarvan is steriliteit. Het is dan ook vrijwel onmogelijk dat hij in 1880 bij Emma nog een kind heeft gemaakt. Het is zo'n intrigerend verhaal. Die afstamming van de Oranjes, dat klopt niet. Dus was dat de ideale tweede plotlijn naast die van Mata Hari. Het verhaal van Mata Hari op zich was te dun."

SUCCES VAN MATA HARI

Het succes van Mata Hari (geboren als Fries meisje onder de naam Margaretha Geertruida Zelle), die haar grootste triomfen vierde in de jaren 1906-1907, is moeilijk te verklaren. Ook Tomas Ross worstelt, ondanks alle research, met de kwestie. "Als je goed naar haar kijkt, naar filmpjes en foto's, dan zie je geen mooie vrouw. Ja, ze had mooie ogen, maar verder had ze een grote neus, platvoeten en lelijke borsten. Ze kon niet dansen. Het is heel krakkemikkig wat ze doet. Het zijn een paar danspasjes, dan doet ze haar sluier af, draait zich om, om haar borsten niet te hoeven laten zien. Dan heeft ze nog niet die rare koperen bh om en dan buigt ze zich voorover als een beeld van Shiva ofzo. Het was een Friezin die geen Frans sprak. Ze had weliswaar kweekschool, maar dat verklaart niet dat ze in twee jaar tijd Parijs, Milaan, Monaco, Madrid, Wenen en Berlijn aan haar voeten kreeg. Door haar sluiers af te gooien? Dat deden er wel meer. Ze liet haar borsten ook nauwelijks zien. Dat wilde ze niet, daar schaamde ze zich voor. Het speelt wel mee dat men in die tijd in de ban was van het Oosten en Mata Hari heeft daar heel handig op ingespeeld. Ze deed geen striptease ofzo, maar een soort mystieke oosterse

"mata hari had een grote neus, platvoeten en lelijke borsten"

dans. Ze danste in alle grote theaters, de Trocadero, het Olympia. Het is niet te geloven zo veel geld als ze kreeg. En dan denk je Parijs? In de tijd van de impressionisten was er al de Can Can, was er al de Moulin Rouge, was er al Pigalle. Als je tieten wilde zien, ging je niet naar Mata Hari. Voor de elite was haar oosterse dans wellicht een alibi, omdat men niet naar die andere tenten durfde te gaan, een soort van kunstliefde. Maar dan nog."

KARAKTER EN NEERGANG VAN MATA HARI

"Het karakter van Mata Hari? De vrouw was zeer ambitieus, zeer gericht op ego, zeer ijdel. Heel opportunistisch. Neem dat verhaal met dat dochtertje. Ze is twee keer naar Parijs gegaan om furore te maken en beide keren liet ze zonder omhaal haar dochtertje achter bij haar ex-man, MacLeod. Toen ze later tijdelijk in Nederland kwam, wilde ze dat dochtertje opzoeken. Maar om te zeggen dat ze vreselijk haar best heeft gedaan, nou nee. Ze is natuurlijk ook het slachtoffer geworden van haar ijdelheid en opportunisme. Plat karakter: geld, macht, Ik heb er geen diepgang in aangetroffen. Het is niet iemand die zich bezig heeft gehouden met de kunsten. Ze was zeer oppervlakkig, vergat altijd alles en was in meerdere opzichten dan ook volstrekt ongeschikt om een spion te zijn. Ze kon wel met iedereen in bed liggen en zowel van haar Duitse minnaars als van haar Franse minnaars veel horen, maar daarom was ze nog geen spion. Dat zei die Schragmuller, hoofd van de Duitse inlichtingdienst, in 1934 ook. Het zou heel dom zijn geweest om haar als spionne in dienst te nemen. De periode waarin Mata Hari gespioneerd zou hebben, was tijdens de Eerste Wereldoorlog. Zij is dan al op haar retour. Hoewel ze minnaars aan de lopende band heeft, komt zij artistiek gezien niet meer aan de bak. Ook kan ze door de uitgebroken oorlog niet naar Frankrijk waar ze in een huis van een rijke minnaar mag wonen. Ross schetst haar neergang als zijnde onvermijdelijk: "Tijdens de Eerste Wereldoorlog begint ze aan haar leeftijd te denken. Ze weet dat ze

"mata hari was volstrekt ongeschikt om spion te zijn"

ingehaald wordt door de tijd. Ze weet dat er navolgsters zijn die strakker, mooier zijn en die meer durven. In die tijd komt de striptease ook op. Ze nam weliswaar een contract in Berlijn aan, maar alleen voor het geld. Ze haatte Duitsers. Ze sliep wel met ze. Ze had daar ook een rijke minnaar zitten, maar het liefst had ze niets met Duitsland te maken gehad. Dat ze er in 1914 naar toeging, kwam alleen omdat ze in Parijs uitgerangeerd was. Het huis dat ze bewoonde in Neuilly waar ze steeds naar terug wilde, was niet van haar, maar had ze te leen van een bankier, van een rijke minnaar. Ook die relatie was eindig want de vrouw van die bankier had het gemerkt. Maar die bankier had gezegd dat ze er mocht blijven wonen. Toen de boel losbarstte en de Eerste Wereldoorlog begon, waarschuwde men haar dat ze weliswaar Nederlandse was, maar dat men haar associeerde met Frankrijk en dat ze beter weg kon gaan. Ze ging naar Nederland en was echt wanhopig. Als je de brieven ziet die ze vanuit Den Haag schrijft aan haar rijke minnaars in Frankrijk onder wie de Franse minister van Oorlog, Adolphe Messimy, dan krijg je medelijden met haar. Ze biedt Messimy aan om voor hem te spioneren. Niet dat ze het echt wilde, want ze wist dat ze het niet kon, maar ze had geld nodig. Ze liep tegen de veertig, had geen contracten meer. Ze heeft daarna ook nooit meer opgetreden. Wie had er nog zin in Mata Hari? Ook Messimy niet, want die sloeg haar diensten beleefd af."

MATA HARI SPIONNE?

Tomas Ross heeft alles over en van Mata Hari gelezen. Niemand die beter in staat is zin en onzin van elkaar te scheiden. "Het is onzin dat ze gespioneerd heeft voor de Duitsers. Dat heeft ze niet. Kijk, ze zat lang gevangen, onder de meest kloterige omstandigheden. En men vroeg haar steeds weer of ze de geheimzinnige Duitse spion was met de codenaam H21. En toen, na een maand of vier of vijf zei ze letterlijk: 'Ja, ik was H21'. Nou, je weet wat er gebeurt met mensen die lang vastzitten en die wanhopig zijn. Ze mocht de deur niet uit, de post werd niet doorgestuurd, ze had hongeroedeem, syfilis en ze kreeg geen medische behandeling. Als je de foto's ziet van haar in de gevangenis dan zie je een verwarde opgeblazen vrouw. Het is geen wonder dat ze toen heeft bekend. Overigens, later heeft ze alles weer ontkend. En als je het nagaat dan heeft ze het ook niet gedaan. De Fransen zeggen zelf: 'Ze heeft zich niet eens aangeboden. Wij hebben haar in dienst genomen.' Dat hebben ze ook gedaan. Als ze bij de autoriteiten een pasje aanvraagt om naar haar minnaar in Vittel te gaan, zeggen de Fransen: 'Mevrouw Mata Hari, we weten dat u al eerder heeft aangeboden om voor ons te spioneren omdat u Frankrijk een warm hart toedraagt. Wij willen graag gebruikmaken van uw diensten.' En dan is ze blij. Ze vraagt niet eens geld, wat ze normaal altijd deed. Er blijven natuurlijk vragen. Maar in de boeken die haar wel schuldig verklaren aan spionage voor de Duitsers wordt gezegd: 'Ze wilde wraak nemen op Frankrijk omdat men in eerste instantie haar diensten had afgewezen. Ze had geld nodig en ze had veel Duitse minnaars en andere contacten, dus toen heeft ze de boel omgedraaid en is voor de Duitsers gaan werken.' Maar er is nooit ergens aangetoond dat Mata Hari ooit ergens een spionageopdracht voor de Duitsers heeft uitgevoerd. Dat staat niet in de archieven. Ze heeft nooit iets doorgegeven aan Berlijn. Ze had natuurlijk enorm veel minnaars en ik vermoed dat ze heel veel heeft gehoord. Maar ze heeft alles eerst doorgegeven aan Parijs. En bovendien, in Duitsland hield men alles heel nauwkeurig bij. En in de Duitse archieven komt Mata Hari niet voor. Ze hadden inderdaad een spionne in dienst met de codenaam H21. Maar dat is volgens de Duitsers Clara Benedict, een vrouw van vrijwel dezelfde leeftijd als Mata Hari die bovendien een sprekende gelijkenis met haar vertoonde. Als Mata Hari al maanden in de gevangenis zit, dan nog stuurt de Duitse attaché uit Madrid telegrammen naar Parijs met instructies voor H21. Dus dat kan nooit Mata Hari geweest zijn. Dat was iemand anders. Ook in de archieven van de Engelse inlichtingendienst MI5, die inmiddels geopend zijn, staat dat H21 Clara Benedict is. Ze was een vrouw die gerekruteerd was in het Duitse spionagecentrum in Barcelona. In een fictieboek zou je het allemaal niet durven verzinnen."

"mata hari heeft bekend en later weer alles ontkend"

WAAROM GEËXECUTEERD?

Hoewel Tomas Ross overtuigd is van de onschuld van Mata Hari blijven er wel degelijk gaten in zijn kennis. Hij snapt niet waarom ze door de Fransen is doodgeschoten: "Kijk, als ze al gespioneerd zou hebben, dan heeft ze niet veel gedaan. Dat kan bijna niet, want ze was ijdel en een beetje dommig. Er zijn geen aantoonbare rampen gebeurd door haar inlichtingen en ten tweede: ze is nota bene aangenomen door de Fransen. Alles wat ze van Duitse soldaten en ministers heeft gehoord, heeft ze heel braaf doorgegeven aan Parijs.

De dag na haar executie werd ook geschreven dat Mata Hari het slachtoffer was van hysterie, dat ze een gemakkelijk slachtoffer was omdat ze met iedereen geneukt had. Ik vermoed dat in de archiefstukken die in 2017 vrijkomen, nog een verslag zit van het proces dat zich achter gesloten deuren heeft afgespeeld. Ik ben daar erg nieuwsgierig naar. Ik kan me indenken dat Mata Hari heeft gezegd: 'Ik ben onschuldig, maar als jullie me schuldig verklaren dan zal ik godverdomme eens met een aantal verhalen en namen naar buiten komen.'"

HONDERD MINNAARS EN MEER

"En natuurlijk wist ze veel. Ze had met zoveel belangrijke mannen geslapen. Ik heb het niet in het boek geschreven, maar ik las later dat het zeer waarschijnlijk was dat ze zelfs een relatie met onze premier en met de president van Frankrijk heeft gehad. Als je het lijstje minnaars opschrijft, geloof je je ogen niet. Ik ben bij honderd opgehouden met tellen. En allemaal topjongens: bankiers, industriëlen, Picasso, onze schilder Israëls, prins Hendrik, premier Cort van der Linden, kolonel Van der Capellen, haar vaste minnaar in Nederland, de Franse minister van Oorlog Messimy, Von Kalle, het hoofd van de Duitse spionagedienst in Barcelona, de industrieel Alfred Kiepert, het hield niet op. Dus ze moet fantastisch zijn geweest in bed, dat kan niet anders.

Te veel hoge heren hadden boter op hun hoofd. Men kon het helemaal niet hebben dat Mata Hari een boekje open zou doen. Maar dat zou alleen gegaan zijn over haar bedgenoten en niet over haar zogenaamde spionagewerk. Ik kan me niet indenken dat ze met dat karaktertje van haar heeft

"ze had met te veel belangrijke mannen geslapen"

gedacht dat ze een taak had, een heldenrol moest vervullen, iets meer doen dan alleen maar haar borsten laten zien. Ik kan me niet voorstellen dat ze meer diepgang wilde in haar leven. Daar was ze te ijdel en te dom voor. Dat paste niet bij haar. Maar dat maakt het raadsel zo groot. Waarom schiet je haar dood? Omdat je een blunder hebt begaan door haar aan te nemen? Dat is het gat, de vraag waar ik nog steeds geen antwoord op heb." ∎

Elizabeth George

" schrijven is een mengeling van vakmanschap en kunst "

Elizabeth George (1949) mag met recht de Queen of Cosy Crime worden genoemd. Ze schrijft intense psychologische thrillers die zich afspelen in Engeland en die ondanks de misdaden die erin gepleegd worden, uiterst sfeervol en stijlvol zijn. *Elizabeth George* brak pas door op haar negenendertigste met *Totdat de dood ons scheidt,* een met prijzen overladen bestseller die haar naam wereldwijd voorgoed vestigde. Een flink aantal boeken, talloze boekverfilmingen en miljoenen dollars later, duurt haar droomcarrière nog steeds onverminderd voort. "Ik doe wat ik leuk vind, schrijven!"

UITERLIJK

Haar haren zijn donker geverfd, modieus, een hedendaagse, stadse vrouw. Maar tot voor kort leek Elizabeth George met haar rode, kortgeknipte krullende haar, haar porseleinbleke huid en eenvoudige kleding zo weggelopen uit een Engels plattelandsdorp. Klein, tenger, onopvallend en introvert maar ontegenzeggelijk met een warme en lieve uitstraling. Een uiterlijk overigens waar ze dankbaar voor mag zijn, want aan haar typisch Engelse verschijning heeft zij indirect haar schrijverscarrière te danken. "In 1962 kwam er in de buurt waar ik toen woonde een geadopteerd meisje uit Manchester (Engeland) wonen. Zij kwam op school in dezelfde klas als ik te zitten. Omdat mijn uiterlijk haar sterk deed denken aan de meisjes uit haar geboorteland, trok zij meteen naar mij toe. We werden goede vrienden en ik genoot van haar verhalen over Engeland. Het was of er een droomwereld voor mij openging. Daar wilde ik naartoe als ik groot was. Het leek allemaal zoveel beschaafder en romantischer. Daar werd mijn liefde voor Engeland geboren, een liefde die nooit meer is verdwenen en die zich alleen maar heeft verdiept."

Voordat die liefde voor Engeland vorm kreeg in haar wereldberoemde romans, zou nog veel water door de zee vloeien. Al op jeugdige leeftijd verhuisde ze van Warren (Ohio) naar Mountain View in de San Francisco Bay regio (Californië). De jonge Elizabeth voelde zich anders dan andere kinderen. Ze hield niet van sport en was niet bezig met jongens. Ze wilde schrijven. Bovendien werd ze al op jeugdige leeftijd geïntrigeerd door misdaad en lugubere gebeurtenissen. Zo kan ze zich tot op de dag van vandaag een gruwelijk krantenbericht herinneren. "Het ging over de nonnenschool 'Queens of Angels' in Boston. Op een dag brak er brand uit. De kinderen mochten van de onderwijzende nonnen echter niet vluchten. Ze moesten op redding wachten. Toen de brandweerlieden later de klassenlokalen binnenkwamen, zaten alle kinderen en nonnen nog keurig in hun bankjes, met hun hoofd op hun tafeltjes. Gestikt door de rook. Ik was toen tien jaar oud, maar dat bericht zal ik nooit meer vergeten. Die belangstelling voor het abnormale is moeilijk te verklaren. Wellicht als reactie op mijn doorsnee-opvoeding in een veilig middenklasse gezin in een doodgewone buurt. Het is een soort behoefte aan escapisme."

SCHRIJVEN ALS DRANG

Op haar zevende begon ze voorzichtig met schrijven. Op haar achtste had ze haar eerste schrijfmachine en op haar twaalfde voltooide ze haar eerste roman: *The Mystery of Horseshoe Lake*. En ook haar tienerjaren spendeerde ze niet aan afspraakjes of meisjesdingen. Elizabeth schreef!

Toen Elizabeth later psychologie en Engelse taal- en letterkunde ging studeren, was haar voornemen om schrijfster te worden alleen maar gegroeid. Haar jeugdliefde voor Engeland kreeg plotseling vaste vorm toen ze in 1966 naar Engeland ging voor een Shakespeare-college. "Het was in die tijd echt swinging Londen. Ik liep door Carnaby Street en was helemaal verrukt. Ik besefte dat ik mijn (toekomstige) misdaadverhalen alleen nog maar in Engeland wilde laten afspelen. Wat een sfeer, wat een cultuur, wat een mensen. Ik heb er daarna nooit meer een seconde over nagedacht om mijn verhalen ergens anders te situeren." Op haar twintigste trouwde ze met haar eerste man Ira Toibin, terwijl ze onvermoeibaar door bleef schrijven. De romans die ze in die tijd schreef, werden echter allemaal door uitgevers

"ik liep in 1966 door carnaby street en was verrukt"

afgewezen. Elizabeth George beschouwt het achteraf als een 'liefdesreis' en niet als een 'martelgang' omdat ze bezig was met dat wat ze het liefst deed. Om de kost te verdienen, werkte ze jarenlang als docente Engels aan diverse scholen en universiteiten. Totdat het geluk haar in 1988 toelachte en haar roman *Totdat de dood ons scheidt* niet alleen gepubliceerd werd, maar meteen bedolven werd onder de prijzen.

In haar eerste belangrijke boek *Totdat de dood ons scheidt* wordt Georges belangrijkste hoofdpersoon Thomas Lynley (inspecteur bij New Scotland Yard en de achtste graaf van Asherton) geïntroduceerd. De rijke en goed verzorgde Lynley krijgt als partner een volstrekte tegenpool in de gedaante van de sjofel geklede en bijna lelijke Barbara Havers (brigadier, afkomstig uit de arbeidersklasse). Zij zouden uitgroeien tot de succespersonages met wie Elizabeth George eindelijk vaste voet aan de grond kreeg. "Toen ik *Totdat de dood ons scheidt* schreef (mijn derde poging om een in Engeland gesitueerd misdaadverhaal te schrijven), wist ik dat ik het eindelijk had. Yes! Het kwartje was gevallen. Ik wist dat ik eindelijk een solide basis had en dat dit boek gepubliceerd zou gaan worden. Met de karakters die ik bedacht had kon ik verder. Lynley is een bevoorrecht man die alle omstandigheden altijd mee heeft gehad. Maar hij is ook een man die beseft dat het geluk hem heeft toegelachen en dat er maar dit had hoeven te gebeuren of het was allemaal heel anders gelopen. Zijn vader stierf toen hij tweeëntwintig jaar was. De manier waarop hij daarmee omgaat, maakt dat hij een enorm schuldgevoel ontwikkelt. Het vervreemdt hem voor meer dan zestien jaar van zijn moeder. In die tijd gaat zijn tien jaar jongere broertje bijna ten onder aan zijn drugsgebruik. Dat schuldgevoel ligt ten grondslag aan vrijwel alles wat Thomas Lynley doet. Hij opereert vanuit de gedachte dat hij in het verleden mensen tekort heeft gedaan.

Lynley's collega, brigadier Barbara Havers, is precies het tegenovergestelde. Zij komt juist uit een weinig bevoorrecht milieu. Zij is zich daar terdege van bewust. Zij weet dat zij moet vechten om iets te bereiken. Haar gedrag komt voort uit een enorme behoefte om te bewijzen dat zij niets minder is dan wie dan ook. Zij weet dat zij even slim is als ieder ander, maar ze worstelt met haar accent, haar opleiding, haar economische status en niet te vergeten haar sociale status. Dat maakt haar overigens enorm sympathiek, zeker in de ogen van de Amerikaanse lezers, die altijd voor de underdog kiezen."

ORIGINALITEIT

Zoals zovele schrijvers zegt George dat delen van haar karakter zijn terug te vinden in meerdere romanpersonages. Ze omschrijft haar eigen karakter als 'introvert, introspectief, eerder intellectueel dan emotioneel, koel en logisch'. Eigenschappen die ze het meest heeft meegegeven aan Simon St. James (forensisch wetenschapper en vriend van Thomas Lynley). "Het is logisch dat hij wat karakter betreft het meeste op mij lijkt. Hij is het eerste karakter dat ik heb bedacht. En als je een creatief proces opstart, geef je meer van jezelf weg dan in een latere fase. Later leer je meer je fantasie te gebruiken. Simon St. James lijkt dus erg op mij. Daarom houd ik het meeste van hem. Zijn reacties zijn veelal mijn reacties. Als hij dingen doet of als hem dingen overkomen, denk ik constant: hoe zou ik zelf reageren? Zijn oplossingen zijn mijn oplossingen. Zijn handelingen komen vanuit mezelf, vanuit mijn hart. De handelingen van vele andere personages komen vanuit mijn verstand."

Gevraagd naar haar grote voorbeelden, noemt Elizabeth George zonder aarzelen John Fowles (*The Collector* en *The French Lieutenant's Woman*) als degene die zij bewonderde toen zij met schrijven begon. "Hij is iemand die zich steeds vernieuwt. Geen van zijn boeken lijkt op elkaar. Sommige dingen werken, sommige dingen werken niet. Maar in ieder geval schrijft hij niet keer op keer dezelfde roman. Dat probeer ik ook. Daarom ontlenen mijn misdaadromans hun bestaansrecht ook niet aan clichés. Ik ontwikkel mezelf dagelijks en ga met een grote boog om de clichés van het genre heen. Daarom volg ik ook niemand na. Ik heb vroeger bijvoorbeeld veel van Conan

"ik ben introvert, introspectief, eerder intellectueel dan emotioneel"

Doyle gelezen. Hij hanteerde een schrijfstijl en romanvorm die ooit bedacht was door Edgar Allan Poe. Een excentrieke detective die optreedt in korte verhalen en wiens zaken worden verteld door een verteller annex bewonderaar. Poe creëerde die vorm al in 1840 en Conan Doyle maakte hem beroemd. Ik heb ervan genoten, maar ik gebruik die stijl zelf helemaal niet. Ik heb een heel andere manier van vertellen. Ik ga volledig uit van de karakters. De achtergrond van de karakters bepaalt veelal hun opvattingen en hun handelswijze. Daar ligt ook mijn interesse als schrijfster, in de menselijkheid."

CONTRASTEN EN DRAMA

In de thrillers van Elizabeth George is moord dikwijls het uitgangspunt, al wijkt ze daar net zo gemakkelijk vanaf. De misdaad zelf is voor haar nauwelijks belangrijk. Het gaat haar om de aanleiding tot de moord, de gebeurtenissen die de karakters zodanig beïnvloeden dat er geen weg terug mogelijk is. George weet bij elk verhaal van tevoren goed wie het slachtoffer is, wie de dader is en wat het motief is. Maar om de gebeurtenissen te sturen, maakt ze veel gebruik van contrasten. "Zeker," beaamt ze. "Contrasten betekenen drama. Rijk versus arm, slim versus dom, zacht versus wreed, traditie versus modern, high society versus onderklasse, man versus vrouw. Allemaal leidt het tot jaloezie en afgunst, superioriteitsgevoelens en minderwaardigheidsgevoelens, neerbuigendheid en nederigheid, opstandigheid en berusting. Zonder dat er iets gebeurt, zijn er dus al tal van sluimerende conflictpunten. Dat vind ik ook zo interessant aan Engeland waar je nog echt klassenverschillen hebt, adel en arbeidersklasse. Dat heb je niet in Amerika. Overigens heb je binnen elke klasse weer gradaties en contrasten. Kijk maar naar *Een onafwendbaar einde*. Daar is niemand bevoorrecht. Iedereen moet sappelen om te overleven, maar toch zijn er figuren die zich door geweld, drugs of door hun fantasie aan de grauwheid van het bestaan willen ontworstelen. Zij willen zich ook onderscheiden van de anderen. Maar hier gelden de wetten van de straat, het recht van de sterkste. Op straat worden de bevoorrechte posities niet geërfd, maar bevochten. Ook dat is drama. Daarnaast heb je natuurlijk het drama in het leven van de personages zelf: Barbara Havers heeft de zorg voor haar demente moeder, Simon St. James is gedeeltelijk verlamd. Zijn echtgenote Deborah Cotter moet leven met een minder valide man. De Pakistaanse personages in *In de ban van bedrog* hebben te maken met discriminatie, uithuwelijking, mensensmokkel. De personages in *Een onafwendbaar einde* worden geconfronteerd met adoptie, armoede, werkloosheid en straatterreur. Drama heeft vele gezichten. Het is de kunst het zodanig te doseren dat het geen soap wordt, maar het leven zelf beschrijft."

"moord is onbelangrijk, het gaat om de aanleiding"

NOODLOT ALS HOOFDPERSOON

De ideeën voor Georges romans komen op totaal verschillende manieren tot stand. Soms geeft een locatie aanleiding tot een verhaal, soms een krantenbericht en soms ook sociale verontwaardiging of maatschappelijke betrokkenheid. "Dat kan ertoe leiden dat ik soms een boek schrijf dat te zien is als een sociaal statement, een drama, meer dan een echt misdaadverhaal. Een terugkerend thema in mijn werk is dat ik tot uitdrukking wil brengen dat mensen continu beslissingen moeten nemen en dat die beslissingen vaak gedicteerd worden door hun milieu en achtergrond. En bovendien dat een mens kan beslissen wat hij wil, maar dat het lot altijd nog wat verrassingen in petto heeft."

Alle romans van George spelen in Engeland. Met een buitengewone accuratesse beschrijft zij de straten, de huizen en winkels, het gedrag en de kleding van de mensen. De kenmerkende sfeer van Engeland en de eigenaardigheden van de Britten worden loepzuiver getroffen. Ze schrijft zo gedetailleerd dat zelfs de meest oplettende lezer zou vermoeden dat hier een Engelse schrijfster aan het werk is. "Ik lees Britse kranten, tijdschriften en boeken en ik ga een paar keer per jaar naar Engeland om research te plegen. Dan maak ik honderden foto's, schrijf kladblokken vol met aantekeningen en praat met tientallen mensen. Ik geniet daarvan. Maar bovendien maakt het dat ik de materie die ik in mijn boeken beschrijf, ook beheers. Ik kan locaties en mensen heel gedetailleerd tot leven wekken. Die zekerheid heb ik nodig. Ik ben absoluut een controle freak. Als ik met een boek begin, schrijf ik met een minimum van vijf pagina's per dag, op het weekeinde na. Als ik ga skiën, neem ik mijn pc mee, sta 's ochtends om zes uur op, schrijf mijn verplichte vijf pagina's en ga dan pas skiën. Het grote voordeel daarvan is, dat ik helemaal in het verhaal zit, dat ik niets hoef terug te lezen om me weer in te kunnen leven. Schrijven is een mengeling van vakmanschap en kunst. Discipline hoort tot het deel van het vakmanschap. Een ander deel van dat vakmanschap is het onderdeel dat ik het allermoeilijkst vind, de plot zo helder uitzetten dat de afzonderlijke scènes door een oorzakelijk verband met elkaar verbonden zijn. De dingen moeten logisch uit elkaar voortvloeien. Het schrijven zelf, de taal en het gedetailleerd invullen van de karakters daarentegen zie ik als kunstvorm. Overigens ziet mijn dagelijks leven er lang niet zo gecontroleerd en gedetailleerd uit als mijn manier van schrijven. De discipline bewaar ik voor mijn werk. Nu weet ik dat ik gemakkelijk praten heb want ik heb een hulp in de huishouding die alle dagelijkse zorgen van mijn schouders tilt. Ze kookt, doet boodschappen, laat de honden uit, maakt schoon. Zij maakt dat ik behoorlijk veel vrije tijd overhoud."

BIG SUR

Inmiddels is Elizabeth George in 1995 gescheiden van haar eerste man en opnieuw getrouwd met Tom McCabe. Het echtpaar heeft geen kinderen, maar wel twee dashonden. Ze zijn vaak in Engeland omdat veel van de romans van Elizabeth George door de BBC worden verfilmd. Zou Elizabeth George niet in haar geliefde Engeland willen wonen? "Absoluut niet," zegt ze. "Ik heb nooit de behoefte gehad om in Engeland te gaan wonen. Voor het schrijven en bewerken van de filmscenario's zou het handig zijn, maar nodig is het niet. Voor mijn boeken is dat ook niet nodig. Ik heb een flat in Londen waar ik gedurende mijn researchperiodes woon, dat is genoeg. Ik denk dat ik de sfeer van Engeland zo goed kan treffen omdat ik een buitenstaander ben. Iemand die observeert ziet de dingen vaak helderder dan als je ergens middenin zit. Als je me vraagt naar mijn favoriete bestemming, dan is dat niet Engeland maar de Post Ranch Inn in Big Sur, Californië. Het is een unieke en romantische plaats met houten huizen en boomhutten met brede waranda's. Een prachtig uitzicht over de zee en met veel privacy. Je bent er heel dicht bij de natuur. Er zijn veel artiesten en schrijvers die daar tot rust komen. Het is wel heel Amerikaans, maar per slot van rekening ben ik Amerikaanse. Maar kijk, ik ben een schrijfster en wat ik het allerprettigst vind aan mijn beroep is dat ik thuis kan werken of op welke plek ook waar ik een tijdje wil zijn. Ik hoef gelukkig nooit de snelweg op naar mijn werk. Ideaal."

Toch gaat George niet zover dat ze schrijven de allerleukste bezigheid ter wereld zou willen noemen. "Nee," zegt ze, "Schrijven is een drang, een levensbehoefte. Maar het allerleukst is rondsnuffelen in antiekwinkeltjes, skiën en lunchen met vriendinnen. Misschien is het een manier om mijn jeugd over te doen. Ik doe nu allerlei meisjesdingen die ik mezelf tijdens mijn jeugd heb ontzegd." ∎

Juan Gómez-Jurado

"ik houd ervan om op papier mensen te doden"

Begin jaren negentig interviewde ik voor de *Haagse Post* de schrijver/tekenaar Will Eisner, die op oudere leeftijd wereldwijd doorbrak met zijn graphic novel *Contract with God*. Een prachtig, ontroerend verhaal over Frimme Hersch, een jonge joodse Rus, die van zijn straatarme familie geld krijgt om in Amerika een beter leven op te bouwen. Frimme dankt God voor het geluk dat hij heeft en schrijft op een steen een contract met God waarin hij belooft dat hij diens goedheid zal vergoeden door zelf ook goed te zijn voor de mensen. Hij komt zijn belofte na, maar als op een dag zijn geadopteerde dochtertje overlijdt, verbreekt de in razende woede ontstoken Frimme het contract met God en wordt een meedogenloze huisjesmelker. Dit verhaal van Will Eisner is de inspiratiebron geweest voor het gelijknamige boek *Contract met God* van de Spaanse auteur Juan Gómez-Jurado, die samen met Ruiz-Zafón (*Schaduw van de wind*) en Javier Sierra (*Het geheime avondmaal*) tot de vaandeldragers van de Spaanse misdaadliteratuur behoort.

SCHRIJVEN IS LIEFDE

De ster van de nog jonge Juan Gómez-Jurado (1977) is in korte tijd als een raket omhooggeschoten. Na een succesvolle carrière als journalist voor onder andere Radio España, Canal+ en ABC, won hij met zijn korte verhalen diverse literaire prijzen, waaronder recentelijk de grote Premio de Novela Ciudad Torrevieja. Maar zijn leven kreeg pas echt kleur toen zijn eerste thriller *Spion van God* een bestseller werd in meer dan veertig landen. *Contract met God* is zijn tweede bestseller. De kleine goedlachse man uit Spanje, die Engels spreekt met het volle accent van de Spaanse hotelbediende Manuel uit *Fawlty Towers*, is dan ook een gelukkig mens. Met het succes van zijn boeken heeft hij zonder enige wroeging afscheid kunnen nemen van zijn baan als marketingdirecteur van een technologisch bedrijf. "Schrijven is mijn liefde. Schrijven is mijn leven."

Juan Gómez-Jurado werd geboren in Madrid en kreeg een zeer religieuze opvoeding. Vandaar dat religie in zijn boeken een grote rol speelt. "Maar religie speelt geen rol op de conventionele manier. Ik vraag me altijd af wat je als mens moet doen om een zinvol contract met God te kunnen aangaan. Moet je echt blindelings alles voor hem doen of overhebben? Dat is de vraag die de hoofdpersoon uit het boek van Will Eisner zich ook stelt. Als je een contract hebt, moet er ook iets tegenover staan. Dan moet God ook blindelings alles voor jou overhebben en moet hij jou niet in de steek laten door bijvoorbeeld onverwacht je familie te laten sterven. Dat gebeurt in het boek van Eisner waar God het contract verbreekt door het dochtertje te laten overlijden en een dergelijke tragedie heeft zich ook in mijn familie afgespeeld. Desondanks geloof ik wel in God, maar op mijn eigen manier. Mijn contract met God is persoonlijk. Ik heb er geen tussenpersonen bij nodig, zoals een kerk of een priester of een paus. Ik houd niet van radicaal denkende mensen, dus ook niet van een religie die alles dwingend voorschrijft. Wat goed is voor de een, is niet per definitie goed voor een ander. De regels die het Vaticaan voorschrijft zijn niet de mijne. Ik begrijp wel dat je conservatief moet zijn als je bepaalde tradities wilt handhaven, maar dat neemt niet weg dat de tijd voortschrijdt en dat het Vaticaan daar meer rekening mee zou moeten houden. Je kunt toch niet anno 2009 volhouden aan een anticonceptiebeleid? Dat is bijna misdadig."

GEHEIME DIENST VATICAAN

Het Vaticaan speelde in zowel *Spion van God* als in *Contract met God* een grote rol. Een excentrieke miljonair financiert een expeditie naar de woestijn in Jordanië om op zoek te gaan naar de verdwenen Ark des Verbonds. Uiteraard een onderneming waar het Vaticaan en haar geheime dienst bovenop wil zitten. Pater Anthony Fowler, CIA-agent en agent van de Heilige Alliantie wordt gesommeerd om te infiltreren in de expeditie die de Ark boven water moet halen. Verraad, corruptie, moordaanslagen, alles komt aan bod binnen het Vaticaan. Juan: "Het Vaticaan heeft inderdaad, net als in mijn boek, een eigen geheime dienst. Klein, maar héél machtig. In 1971 toen Golda Meir de paus zou ontmoeten, was er een aanslag gepland door een stel islamitische terroristen. Het was de geheime dienst van het Vaticaan die achter de plannen was gekomen en die de Italiaanse politie inseinde wat er stond te gebeuren. Dankzij hen konden de terroristen een paar uur voor de aankomst van het vliegtuig worden gearresteerd. Het is bijna een filmscript. Ik refereer in *Contract met God* aan deze gebeurtenis omdat ik wilde laten zien dat de geheime dienst, die een vrij grote rol speelt in het boek, geen amateurclubje is om mee te spotten. In werkelijkheid lieten ze de eer voor het verijdelen van de aanslag aan de Israëlische geheime dienst, omdat het Vaticaan liever niet de aandacht wil vestigen op hun geheime dienst. Ze hebben zo'n geheime dienst beslist nodig. De paus reist de hele wereld rond en hij is niet bij iedereen geliefd. Er worden veel aanslagen op zijn leven beraamd. Hij rijdt niet voor niets rond in een kogelvrije pausmobiel."

"de geheime dienst van het vaticaan is klein maar machtig"

VADER ALS INSPIRATIEBRON

Het schrijven van boeken is Juan niet bepaald met de paplepel ingegoten. Toch heeft zijn familie onbewust wel een grote invloed gehad op de keuze die hij later heeft gemaakt. "Mijn vader was een accountant en mijn moeder kon nauwelijks lezen. Daarom is het beslist verbazingwekkend dat ik de kant van het schrijverschap ben opgegaan. Ik ben de jongste van vijf kinderen, broers. Vier broertjes zijn op jeugdige leeftijd overleden. Ze hadden een genetische afwijking. Maar toen ze nog leefden, voedden we elkaar als het ware op. Mijn vader had twee banen en was altijd druk. Hij kwam altijd laat thuis, maar ik bleef wakker tot hij er was. Ik ging niet slapen voordat hij thuis was en mij een verhaaltje had voorgelezen. En hoe moe hij ook was, hij deed het altijd. Hij ging op mijn bed zitten, knoopte zijn das los en nam er de tijd voor. Hij las altijd uit hetzelfde boek voor. En van tijd tot tijd stopte hij en dan riep ik: 'En wat gebeurt er hierna? Hoe loopt het af?' Ik kan me dat gevoel nog herinneren als de dag van gisteren. En datzelfde 'wat gebeurt er hierna'-gevoel, dat probeer ik in mijn

"ik ging pas slapen als mijn vader had voorgelezen"

boeken steeds op te roepen. Ik ben als het ware de vader die mijn lezers voorleest op een manier die hen nieuwsgierig maakt. Aan het einde van een hoofdstuk moet je niet kunnen wachten om verder te lezen. Dat heb ik dus niet op school of op de universiteit geleerd, maar gewoon thuis in bed. Overigens heb ik pas later ontdekt dat mijn vader niet voorlas, maar dat hij elke avond zelf een nieuw verhaal bedacht. Het boek waar hij uit voorlas was een boek van de filosoof Schopenhauer. Hij bedacht verhalen over ruimtewezens van Mars en woudrovers. Hij mixte oorspronkelijke verhalen van Robin Hood met de actualiteit van alledag. Toen ik jong was, wilde ik later ook net zo goed verhalen kunnen vertellen als mijn vader. Op het moment dat ik ontdekte wat mijn vader deed en hem daarop aansprak zei mijn vader: 'Oké, je bent nu oud genoeg om zelf te lezen.' En dat ging ik ook doen, met name de klassieke jongensboeken: *De graaf van Monte Cristo, Wilhelm Tell, Tom Sawyer, Ben Hur*. Het was een mooie tijd."

MENSEN LATEN LIJDEN

"Het harde werken heb ik ook van mijn vader. Toen ik naar de universiteit ging, heb ik mijn studie zelf betaald, onder andere door schoonmaakwerk. Ik heb heel wat vloeren gesopt. Nog tijdens mijn studie ben ik korte verhalen gaan schrijven. Ik heb drie novellen geschreven. Pure shit. Mijn vierde poging ging over een seriemoordenaar in Vaticaanstad. Ik voltooide het verhaal in 2005. Ik heb gehuild van blijdschap toen het af was. Maar mijn vrouw besliste anders. Ze gaf me twee pakjes: één met de ruwe versie van mijn boek *Spion van God* en in het ander een vliegticket naar Rome. Ze zei: 'Ga nu eens goed bekijken hoe het in het Vaticaan precies zit.' Wel, ik ben inderdaad naar Rome gevlogen en heb mijn boek herschreven. Een boek dat me op slag rijk en beroemd heeft gemaakt, hahaha. Ik wil nu alleen nog maar bezig zijn met schrijven en met mijn familie. De rest… I don't fucking care. Het is een riante positie om te kunnen beslissen wat je de rest van je leven het liefst wilt doen."

Contract met God verenigt alle ingrediënten van een avonturenroman en een actieroman: er zijn wilde achtervolgingen, complotten, mensen met een nazi-verleden, ontberingen in de woestijn, een verborgen schat, achtervolgingen en moorden. Het gehalte *Raiders of the Lost Ark* is hoog. "Wat het genre betreft wil ik me het liefst nergens op vastpinnen. *Contract met God* is zowel een avonturenthriller als een actiethriller. Ik heb een aantal mensen bij elkaar gebracht die samen op pad gaan. Omdat er binnen de groep zoveel verschillende karakters zijn en zoveel verschillende belangen is het conflict al vanaf het begin ingebakken. Er worden natuurlijk ook heel wat mensen vermoord. Ik houd ervan om op papier mensen te laten doden. Ik vind het heerlijk om ze te laten lijden, te laten huilen, ze te laten martelen en verkrachten. Dat is behoorlijk leuk voor een schrijver. Maar het is erg moeilijk om de juiste omstandigheden te bedenken waarop dat op een geloofwaardige manier kan gebeuren. Natuurlijk is het altijd goed voor een roman als je een karakter neemt met een nazi-verleden. Zo voer ik in *Contract met God* een voormalige nazi-dokter ten tonele, die de meest afschuwelijke dingen doet met kinderen. Het is gemodelleerd naar een Oostenrijkse nazi-dokter die werkelijk bestaan heeft, een monster dat in werkelijkheid nog veel gruwelijker dingen uithaalde dan ik beschrijf. Zijn naam was

"ik houd ervan op papier mensen te laten doden"

Heinrich Gross die honderden kinderen vermoordde toen hij experimenteerde met hun hersenen. Hij stierf in 2005. Er is hem door de pers wel eens gevraagd wat hij precies met die kinderen deed en de man had het lef om te zeggen dat hij het niet meer wist en hij kwam er nog mee weg ook. Ongelooflijk."

VERLOREN ARK

De hoofdpersoon Anthony Fowler studeerde magna cum laude af in psychologie toen hij twintig was. In het leger werd hij piloot van een bijzondere eenheid. Hij vocht aan het front en werd diverse malen onderscheiden. Na de oorlog ging Fowler naar het seminarie. Hij werd tot priester gewijd, werd aalmoezenier en gerekruteerd door de CIA. Hij spreekt elf talen vloeiend en kan zich redden in nog vijftien andere. Kortom, een opmerkelijk personage.

Juan: "Natuurlijk is het een personage dat in het echte leven niet bestaat. Maar ook weer niet zo ongeloofwaardig als je zou denken. Ik was een keer ter promotie van mijn eerste boek in Denemarken, waar ik een medewerker van mijn Deense uitgever sprak. Hij vertelde dat zijn vader een vrijwel identieke levensloop had als mijn hoofdpersoon. Piloot, scherpschutter, talenwonder, vechter etc. En, om de overeenkomst nog frappanter te maken, de man was nu priester. Dus Anthony Fowler bestaat echt."

Over de magische verdwenen Ark des Verbonds zijn inmiddels tal van boeken geschreven. Juan wist het, maar een bezoek aan Amerika maakte de belangstelling voor dit onderwerp opnieuw bij hem wakker: "Ik was in Amerika voor de research van mijn eerste boek. Ik sprak daar met een aantal mensen die profielschetsen maken van misdadigers. Als schrijver was ik benieuwd naar de mening van die professionals over één van mijn karakters. Het was behoorlijk leerzaam om die profilers over een niet-bestaand personage te horen praten. Toen we over de film *Raiders of the Lost Ark* kwamen te praten, bleek dat er in Amerika wel degelijk rekening wordt gehouden met het feit dat de Ark werkelijk bestaat. In hoeverre ze door de film beïnvloed zijn weet ik natuurlijk niet. Maar er liggen in ieder geval dikke draaiboeken klaar voor het geval de Ark ooit gevonden wordt. Logisch, want die vondst zou de hele wereld op zijn kop zetten. Men denkt zelfs dat een nieuwe wereldoorlog het gevolg zou kunnen zijn. Wat mij betreft kan de Ark dus beter niet bestaan en louter als fictioneel gegeven gebruikt worden voor spannende avonturenromans. Dat gesprek en mijn grote liefde voor het boek *Contract with God* van wijlen Will Eisner, de grootste grafische verteller die er ooit bestaan heeft, zijn de aanleiding geweest voor mijn boek."

SCHRIJFPROCES

Het schrijfproces op zich is voor Juan Gómez-Jurado niet het allermoeilijkst. De meeste tijd gaat zitten in de research en een groot storyboard op de muur, waarop hij minutieus de tijdlijnen en de acties aangeeft en waarop hij aangeeft welke personen op welke momenten iets doen of moeten doen. "Bij elkaar ben ik daar tien maanden mee bezig. En ik lig in die periode vrijwel elke dag op mijn rug op de vloer en bestudeer mijn storyboard om te kijken of alles wel klopt. Dat is een fucking moeilijke periode. Soms heb ik prachtige dingen bedacht. Die staan op mijn storyboard mijlenver uit elkaar en dan denk ik how the fuck komen die acties bij elkaar. Ik ben meer tijd kwijt met nadenken dan met schrijven. Ik heb in wezen weinig nodig. Ik heb een enorme hekel aan lange beschrijvingen. Die remmen het verhaal alleen maar. Soms ben ik dus weken aan het researchen voor slechts één of twee regels sfeerbeschrijving. Het is absurd. Maar dat is de tragiek van mijn manier van schrijven. Ik heb wel een methode gevonden om meer achtergrond kwijt te kunnen, door bepaalde informatie in de dialoogvorm weer te geven. Dat maakt het allemaal wat levendiger. Maar ik heb er een behoorlijke tijd over gedaan om te leren niet alle informatie op te willen schrijven die je in huis hebt. Het gaat er niet om dat een boek al je kennis weerspiegelt, maar dat het een boeiend stuk entertainment is voor lezers. Ik streef naar entertainment. In Span-

"ik lig elke dag op de vloer om mijn storyboard te bestuderen"

je zeggen ze: je leert van elke spijker die je in hout slaat. En zo is het. Ik heb succes, maar ik zit in een leerproces. Ik leer van elke zin die ik schrijf. En hopelijk de lezer ook. Wat *Contract met God* betreft, de titel is de boodschap. Zoals gezegd, wat moet je als mens doen om je aan dat contract met God te houden? Daar hoort in ieder geval niet bij dat je met een vliegtuig de Twin Towers binnenvliegt." ∎

Marion Pauw

"ik ben echt geen **heilige maagd maria,** maar ik vind hardcore porno zoiets verschrikkelijks"

Eerst was er het veelbelovende debuut *Villa Serena* (2005). Toen kwam het redelijk geslaagde *Drift* (2006). Na deze vingeroefeningen volgden de topthrillers *Daglicht* (2008) en *Zondaarskind* (2009), waarin diep emotionele zaken worden aangeroerd. Het is snel gegaan met Marion Pauw die zich in drie jaar tijd naar de hoogste regionen van de kwaliteitsthriller schreef. Een gedreven en leergierige auteur die het niet schuwt zichzelf emotioneel bloot te geven in haar boeken. We ontmoeten elkaar op een warme nazomermiddag op het terras van een trendy coffeeshop in Amsterdam-Zuid. Zon, stof, trage wandelaars en heetgebakerde automobilisten vormen het onbestendige decor voor een gesprek dat zal gaan over moederschap, autisme, leergierigheid, emotionele onmacht en hardcore porno. Marion Pauw, lange blonde haren, grote zonnebril, sportief gekleed in T-shirt, jeans en All Stars, is een prettige verteister met een aanstekelijke lach. Een mooie jonge vrouw, liefhebbende moeder en een onbetwiste vakvrouw die humor paart aan uitgesproken meningen.

EMOTIES EN DAGLICHT

In Marions prijswinnende boek *Daglicht* (winnaar Gouden Strop) maken we kennis met de jonge succesvolle advocate Iris die wanhopig probeert haar carrière te combineren met de zorg voor haar aandacht vragende zoontje Aron. Haar leven krijgt een andere wending als zij kennismaakt met Ray, een autistische man die in een tbs-kliniek verblijft vanwege de moord op zijn buurvrouw Rosita en haar dochtertje Anne. Vanwege het feit dat zowel Ray als het driejarige zoontje Aron autistisch zijn en Marion Pauw een zoontje heeft dat de ziekte van Asperger heeft, lijkt *Daglicht* haar meest persoonlijke boek. Een conclusie die volgens Marion Pauw enige toelichting behoeft. "De vorige twee boeken waren ook persoonlijk, hoor. *Drift* bijvoorbeeld gaat over eenzaamheid en over vervreemding. Geen aansluiting kunnen vinden bij mensen om je heen. Dat is ook een heel persoonlijk thema. Eenzaamheid zit ook in *Daglicht*, maar meer nog in het niet vinden van aansluiting. Machteloosheid, dat is het ook. Ik denk dat boeken sowieso persoonlijk moeten zijn. Je moet schrijven over dingen die jou als schrijver raken. Dat is het meest geloofwaardig. Als je emotie wil overbrengen moet je schrijven over emoties die dicht bij jezelf liggen. Ik vind het niet moeilijk om me in dat opzicht te laten gaan. Ik hoef er geen research voor te doen. Hoe voelt het als je voor de zoveelste keer machteloos bent omdat je kind uit zijn dak gaat op de crèche? Ik heb er ook geen moeite mee dat andere mensen lezen hoe ik me voel. Ik ben er wel heel kritisch op geweest dat ik de grens van sentimentaliteit niet overschrijdt. Ik wilde ook niet dat mijn hoofdpersoon, een alleenstaande moeder met een moeilijk kind, zo'n zeurpiet zou worden. Maar ik heb in eerste instantie wel dingen geschreven dat ik zelf dacht: gadver…! Die moeder heeft het af en toe zwaar met haar carrière en met haar kind. Maar ik heb er wel voor gewaakt dat het niet zo mutserig zou worden. Daar heb ik een hekel aan."

MOEDERSCHAP

Marion Pauw beschrijft heel gevoelig de tweespalt van een moeder die haar buiten zinnen geraakte kind niet kan kalmeren, haar onmacht, boosheid, behoefte om hem door elkaar te rammelen. Maar als hij dan stil, opgerold in zijn kamertje ligt, bloedt het moederhart, gaat ze achter hem liggen en denkt: ach mannetje. Het zijn realistische beschrijvingen. Het zoontje van Marion heeft een vorm van autisme, Asperger, en kan dus heel druk zijn. "Ja, het is uit het leven gegrepen. Als je kind bij vlagen heel erg moeilijk doet, dan zijn er momenten dat je hem bij wijze van spreken uit het raam zou willen gooien. Maar het moment daarna kun je weer zo intens van hem houden.

"het is niet simpel, het moedergevoel"

Binnen een uur heb je gevoelsmatig die hele cirkel doorlopen en dat is zo heftig. En daar wilde ik wel iets mee doen. Ja. Het is eigenlijk een soort Stockholm-syndroom. Het is bijna een soort verslaving. Als mijn kinderen tien dagen bij hun vader zijn, vind ik het vreselijk dat ze weg zijn. Ik vind het allemaal erg ingewikkeld. Het is niet simpel hoor, die moedergevoelens, hahaha. Mijn dochter begint nu echt een tiener te worden. Dus over die periode heb ik van alles gelezen om te zien hoe dat in die leeftijd werkt. *Queen bees and wannabe's* van Rosalind Wiseman bijvoorbeeld. Welke positie je als moeder hebt en hoe je er met je dochter over moet praten. Je ziet, ik neem het heel serieus." Marion Pauw lacht opnieuw haar aanstekelijke lach. "En dan de jongetjes om mijn dochter heen. Dat begint nu al, en ze is pas elf. Dan loopt ze over dat vakantieterrein en dan zie je al die jongetjes naar haar kijken met gedraaide nek. Marion trekt het gezicht van de zorgzame moeder die zij ook in werkelijkheid is en roept: "Trek iets aaaaan. Hahaha. Het is een type, hoor."

AUTISME

Door haar confrontatie met autisme is Marion Pauw zich in het verschijnsel gaan verdiepen. "Ja, ik heb er veel met allerlei artsen en met therapeuten over gesproken en ik heb er ook veel over gelezen. Dat heb ik niet zozeer voor dit boek gedaan, maar om mezelf te bekwamen in manieren waarop ik met mijn zoontje kan omgaan. Ik heb natuurlijk nooit een opleiding in die richting gehad, maar ik moest hem wel in goede banen leiden. Dan kan ik er maar beter zo veel mogelijk vanaf weten. Er is natuurlijk niet één vorm van autisme. Je hebt een heel spectrum. Om het hardcore autisme zit een hele rand van andere vormen: ADHD, Asperger, etc. Je hebt allerlei soorten. De mate waarin je het hebt, wordt vastgesteld aan de hand van een checklijstje. Daarmee wordt vastgesteld in welk hokje jouw kind valt. Voor mijn romanpersonage Ray heb ik ook een lijstje opgesteld. Ik vertel de lezer welke dingen hij allemaal wel kan en welke dingen niet. Zo is hij niet in staat om andermans emoties in te schatten. Hij kan ook niet met zijn eigen emoties omgaan, hij heeft een monotone interesse en hij kan ook niet in metaforen praten. Hij kan wel zeggen: 'Ik ben boos,' want hij is niet volkomen geschift, maar veel verder dan dat komt hij niet. Hij heeft wel de basics geleerd, maar of iemand blij is of verdrietig kan hij niet zien, dat moet hij vragen. De verfijningen, de nuances, kan hij niet. Wel is het zo dat de meeste autisten monotone interesses hebben. Zo is Ray op een

"de meeste autisten hebben monotone interesses"

obsessieve manier bezig met de tropische vissen in zijn zoutwateraquarium. En op een gegeven moment is hij op obsessieve wijze bezig met zijn huurvrouw Rosita. Het is een soort extreme rechtlijnigheid."

HET BEGIN

Dat Marion Pauw ooit schrijfster zou worden, lag lange tijd niet in de lijn van de verwachtingen, ook al hield ze van verhalen. Ze bracht haar eerste zes levensjaren door op het eiland Tasmanië. Een afgelegen plek op aarde die weinig kunstenaars heeft voortgebracht. "Ik ben in Tasmanië geboren doordat mijn vader daar werkte als chemisch analist bij een bierbrouwerij. De gemeenschap is er klein. Ik ben er drie jaar geleden teruggeweest en het viel me toen op hoe beklemmend de samenleving daar is. Het is een hele christelijke maatschappij. Aan de ene kant heel vriendelijk en behulpzaam. Maar aan de andere kant veel sociale controle en heftige normen en waarden. Als je jong bent, ben je er niet zo van bewust, maar je pikt het natuurlijk wel op. Dus ik denk wel dat als ik daar was blijven wonen, ik op mijn achttiende gillend was weggelopen. Dat neemt niet weg dat Tasmanië een prachtig eiland is. Ik heb later ook nog op Curaçao en Aruba gewoond. Dat zijn ook relatief kleine eilanden met veel sociale controle. Het is natuurlijk niet alleen negatief. Het heeft als voordeel dat je je snel thuis voelt."

De volgende stap in Marions leven was terug naar Nederland, een studie communicatie en vervolgens een baan als receptioniste bij een reclamebureau. "Zij huurden veel freelancetekstschrijvers in en toen ik zag wat zij schreven dacht ik, ja wacht even, die teksten kan ik ook schrijven. Daar hoef je niemand voor in te huren. Zo ben ik copywriter geworden. Ik was op dat bureau natuurlijk wel een van de mindere goden, maar ik heb een blauwe maandag wel bij zo'n top 10 bureau gezeten en dat vond ik echt vreselijk. Dat was zo'n slangennest, dat was zo politiek. Ik kon daar niet functioneren. Ik was en ben daar veel te direct voor." Het is een directheid die zou duiden op een extrovert karakter. "Ik ben eigenlijk zowel introvert als extrovert. Het ligt

"ik ben zowel introvert als extrovert"

eraan wie er tegenover me zit, en het ligt ook aan de situatie. Zo kan ik maandenlang zitten schrijven en dan heb ik helemaal geen zin om met andere mensen uitgebreid te praten. In dat soort periodes ben ik heel erg introvert. Dan wil ik met rust gelaten worden. Dan wil ik die concentratie gewoon niet loslaten. Dan heb ik geen zin in dingen die voor mij op dat moment niet relevant zijn. Maar als ik klaar ben, kan ik in gezelschap of op een feestje heel extrovert zijn, hoor."

STRUCTUUR

Wat structuur betreft is *Daglicht* het eerste boek dat staat als een huis. Er is op alle fronten over nagedacht. "Nou ja, ik had die twee hoofdpersonen Ray, die in een tbs-kliniek zit, en de advocate Iris die nader wil onderzoeken of Ray wel schuldig is aan de moord op zijn buurvrouw. En ik wist van tevoren ook in welke relatie Ray en Iris tot elkaar stonden. En dat was eigenlijk het enige wat ik had bedacht. Dus twee personen en twee verhaallijnen. Ik schrijf de hoofdstukken van mijn boek altijd omstebeurt. Eén hoofdstuk vanuit het gezichtspunt van Ray en daarna weer een hoofdstuk vanuit Iris. Maar ja, er zijn wel eens momenten dat het niet zo goed lukt met het ene hoofdstuk, of dat ik er geen zin meer in heb, en dan ga ik gewoon verder met het andere hoofdstuk.

"mishandeling in pornofilms is nauwelijks te bewijzen"

Ik had tijdens het schrijven wel eens het gevoel dat ik niet meer wist wat ik met Ray aan moest, maar dan had ik altijd Iris nog. Het is bij een dergelijke opzet wel handig dat je de mogelijkheid hebt om je op een ander te focussen als je daar behoefte aan hebt. Overigens zitten in een ruwe versie niet allemaal rationele elementen. Tijdens het schrijven gebeuren er dingen. Het is echt bijna een magisch proces en pas bij het herschrijven ga je kijken wat er allemaal gebeurd is, waar je op moet letten, wat mist en wat overbodig is. Wat moet ik versterken, wat moet ik afzwakken?"

HARDCORE PORNO

In *Daglicht* voelt de autistische hoofdpersoon Ray zich verongelijkt omdat zijn buurvrouw Rosita regelmatig seks heeft met een getrouwde man die haar, naar de mening van Ray, niet het respect geeft dat ze verdient. Ook is Ray van mening dat Rosita's minnaar niet zo goed voor haar zorgt als hijzelf. Ray koopt immers spullen voor haar huis en geeft haar kleren. Op een gegeven moment maakt hij op zijn eigen onbeholpen wijze kenbaar dat hem dat dwarszit. Rosita die op dat moment verdrietig is en boos op haar minnaar, vraagt ruw aan Ray of hij dan ook seks wil, of hij net zo is als andere mannen. Ze neemt hem mee naar boven en laat Ray allerlei seksuele handelingen verrichten. Het is een beladen en uiterst ongemakkelijke scène waarin echte hartstocht volledig ontbreekt.

"Hij werd bijna verkracht zou je kunnen zeggen, ook al was dat technisch natuurlijk onmogelijk. Maar psychologisch gezien werd hij op dat moment tot een object gemaakt, ja. Ik vond die intense scène overigens best moeilijk om te schrijven. Rosita is eigenlijk mijn favoriete personage. Enerzijds is het een geraffineerd kreng dat haar buurman Ray helemaal uitkleedt, maar aan de andere kant is zij wel iemand die de geïsoleerde Ray aandacht geeft. Ze luistert naar hem en ze geeft hem het gevoel dat hij iets waard is. In het begin is het gewoon uit aardigheid. Ze kent Ray niet, maar toch zwaait ze naar hem en nodigt hem uit op de koffie. Pas langzamerhand begint ze gebruik van hem te maken. Die situatie ontwikkelt zich. Zo zou het in het dagelijks leven ook kunnen gaan."

Een ander personage dat in de zijlijn een belangrijke rol speelt om het karakter van advocate Iris te verduidelijken is Peter van Benschop, een belangrijke klant en tevens afgeschilderd als een verwerpelijk iemand. Benschop, een pornoproducent die verdacht wordt van kinderprostitutie en die de allersmerigste pornofilms maakt en distribueert. Niet bepaald een voor de hand liggend personage in een stijlvol boek als *Daglicht*. "Laat ik eerst zeggen dat ik hardcore porno wel zoiets verschrikkelijks vind. Ik had een documentaire gezien van een beetje naïef Engels wijf dat naar Amerika ging en daar ging meespelen in pornofilms van Hardcore Max, een verschrikkelijke man. Ik werd gewoon fysiek onwel toen ik die documentaire zag, die was echt zo naar, dus ik dacht: daar wil ik iets mee doen. Maar tegelijkertijd wilde ik ook niet belerend zijn. Dus ik heb daar een soort tussenweg in moeten bewandelen. Ik ben echt geen heilige maagd Maria, maar ik vond dit verschrikkelijk, het maakte me zo boos. Ik krijg pijn in mijn maag als ik eraan terugdenk. Vanwege haar baan als advocate moet Iris de zaak van de man wel behandelen. Ze is professioneel. Maar ze voelt voornamelijk weerzin tegen de man en toch moet ze hem zo goed mogelijk verdedigen. Een dilemma waar wel meer advocaten mee te maken krijgen. Maar het grappige is dat ik heel veel research heb moeten doen wat betreft de juridische aspecten van seks met minderjarigen en het al dan niet onder dwang optreden in pornofilms. Ik heb juristen geraadpleegd, maar niemand was eenduidig en had een sluitend antwoord op de vraag of je zo'n man kon aanklagen die met een meisje in een film optrad dat hem papieren had laten zien waarop stond dat ze achttien was en dat tijdens haar acteerprestatie werd vernederd en seksueel op zodanige manier werd bejegend dat ze bijna knock-out ging. De vraag was of je mishandeling kon bewijzen. Dat was erg moeilijk, mede doordat zij schijnbaar uit eigen vrije wil bij de producent was gekomen. Maar door deze walgelijke producent op te voeren met zijn minderwaardige moraal, kon ik mooi de gemoedsgesteldheid en de opvattingen van Iris laten zien, die tegen haar geweten in professioneel met de man moest omgaan."

THEMATIEK

In *Daglicht* spelen meerdere thema's en motieven een rol. "Daglicht gaat over moederliefde, maar ook over het feit dat iedereen op zoek is om een soort veiligheid voor zichzelf te creëren, hetzij in de liefde hetzij financieel. Iedereen zoekt veiligheid en geborgenheid. Niemand heeft dat in het boek. Het gaat erg over autisme en de machteloosheid van Ray en over de machteloosheid van Iris in haar pogingen om

"iedereen zoekt veiligheid en geborgenheid"

zowel een goede advocate als een goede moeder te zijn." In *Zondaarskind* komen eenzaamheid, ouderdom, pijn en klassenverschillen aan bod, hetgeen net als in *Daglicht* leidt tot eenzaamheid en een grote behoefte aan veiligheid en geborgenheid. In beide boeken is Marion Pauw betrokken bij mensen en omstandigheden die de psyche van de mensen zwaar belasten. Toch mag niemand denken dat Pauw zelf een deel van haar leven beschrijft: "Ik schrijf over de emoties die ik ken of die ik kan voelen als ik me in iemand verplaats, maar ik verwerk in *Zondaarskind* verder geen autobiografische elementen. Het zijn de gevoelens die ik ken."

MUZIEK

Sommige schrijvers zweren bij achtergrondmuziek tijdens het schrijven. Michael Conelly zweert bij cool jazz, Donna Leon bij operamuziek. Bij Marion ligt dat anders. "Nee, ik kan daar helemaal niet tegen. Ik moet doodse stilte om me heen hebben. Alles leidt me af tijdens het schrijven, ik wil rust en stilte. Ik heb helaas niet zo'n groot huis dat ik een eigen werkkamer heb, maar het liefst zou ik een lichte werkkamer willen hebben met alleen een bureau en een computer en verder rust en stilte. Een soort cel waarin ik kan schrijven. Heerlijk." ■

Nicci French

"we willen zelf opgewonden raken van wat we schrijven"

Het Britse schrijversduo Nicci French, bestaande uit Nicci Gerrard en Sean French, wordt wel de grondlegger van de moderne 'literaire thriller' genoemd. In verzorgd taalgebruik schrijven zij boeiende verhalen over zelfstandige jonge vrouwen in nood en andere diep doorleefde karakters, verpakt in sfeervolle boekomslagen vol ijskoude stenen engelen. Het succes van Nicci French is enorm. Van de thrillers die bij uitgeverij Anthos verschenen, zijn alleen in Nederland al meer dan vijf miljoen exemplaren verkocht. We treffen het beroemde duo in het historische centrum van Utrecht, in het prestigieuze Grand Hotel Karel V. In dit monumentale gebouw verbleef Karel V in 1546, samen met zijn zuster Maria van Hongarije, voor het bijwonen van de Kapittelvergadering van de Orde van het Gulden Vlies. Eeuwen later zitten wij, eenvoudige stervelingen, te midden van het indrukwekkende, alom aanwezige verleden in een fraai aangelegde tuin waar mensen hun zintuigen kunnen scherpen aan de stilte. Maar stil zal het niet zijn. Sean en Nicci blijken enthousiaste vertellers. Aardig, voorkomend, vriendelijk, elkaar steeds aanvullend. Een bron van beschaafde conversatie. Hij lang, brildragend en schoolmeesterachtig stellig. Zij, klein en smal, maar duidelijk aanwezig, de stille kracht.

SCHRIJVEN TIJDENS ETEN EN IN BED

Ruim tien jaar lang elk jaar een nieuw boek, een miljoenenverkoop, vrijheid van handelen, een fraaie balans van een even fraai schrijverschap. Sean: "We zijn al meer dan een decennium bezig. Ons eerste boek, *Het geheugenspel*, hebben we in 1995 geschreven. Maar als we zouden moeten verwoorden wat al die jaren Nicci French betekent, dan kunnen we zeggen dat het een deel van ons leven is geworden, in alle facetten. Het is de manier waarop we discussiëren. Aan tafel praten we over schrijven, als we wandelen praten we over onderwerpen die geschikt zijn om over te schrijven. Voor het naar bed gaan praten we over schrijven. Als we wakker worden praten we over schrijven. Tijdens het sporten praten we over schrijven. Met onze tijdindeling houden we volledig rekening met het schrijven. Het laat ons geen seconde los. En omdat we getrouwd zijn, zien we elkaar dag en nacht en hebben het dus ook dag en nacht over het werk."

Nicci: "We maken dezelfde dingen mee, zien dezelfde dingen en dus is de manier waarop we naar de wereld kijken ook naar iets gezamenlijks toegegroeid. Schrijven is een essentieel deel van ons leven. Als we zouden moeten omschrijven wat het afgelopen decennium ons gebracht heeft, dan is het die gezamenlijkheid. Even afgezien van de financiële voordelen, ons mooie huis op het platteland en de vrijheid die we daardoor verworven hebben."

Sean: "In 1995 was het voor ons beiden gewoon een experiment. Nicci had al boeken geschreven en ik was journalist, maar ik wilde dolgraag boeken schrijven.

Nicci stelde voor om het samen te proberen. We hadden geen idee of het ons ook zou lukken, want in principe hebben we tegengestelde karakters. En wat doe je als je na een halfjaar schrijven enorme ruzie krijgt over de voortgang van het verhaal? Moet je het dan weggooien? Alle moeite voor niets?" Nicci: "Het experiment was in ieder geval geen onderdeel van een carrièreplanning. We waren erg arm in die periode en het schrijven bood op dat moment geen enkele zekerheid dat we er geld mee zouden kunnen verdienen. Maar toch hebben we het gedaan omdat het ons op dat moment het meest bevredigende werk leek. Het liep gewoon zo en het ontwikkelde zich gelukkig op een goede manier."

Sean: "Het leuke van zo lang samen schrijven is dat je als het ware een stem krijgt. Sean en Nicci zijn eigenlijk één persoon. Er is absoluut geen vinger achter te leggen welke gedeeltes Sean en welke gedeeltes Nicci heeft geschreven. Zij schrijft wel anders in haar eigen soloboeken. Dat is heel grappig. Als Nicci French heeft zij een andere stem dan als Nicci Gerrard."

NIEUWE IDEEËN

Het moeilijke aan schrijven van boeken is het steeds opnieuw vinden van een onderwerp dat geschikt is voor een boek. Nicci: "Soms is het eenvoudig. Sean en ik hebben samen vier kinderen. In de tuin van ons huis hebben we een zwembad. Als ouders ben je dan altijd doodongerust dat er vervelende dingen gebeuren, dat een van de kinderen verdrinkt. Ik heb daar nachtmerries over gehad. Die angst dat je je kind verliest is de basis geweest voor ons boek *Verloren*. In principe beginnen we elk boek vanuit onze emotie, met de vraag: 'Hoe zou het voelen om...?' Dus, hoe zou het

"we beginnen elk nieuw boek vanuit onze emotie"

voelen om je kind te verliezen, of hoe zou het voelen om obsessief verliefd te zijn (*Bezeten van mij*) of hoe zou een vrouw zich voelen als ze door een onbekende man werd vastgehouden in het donker (*De bewoonde wereld*). Verder schrijven we niet met een vooropgezet verhaal in ons hoofd. We hebben gewoon een idee. Dan beginnen we te schrijven en becommentariëren elkaars hoofdstukken. Vanuit dat commentaar groeit de verhaallijn en komen er intriges bij. Het fascinerende is dat in vrijwel alle gevallen het verhaal een heel andere kant opgaat dan we in gedachten hadden. Zodra je gaat schrijven en je je concentreert, ga je meer over de dingen nadenken, verdiepen je gedachten zich. Zo krijgt in een van onze boeken een vrouwelijke fietskoerier een akelig verkeersongeluk. Daarna geven we haar steeds meer geheimen. Als er een aantal doden vallen in haar omgeving, begint iedereen zich af te vragen of zij soms iets met die moorden te maken heeft. Zelfs haar vrienden koesteren wantrouwen. Dat soort dingen hebben we niet van tevoren bedacht. Die komen tijdens het schrijven."

INTENSITEIT

Schrijven is een eenzaam beroep, waarbij tijdens het schrijven van emotionele gebeurtenissen de schrijver vaak zelf de emoties beleeft die hij/zij beschrijft. Nicci: "Het hangt een beetje af van het verhaal dat we schrijven, maar er zijn verhalen bij waarin we ons zo diep hebben ingeleefd dat het angstaanjagend is. Je maakt de dingen dan aan den lijve mee. Je kunt fysiek onwel worden of verdriet hebben of medelijden krijgen of boos worden. Maar schrijven is ook een soort therapie. We schrijven over universele angsten en door over die gevoelens te schrijven, leer je meteen ze te beheersen. Bovendien is schrijven een proces van schaven, slijpen en herschrijven. En op het moment dat je gaat herschrijven beleef je de emoties niet opnieuw, maar kijk je vakmatig naar de taal en het verhaal. Dan ben je plotseling een buitenstaander die vanaf een afstand probeert een zo mooi en geloofwaardig mogelijk verhaal te maken."

Sean: "Gevoelens en werk moet je op een bepaald moment proberen te scheiden. De filmkomiek Peter Sellers probeerde altijd de technici aan het lachen te maken. Dat lukte hem ook. Dat was ideaal voor de sfeer. Maar als de stemming eenmaal gezet was, eiste hij discipline, ernst en volledige toewijding.

"soms leven we ons zo diep in dat het angstaanjagend is"

Zo is het met schrijven ook. Als je begint met een nieuw verhaal mogen alle emoties ongeremd naar buiten komen, maar daarna moet het vakmanschap het overnemen. Dan probeer je alles te neutraliseren. In het begin van een boek proberen we het verhaal altijd vanuit een emotioneel standpunt, vanuit verwarring of conflict te beschrijven. De lezer moet geboeid worden. Het drama moet duidelijk zijn. Daarna kunnen we wat gas terugnemen om in een later stadium weer volop op de zaken terug te komen en opnieuw emoties en verwarring toe te voegen. Het is een doorlopend proces waarbij we constant nieuwe impulsen inbrengen. Een van de belangrijke dingen van het leven is dat de mens in staat is enorme gevoelens te hebben en daar spelen we mee."

EXPERIMENT

In vrijwel alle interviews verklaart Nicci French elk boek te zien als een nieuwe uitdaging. Sean: "We hebben ons al in een vroeg stadium van ons schrijverschap voorgenomen om niet in clichés te vervallen. We zien het als een uitdaging om onszelf in elk boek te vernieuwen. Soms experimenteren we met de structuur, soms met de personages. In *Tot het voorbij is* hebben we besloten hetzelfde verhaal twee keer te vertellen. Een keer door de ogen van een vrouwelijke hoofdpersoon en een keer door de ogen van een man. We hadden dat nog nooit eerder gedaan en het was echt een experiment omdat een herhaling van het verhaal al snel vervelend zou kunnen worden, ook al is het vanuit een heel ander perspectief bekeken.

Vrijwel iedereen beschrijft de gebeurtenissen die hij meemaakt op een andere manier. Dat heeft met veel dingen te maken: opleiding, karakter, milieu, beroep, ervaringswereld. Een politieagent kan een dodelijk ongeluk zakelijk beschrijven. Een oude oma zal hetzelfde ongeluk heel wat geëmotioneerder beschrijven. Maar goed, het was toch een experiment om hetzelfde verhaal nogmaals te vertellen. Onze oudste zoon van twintig verklaarde ons voor gek toen we het hem vertelden. Maar we wilden het per se proberen."

Hoewel Nicci French onvoorspelbaarheid nastreeft en een hekel heeft aan formules is het slot vrijwel altijd hetzelfde: de misdaad wordt bestraft. Nicci: "Een roman is elastisch, je kunt er alle kanten mee op, maar op één punt is er wel degelijk een soort ongeschreven contract met de lezer. Het boek moet goed aflopen. Het kwaad moet bestraft, waardoor het einde bevredigend wordt. Uiteraard staat dat haaks op de werkelijkheid. Niet elke misdaad wordt opgelost en veel kwaad blijft onbestraft. Maar wij houden ons aan die ongeschreven afspraak.

Een enkele keer hebben we wel een open einde, maar verder doen we niet zoveel concessies. In een ouderwetse whodunit staat alles vast. Je hebt een gesloten gemeenschap en veel mensen die verdacht lijken omdat ze een motief hebben. Maar er is maar één dader. Bij ons ligt dat meestal anders. Een misdaad is in de meeste gevallen geen vooropgezette daad van een misdadiger. Er kan iets doodsimpels gebeuren, waardoor bij meerdere mensen iets losgemaakt wordt. Het resultaat is dan afhankelijk van een complex geheel van toeval, emoties, improvisatie en beweegredenen die onvoorspelbaar zijn. Daarom is het ook niet moeilijk om steeds andere verhalen te bedenken."

"een thriller heeft een ongeschreven contract met de lezer"

GRAHAM GREENE

Door de buitenwereld worden de boeken van Nicci French beschouwd als de grondleggers van het nieuwe genre binnen de misdaadliteratuur: de literaire thriller. Zelf hebben ze niet zoveel met dat etiket. Sean: "We komen uit een typisch Engelse traditie met grote voorbeelden als Agatha Christie en Dorothy Sayers. Je kunt zeggen dat ze verhalen schreven. Je kunt ook zeggen dat ze een kruiswoordpuzzel bedachten. Maar wat ze ook schreven, het was wel boeiend en wij hebben ze, net als miljoenen anderen, verslonden. Aan de andere kant kent de Engelse misdaadliteratuur een grootheid als Graham Greene. Hij bouwde een brug tussen de literaire roman en de misdaadroman. Hij was echt de eerste. Hij schreef prachtige boeken die zowel spannend als onderhoudend entertainment boden. Dus als de literaire thriller een vader zou hebben, iemand die ermee begonnen is, dan zou hij het moeten zijn en niet wij. Maar verder zeggen etiketten ons niet zoveel. Toen we ons eerste boek schreven wilden we ons niet houden aan conventies, dat is waar. We wilden onze karakters uitdiepen. Dat wordt als vernieuwend gezien. Maar Graham Greene deed het ook al, lang voordat wij begonnen met schrijven."

Nicci: "We wilden dingen uitvinden. Een reis maken door het hoofd van de karakters. Als er een etiket op onze boeken moet, dan zou het moeten zijn: psychologische thrillers."

VROUWEN

In de boeken van Nicci French is de hoofdrol altijd weggelegd voor moderne jonge vrouwen die ogenschijnlijk hun zaken op orde hebben, tot er door een wreed voorval een einde komt aan hun veilige bestaan vol zekerheden. Het lijkt moeilijk voor het mannelijke deel van het schrijversduo om zich steeds in te moeten leven in de gedachten van een vrouw. Sean French: "Ik ben weliswaar in een mannenhuishouding opgegroeid, maar tegenwoordig word ik omringd door vrouwen. Mijn drie dochters en Nicci vormen in ons huishouden de absolute meerderheid. En omdat we overdag en ook 's avonds altijd samen eten en tijd uittrekken om met elkaar te praten, is het vrouwelijke gedachtegoed me niet vreemd."

Nicci: "Het is gewoon zo dat vrouwen emotioneel anders in elkaar zitten dan mannen. Maar Sean is zo gewend aan de manier waarop vrouwen denken en handelen, dat hij moeiteloos kan bedenken hoe we onder bepaalde omstandigheden zouden reageren. Het is overigens wel zo dat we de veranderingen van de traditionele man-vrouwverhoudingen uit de maatschappij ook laten doorklinken in onze boeken. Vrouwen hebben gelijke rechten gekregen, ze krijgen ook steeds belangrijker functies. In Londen heb je momenteel meer vrouwelijke dan mannelijke artsen. De wereld van de televisie wordt gedomineerd door vrouwen. Er komen steeds meer vrouwelijke advocaten. Daarom spelen succesvolle vrouwen een hoofdrol in onze boeken."

MANNEN

Sean: "In het dagelijks leven zie je wel dat er mannen zijn die door middel van intimidatie proberen om vrouwen klein te houden. Maar die tijd is voorbij. De oer-man met zijn knuppel die zijn vrouw aan haar lange haren een grot in sleept bestaat niet meer. Fysieke kracht is van ondergeschikt belang geworden in de man-vrouw-relatie. Mannen houden merkwaardig genoeg nog steeds een façade in stand. In onze boeken is het dan ook de heldin die het heft in handen neemt. Zij weet dat ze op het beslissende moment toch niet op de man kan rekenen. Maar natuurlijk heb je dat ongrijpbare: verliefdheid. In *Bezeten van mij* wordt de heldin verliefd op de zogenaamd sterke man, maar uiteraard komt ze erachter dat haar manbeeld niet klopt. In veel man-vrouwverhoudingen speelt passie, al dan niet bewust, een rol. In *Beze-ten van mij* hebben we proberen te

ontraadselen wat de geheime drijvende kracht is die passie doet ontwaken en wat mensen met die passie doen. Passie is uiteindelijk een bizarre vorm van bewustzijns-vernauwing en zinsverbijstering."

Nicci: "De mannen in onze boeken begrijpen niet dat je als man tegenwoordig meer facetten van je karakter in de strijd moet gooien om bij een vrouw in de smaak te vallen. Kracht is leuk, maar volstrekt onvoldoende. Als man moet je een vrouw emotioneel kunnen ondersteunen, je zwakheden durven te tonen, creatief zijn, gedul-dig, begripvol. En, misschien wel het belangrijkste, je moet goed en openhartig met elkaar kunnen communiceren."

FANTASIE

Sean: "In ons gezin is communiceren de belangrijkste boodschap. Praat met elkaar, leer elkaars standpunten begrijpen. Ga er voor zitten. Trek er tijd voor uit. Laat de televisie uit, dat is vluchtig vertier waar je als mens niet beter van wordt. Praten is goed voor je mens-zijn."

Nicci: "Maar goed, je kunt dat allemaal voorstaan, dat betekent niet dat het zonder slag of stoot gaat. We hebben samen vier kinderen uit vorige huwelijken. Onze jong-ste dochter vroeg onlangs of we alsjeblieft net als al haar vriendinnen met een bord op ons schoot naar een film konden kijken. Nee dus. Het leuke van opgroeiende kinde-ren is overigens wel dat je elke dag genoeg stof aangeboden krijgt om in een boek te verwerken. Dat doen we dan ook regelmatig. Geloof me: niet alles is fantasie." ∎

HARLAN COBEN

"ik kan **ontroerd** raken door een **scène** die *ik* zelf heb bedacht"

Harlan Coben (1962, Newark, New Jersey) is de eerste auteur die alle grote Amerikaanse thrillerprijzen op zijn naam schreef: de Edgar, de Anthony en de Shamus Award. Zijn literaire thrillers zijn wereldwijde bestsellers. Op al zijn boeken zijn opties van filmmaatschappijen voor verfilmingen. Coben had zijn grote doorbraak te danken aan zijn boeken met sportmakelaar en speurder Myron Bolitar in de hoofdrol. Toch waren zijn stand-alones zonder vaste hoofdpersoon minstens zo succesvol. Constante in het werk van Coben is zijn grote aandacht voor het familieleven en hoe gemakkelijk het broze geluk van een familie vernietigd kan worden.

REUS

De gestalte van Harlan Coben boezemt gezag in. Hij is een reus van een man met gemillimeterd haar. Zijn vriendelijke blik en innemende houding roepen associaties op met de spreekwoordelijke knuffelbeer. Helemaal als blijkt dat zijn diepe, zware stem de interviewruimte, zonder enige versterking, geheel vult. Hij is een professional, voor zijn werk ver van huis, maar met zijn moederland, zijn vrouw en vier kinderen in het hart. Zijn droom is de Amerikaanse droom: een gelukkig gezin dat in vrede en veiligheid kan leven.

Een opgeruimd man ook die veelvuldig lacht, houdt van zelfspot en relativeren en die ondanks zijn bewezen succes nog steeds twijfelt aan zijn eigen capaciteiten. Toch is schrijven zijn roeping: "Voor iets anders heb ik te weinig discipline en doorzettingsvermogen."

Veel schrijvers hebben in hun jeugd veel gelezen. Niet voor niets wordt gezegd dat lezen schrijven is. Harlan Coben is op deze regel geen uitzondering. Sterker, zijn familie en hij hebben die regel bedacht: "Mijn ouders waren allebei grote liefhebbers van boeken. Vooral mijn moeder. Toen we jong waren was er eigenlijk geen geld voor speelgoed of spelletjes. Mijn ouders besteedden al het geld aan boeken, ook voor ons. Als uitje reden we in het weekeinde af en toe naar New York City en dan in een rechte lijn naar de grote boekhandel Barnes and Noble, waar je ook goedkope uitgaven kon kopen. Een dollar per boek. Je kon ook een surprisezak met boeken kopen voor 5 dollar. Wij waren daar dan rustig een hele dag bezig. In de winkel lazen we boeken terwijl we overdachten wat we zouden kopen. Dus onze familie werd overheerst door boeken. Misschien komt het omdat mijn ouders pas op vrij late leeftijd kinderen kregen en dus lange tijd veel tijd hebben besteed aan geestelijk voedsel. Toen ik tiener was, was mijn vader 59 en mijn moeder 62. De muren van onze kamer waren helemaal vol boekenkasten. Natuurlijk ook veel spannende boeken. Dat waren destijds waarschijnlijk de goedkoopste. Ik heb dus kans gehad om voor mezelf vast te stellen wat ik leuk vond en wat ik niet zag zitten. Zo heb ik nooit veel opgehad met de puzzeldetectives

"voor iets anders dan schrijven heb ik te weinig discipline"

in de geest van Agatha Christie. Er is een misdaad, iedereen is verdacht en dat hoor je dan uit de mond van een slim persoon. Ik houd meer van boeken waarin de beweegredenen onderdeel zijn van een verhaal. Bovendien zijn de misdaden in mijn boeken veel dichter bij huis. Als er iemand in mijn boeken doodgaat is het een zuster of moeder en probeer ik duidelijk te vertellen hoe het zo is gekomen dat iemand vermoord is. Ik ben zelf niet geïnteresseerd in de dood van een volstrekte vreemde in een vreemd oud kasteel."

FAMILIE

In alle boeken van Harlan Coben spelen familieleden, vrienden en kennissen een grote rol. De misdaad, de pijn, het verlies en het verdriet blijven daardoor dicht bij huis. Coben geeft dat volmondig toe. "In mijn boeken beschrijf ik inderdaad zorgelijke toestanden rond families, omdat dat meer drama oplevert. Als een dochter, zoon of vrouw van een hoofdpersoon verwikkeld raakt bij iets ernstigs heeft dat een groot effect op de hoofdpersoon, zoals dat in het dagelijks leven ook het geval zou zijn. En dat betekent dat de lezer zich beter kan identificeren met de karakters en met meer emotie het verhaal zal volgen dan als ik over volstrekt vreemden zou schrijven. Wat in je naaste omgeving gebeurt, ligt je nu eenmaal nader aan het hart dan wat er elders gebeurt. Ik ben zelf een familieman. Dat zie je in mijn boeken terug. Ik ben niet iemand voor seriemoordenaars en sadistische psychopaten. Ik houd ook niet van wereldomvattende complotten of grotestadsthrillers waarin de held eenzaam door de straten en stegen loopt. Niemand in mijn boeken loopt ooit alleen door donkere steegjes. In mijn boeken gaat het veelal om families en om de banden die ze bijeen houdt. Het belangrijkste van de Amerikaanse droom is een vreedzaam leven leiden, je kinderen in veiligheid opvoeden. Maar dat is natuurlijk het verlangen van alle mensen overal ter wereld. Helaas verandert de droom soms in een nachtmerrie. De droom is fragiel, de werkelijkheid hard. Dat is voor mij de basis van mijn boeken. Voor mij geen James Bond of superhelden, die staan voor mij te ver van de werkelijkheid af."

SPYWARE

In een van Cobens thrillers, *Houvast*, bewijst hij zijn stelling. Het draait in dit boek om moeder Tia en vader Mike Baye, een stel overbezorgde ouders dat merkt dat hun zoon verandert nadat zijn klasgenoot Spencer zelfmoord heeft gepleegd. Om te weten te komen wat de verandering teweeg heeft gebracht laten ze spyware op de computer van hun zoon installeren. Het is geen verzinsel van Coben. "Ik hoorde van vrienden dat ze spyware hadden laten installeren op de computer van hun vijftienjarige zoon.

Ze wilden weten wat hij uitspookte omdat ze allerlei nare voorgevoelens hadden. Toen ik het hoorde, was ik in eerste instantie verbijsterd. Ik dacht hoe kunnen ze dat nu doen. Maar toen ik erover begon na te denken, begreep ik het eigenlijk wel. Iedere ouder wil zijn kinderen beschermen, tegen elke prijs. En toen zag ik ook meteen dat het een goed onderwerp was voor een boek. Overigens heb ik zelf geen spyware laten zetten op de pc's van mijn kinderen. Dat niet. Maar ik las een artikel in de *New York Times* waarin stond dat het eigenlijk heel verstandig zou zijn. Dat het betekende dat je je kinderen niet aan hun lot overliet. Mijn dochter had het artikel ook gelezen en vroeg: 'Heb ik spyware op mijn computer, pa?' En ik zei: 'Nee, maar we hebben het in huis. Dus haal geen gekke dingen uit.' Haha. Weet je, in principe zou ik het nooit doen. Ik heb een hekel aan ouders die overdreven beschermend zijn, maar aan de andere kant. Je doet alles om je kinderen te beschermen. Je vertelt ze hoe ze moeten oversteken zonder een ongeluk te krijgen, je helpt ze met hun huiswerk zodat ze geen slechte resultaten zullen behalen, je geeft ze gezond te eten zodat ze niet ziek worden, maar zodra ze achter hun computer gaan zitten kunnen ze alles doen wat ze willen, zijn ze overgeleverd aan de meest gruwelijke gevaren. Ze kunnen in de ban raken van pedofielen die zich voordoen als aardige mannen, ze kunnen zelfmoordsites bezoeken waar men probeert onschuldige kinderen over te halen om ook zelfmoord te plegen. Kortom, moet je je opvoeding beperken tot alles behalve die helse machine, de computer? Het is een dilemma. Het is je taak als ouder om te beslissen tot hoever je wilt gaan met je bescherming. De een vindt het misdadig om de privacy van het kind zo te schenden. Een ander vindt het misdadig om je kind niet te beschermen tegen het kwaad van buiten. Maar, hoe dan ook, voor een boek is het een ideaal dilemma."

DILEMMA'S

Coben schrijft in veel van zijn boeken over ethische kwesties. "Dat klopt. Ik houd niet van gemakkelijke verhalen met geweld. Mijn onderwerpen hebben altijd iets substantieels, morele dilemma's, ethische kwesties. Niet dat ik altijd de antwoorden heb op de problemen die ik opwerp. Daarvoor zijn ze te gecompliceerd. Ik zet een probleem neer, geef via diverse karakters de voors en tegens. En daarna moet de lezer zelf uitmaken wat hij of zij zou doen in individuele situaties. Dat verschilt per persoon. Als alles in het leven eenduidig zou zijn, zou het erg gemakkelijk zijn. Dan is iets goed of fout. Niets daartussen. Maar nee, zo is het niet. Voor mij als schrijver is het belangrijk

> **"als schrijver werp ik hindernissen op, mijn personages beslissen"**

om de intentie van mensen weer te geven en het resultaat is dat iemand soms de goede en soms de verkeerde beslissing neemt. En opnieuw, de ene lezer begrijpt dat volledig, de ander zal denken hoe kan-ie dat nou doen? Dilemma's en beslissingen, goed of fout, zorgen voor drama in een boek. Het is net een rugbymatch. Doe je een stap naar links dan kan je misschien scoren, doe je een stap naar rechts dan loop je in de fuik en word je getackeld. Voor mij als schrijver is het heerlijk om vragen op te werpen, hindernissen neer te zetten en de karakters te laten beslissen. Mijn taak is het niet om de lezer te onderwijzen. Mijn taak is het om jou als lezer vanaf de eerste regel het verhaal in te zuigen en je vierhonderd pagina's lang vast te houden. Om je emotioneel zo bij het verhaal te betrekken dat je door wilt gaan. Dat kan alleen als ik universele problemen onder de loep neem, waar iedereen zich bij betrokken voelt. Als jij op vakantie gaat naar een heerlijk warm oord als St. Tropez en je bent in mijn boek begonnen, dan moet de rest bijzaak worden. Je moet willen weten hoe het afloopt met de personages. Of er nu mooie boten langskomen, dames in bikini's of obers met koele verversingen, je moet door willen lezen. Dat is het allerbelangrijkst wat ik met mijn boeken wil bereiken."

VROUWEN

Dat het leeuwendeel van de thrillers die op de markt komen door vrouwen gelezen wordt, heeft geen enkele invloed op de manier waarop Coben schrijft. "Kijk, ik schrijf over families en vrouwen zijn dol op familiekwesties. Dat is mooi meegenomen, maar ik schrijf erover omdat het diep vanuit mezelf komt. Ik denk totaal niet aan de grote groep vrouwelijke lezers. Als je succes wilt hebben moet je ervoor zorgen dat je een goed verhaal schrijft, dan komen de lezers vanzelf. Man of vrouw. Je kunt de mooiste en duurste auto ter wereld hebben, maar zonder benzine rijdt hij geen meter. Daarom is het verhaal voor mij het allerbelangrijkst en zijn de ingrediënten die voor een vrouw of een man belangrijk zouden kunnen zijn bijzaak. Het verhaal moet staan als een huis en er moeten veel plotwendingen in voorkomen, zodat de lezer constant nieuwsgierig blijft. Het gaat mij er ook niet om of een karakter aardig is of niet, het karakter moet geloofwaardig zijn, een echt mens. Ik houd dan ook niet van soapelementen. Er is in mijn boeken wel veel sprake van romantische elementen, maar dat vloeit voort uit de karakters en de situaties. Het is een natuurlijk iets en dat zal veel vrouwelijke lezers waarschijnlijk aanspreken. Liefde en liefdesverdriet,

> ## "ik houd wel van romantiek, maar niet van soapelementen"

wie kent het niet? Of je nu in een romantische stad als Parijs bent of aan een modderige oever van de Mississippi, het is iets van alle mensen overal ter wereld. Wat je vrouwelijk zou kunnen noemen aan mijn benadering van boeken is dat ik van emoties houd. Het is overigens een misverstand om te denken dat alleen vrouwen graag emoties willen in een verhaal. Het geldt net zo goed voor mannen. Het feit dat ik van sterk doorvoelde emoties houd, maakt ook dat ik zelf nooit een verhaal zou kunnen schrijven met een privédetective oude stijl. De tijden van de kille privédetectives als Sam Spade en Philip Marlowe die geen privéleven hadden, zijn wat dat betreft voorbij. Dat soort boeken zijn uit de tijd, omdat dat soort mannen ook uit de tijd is. Als je kijkt naar de oude speurders zoals Sam Spade, Hercule Poirot of Sherlock Holmes, dan zie je platte karakters die nooit veranderden. Ze bleven geestelijk en fysiek precies hetzelfde. Ze werden geen dag ouder. Ze losten helemaal in hun eentje een ingewikkelde misdaad op. Wel, vergeet het maar. We leven nu in de eenentwintigste eeuw. Speurwerk is teamwork. Dat weten de lezers ook en die willen geloofwaardige verhalen. Daarom zijn de moderne misdaadverhalen ook anders van aard en toonzetting. Al moet ik toegeven dat mensen ook graag in sprookjes geloven en dat incidentele superhelden als James Bond daardoor ook nog steeds bestaansrecht hebben. Maar dat is niet mijn ding. Vrouwen accepteren dat tegenwoordig ook niet meer."

TRENDS

Zowel de boeken met zijn vaste hoofdpersoon Myron Bolitar als de stand-alones van Coben verkopen goed. Uitgevers willen graag series. Coben behoudt zich de vrijheid voor te schrijven wat hij wil. "Series verkopen goed. Kijk maar naar de boeken van Michael Connelly, John Lescroart en Lee Child. Ik voor mijzelf houd van afwisseling. En ik heb besloten dat ik mijn hart volg en doe waar ik zin in heb of waar ik inspiratie voor heb. Ik ben met Myron gestopt, in ieder geval voor een hele tijd, omdat het aantal tragedies dat iemand mee kan maken eindig is. Op een gegeven moment kom je terecht bij volstrekt ongeloofwaardige rampen en persoonlijk leed. Daar pas ik voor. Mijn verhalen moeten realistisch en interessant blijven. Als je, zoals ik, een karakter ouder laat worden en veel laat meemaken is de levensduur gelimiteerd. De tweede reden dat ik met Myron ben gestopt is mijn ego. Ik wilde mezelf bewijzen dat ik ook iets anders kon schrijven. Ik heb nooit trends willen volgen, zoals ik me ook niet laat beïnvloeden door verkoopcijfers. Halverwege de jaren negentig waren vrouwelijke speurders plotseling helemaal in de mode, dus zeiden ze tegen mij waarom maak je van Myron geen vrouwelijke sportmakelaar. In de eerste plaats had ik daar geen zin in en bovendien is het onzin om te proberen een trend te volgen. Als ik met een vrouwelijke speurder begin op het moment dat ze in de mode is, kom ik altijd te laat. Van het begin van het schrijven tot aan het moment van publicatie zit soms twee jaar. Misschien is tegen die

"ik laat me niet beïnvloeden door verkoopcijfers"

tijd de vrouwelijke speurder al helemaal uit en is de nieuwe trend de tiener-speurder of een mannen-ploegje van drie of wat dan ook. Trends zijn er dus om NIET te volgen. Je moet nooit een boek willen schrijven om een paar dollars te verdienen. Je moet schrijven omdat je niets anders wilt doen dan schrijven. Het moet een drang zijn. En als je die drang hebt, moet je schrijven waar je zelf zin in hebt en waar je zelf achter staat. Zo niet, dan wordt het nooit wat."

WOODY ALLEN EN HITCHCOCK

Coben heeft ooit in een interview gezegd dat hij beïnvloed is door Woody Allen en Alfred Hitchcock. Dit statement blijkt een nadere toelichting te behoeven. "Ik bedoel dat niet letterlijk, maar ik ben van een generatie die in de tienerjaren is opgegroeid met televisie en film. Hitchcock zie je uitsluitend in hele grote lijnen bij me terug. Gewone mensen in ongewone situaties. En wat Woody Allen betreft, als je naar mijn hoofdpersoon Myron kijkt zie je dat zijn humor overeenkomt met die van Woody Allen: wat nerveus, onzeker soms, zelfspot, dat soort dingen. Kijk, Woody Allen is een klein miezerig mannetje en mijn hoofdpersoon is een boom van een kerel. Maar je moet meer denken aan inspiratie dan aan beïnvloeding. Ik haal mijn inspiratie uit een goede song, van Bruce Springsteen bijvoorbeeld, een mooi boek, een spannende film of, wat me nu overkomen is, uit het zien van De Nachtwacht van Rembrandt. Dat roept gevoelens op waardoor ik zin heb om te schrijven. Je hebt het dan over invloed die je later nooit kunt teruglezen of kunt herleiden. Het leuke van inspiratie is dat het maakt dat je overal kunt schrijven, werkkamer of hotelkamer, het maakt niet uit. Het overvalt je en je kunt meteen aan de slag."

ONTROERD DOOR EIGEN WERK

"Als ik schrijf, beleef ik tot op bepaalde hoogte dezelfde gemoedstoestand als mijn karakters. Als een droevige stemming beschrijf voel ik mezelf ook niet vrolijk, en als ik een humoristische dialoog schrijf, zit ik zelf te glimlachen. Maar het is heel tijdelijk. Als ik opsta is die stemming verdwenen. Alleen als ik een boek af heb, de laatste punt gezet heb, laat ik daadwerkelijk een traan. Ik kan ontroerd raken door een scène die ik zelf heb bedacht. Ik krijg die emotie overigens niet zozeer tijdens het schrijven, maar wel als ik mijn eigen tekst herlees. Het is vreemd, ik bedenk het verhaal, ik bedenk de gemoedstoestand van de personages, wat ze doen en wat ze tegen elkaar zeggen. Dat is rationeel, en toch is er die rare emotionele kant die maakt dat een scène me kan emotioneren. Dan verbaas ik mezelf geef ik toe. Schrijven is soms een feest, dan gaat alles heel vloeiend, maar vaak ook is het een worsteling. Er zijn van die dagen dat ik over elke passage eindeloos moet nadenken. Een gevecht met mezelf. Afzien. Het gekke is dat scènes die ik tijdens slechte dagen heb geschreven bij herlezing perfect blijken te zijn en omgekeerd. Ik zou nu zo langzamerhand moeten weten dat ik kan schrijven, maar toch ben ik altijd weer dodelijk onzeker. Dan denk ik dat ik het helemaal kwijt ben. Elke keer als ik een boek af heb is er een stemmetje in mijn hoofd dat zegt: 'Nou, dat was het dan. Je hebt het gehad. Dit is het einde. Zoek maar een echte baan.' Dat blijkt dan weer mee te vallen. Maar wat ik niet bemoedigend vind, is dat elk boek me zwaarder valt dan het boek daarvoor. Het wordt steeds harder werken. De volstrekte onbevangenheid van vroeger is een beetje verdwenen. Ik heb helaas ook geen klein lederen boekje waarin ik allerlei ideeën heb opgeschreven. Als ik een idee heb, ben ik zo dankbaar, dat ik meteen begin om dat idee uit te werken. Ik begin elke keer weer helemaal opnieuw."

Als schrijven zo'n worsteling is, wat is er dan zo leuk aan het beroep dat Coben blijft doorgaan? "Het bevalt mij uitstekend dat ik geen echte baan heb. Ik ben nergens goed in. Ik kan niets onthouden, ik ben totaal niet georganiseerd, ik ben slordig, ik kan me niet concentreren. Niemand zou willen dat ik voor hem werkte. Inspiratie en transpiratie zijn de dingen die me aan het werk houden. En een hekel aan vaste werktijden. Die vrijheid is het

"elk boek valt me zwaarder dan het boek daarvoor"

allermooiste van mijn broodwinning. Werken wanneer ik er zelf zin in heb. Weet je er is niets vervelends aan mijn status van bestsellerauteur. Ik heb ook de tijden meegemaakt dat niemand mijn boeken kocht en, geloof me, zoals het nu is, is het veel beter." ■

Camilla Läckberg

" opwinding bestaat bij de gratie van verveling en afwisseling "

In drie jaar tijd zijn er van Camilla Läckberg (1974) in tal van landen liefst vijf boeken op de markt gebracht: *IJsprinses, Predikant, Zusje, Steenhouwer* en *Oorlogskind*. Daarmee rees haar ster internationaal tot grote hoogten. Momenteel is Camilla, na Liza Marklund, de bestverkopende Zweedse auteur. Van haar boeken zijn miljoenen exemplaren verkocht. In 2005 werd Camilla Läckberg verkozen tot de auteur van het jaar en in 2006 ontving ze de Zweedse publieksprijs, de Folkets litteraturpris. Er is inmiddels een tv-serie gestart die gebaseerd is op haar boeken.

SLIM EN KOKET

Beschaafd kortgerokt en met enkelhoge laarsjes met hoge hakken loopt ze me zelfverzekerd tegemoet. Een vriendelijk, van levenslust overlopend, open gezicht. Koket is het eerste woord dat zich aandient. Een déja vu, want op foto's heb ik haar al in vele gedaantes mogen aanschouwen: als huisvrouw uit de jaren vijftig, als verleidelijke vamp, in het bad en gemoedelijk lezend op bed. Camilla houdt van de fotocamera en de camera houdt van haar. Ze is slank en bewegelijk. Loopt als een vrouw die weet dat er naar haar gekeken wordt. Ze heeft er geen last van en dat kan ook niet anders. In het dagelijks leven is ze lange tijd tv-presentatrice van grote shows geweest. Maar, Camilla is niet alleen zelfbewust. Zij is ook een intelligente vrouw, die ondanks haar prille 33 jaren het nodige heeft meegemaakt en heeft nagedacht over het leven. Getrouwd, kinderen, postnatale depressie, gescheiden. Ga er maar aan staan. Camilla heeft een prettige stem en spreekt vloeiend Engels. In een rap tempo, want ze heeft veel te vertellen en doet dat ook met verve.

Camilla is geboren in Fjällbacka, waar ze tot haar zeventiende heeft gewoond, voordat ze in de grote stad economie ging studeren. Ondanks het feit dat ze nu in Stockholm woont, is ze haar geboorteplaats niet vergeten: "Ik heb mijn hele jeugd doorgebracht in Fjällbacka. Dat plaatsje betekent alles voor me. Het is mijn huis en mijn thuis, ook al woon ik er niet meer. Hoewel ik nooit naar Fjällbacka zou terugkeren om te wonen, ligt mijn hart daar wel. Het is alleen te klein voor een moderne vrouw. Het dorpje telt maximaal duizend inwoners. Maar ik heb nu het beste van twee werelden. Ik woon in Stockholm en ga regelmatig terug naar mijn geboortedorp. Ik voel me daar heel prettig. Ik ken de mensen en zij kennen mij. Ze hebben me zien opgroeien. Ze kennen mij mijn hele leven, zij kennen mijn moeder, mijn grootmoeder en zelfs mijn overgrootouders. Ze kennen mijn familiegeschiedenis beter dan ik. Dat geeft een warm gevoel."

VADERSKINDJE

Het is een gegeven dat kinderen een product zijn van hun ouders en dat zij, met name na hun opstandige jaren, veel eigenschappen van hun ouders overnemen. Camilla Läckberg is daar het levende bewijs van. "Mijn vader was politie-inspecteur en mijn moeder was een liefhebbende huisvrouw. Mijn vader heeft verscheidene hartaanvallen gehad waardoor hij gedwongen met pensioen moest. Hij haatte het. Hij was een

"mijn vader las overal: in de tuin, de keuken, de slaapkamer"

actief man die zich bezighield met allerlei organisaties, zoals de Lions. Hij was altijd dingen aan het regelen en had dan ook een bloeiend sociaal leven. Ik heb die liefde voor mensen en veel sociale contacten zonder meer van hem. Hij was ook overbezorgd ten opzichte van mij. Ik had twee oudere halfzusters, meisjes die mijn vader uit een vorig huwelijk had. Ik was dus de jongste. De meiden en ik hebben onze opvoeding wel eens vergeleken. Dat waren twee totaal verschillende werelden. Zij hadden jongens op hun kamers, dolden en gingen naar feestjes. Ik mocht dat allemaal niet. Ik was de kleine, ik moest beschermd worden tegen alle gevaren van de boze buitenwereld. Hij was 45 jaar, dus al een oudere vader, toen ik werd geboren. Ik was papa's meisje. Ik had dus een gelukkige jeugd. We spraken veel met elkaar over boeken en muziek. Ik wist op jonge leeftijd al veel over de muziek uit de jaren vijftig waar mijn vader dol op was. Daardoor is ook mijn liefde voor politieromans begonnen. Mijn vader had kasten vol. Hij was altijd aan het lezen, meestal in twee boeken tegelijk. Je zag die man werkelijk overal lezen: in de keuken, in de gang, in de tuin, in de slaapkamer, mijn vader las altijd. Hij was een optimistisch man en als hij las hoorde ik hem vaak lachen. Ik was erg nieuwsgierig en vroeg dan waarom hij lachte en dan las hij mij hele passages voor. Het lezen is me dus met de paplepel ingegoten. Op mijn achtste las ik mijn eerste boek van Agatha Christie en ik was meteen verslaafd. Op mijn elfde had ik alles van Christie gelezen en begon ik aan Mike Hammer en John Dickson Carr. Ik heb dus een solide basis op het gebied van de misdaadroman. Ik heb uiteraard ook alle Zweedse klassiekers gelezen, waaronder de Sjöwalls. Die liefde voor de misdaadroman is nooit overgegaan. Van alles wat ik lees is zeker tachtig procent misdaadroman en maar twintig procent iets anders. Toen ik later bedacht dat ik zelf wilde gaan schrijven was het vanaf het begin duidelijk dat ik misdaadromans zou gaan schrijven."

VERSCHIL TUSSEN MAN EN VROUW

Camilla Läckberg mag dan veel Amerikaanse thrillers gelezen hebben, ze is er niet door beïnvloed. Haar boeken hebben de emotionele touch die kenmerkend is voor het werk van vrouwelijke auteurs. Zo zijn de eerste vijftig pagina's van haar boek *Steenhouwer* uitermate emotioneel van toonzetting. De politie wordt geconfronteerd met een zevenjarig meisje dat verdronken is. Wat volgt is een lang rouwproces van alle personages uit de omgeving van het meisje. Uitgebreid wordt er ingegaan op de emotionele wanhoop, het ongeloof, de depressiviteit van de moeder, de vriendin, de politieagent en andere figuren. De tranen rollen als douchewater over de pagina's. Camilla Läckberg had er naar eigen zeggen zelf enorm veel behoefte aan om emotioneel zo krachtig uit te pakken. "Ik ben een groot liefhebber van de boeken van Elizabeth George. En met name de gedeeltes waarin de relatie tussen Lord Thomas Lynley en zijn Lady wordt beschreven. Mijn ex man las haar boeken ook, maar juist die passages waar ik in zwolg, daar begon hij ongeïnteresseerd door te bladeren. Als ik hem hoorde zuchten wist ik dat het weer zover was. Hij vroeg zich af waarom al die emotionele rotzooi erin moest. Hij vond het geen misdaadroman. Dus na mijn eigen eerste boek, waarin ik ook veel emotionele dingen beschreef, dacht ik dat ik totaal geen mannelijke lezers zou trekken. Tot mijn grote verbazing bleek echter dat ik bijna meer mannelijke dan vrouwelijke lezers had."

POSTNATALE DEPRESSIE

"Toen ik aan *Steenhouwer* begon, had ik een kind en was ik zwanger van mijn tweede. Toen realiseerde ik me pas goed hoe afhankelijk een kind van je is en wat een zorgen ze met zich meebrengen. En plotseling werd ik doodsbang. Michael Connelly heeft het eens prachtig beschreven in zijn boek *Bloedbeeld*. Daarin krijgt Terry McCaleb op latere leeftijd een kind en men vraagt hem hoe dat voelt. Hij antwoordt dan: 'Het is alsof je de rest van je leven moet leven met een geladen pistool tegen je hoofd.' Ik snapte helemaal wat hij bedoelde. Je hebt natuurlijk alle positieve dingen van het ouderschap, maar je leeft de rest van je leven ook in angst. En toen ik mijn boek *Steenhouwer* schreef waarin de ouders hun jonge kind verliezen, stapte ik in de schoenen van die mensen en stelde me voor hoe ik zou reageren. En ik weet zeker dat dat heftig zou zijn. Die absolute wanhoop heb ik proberen te beschrijven. Als het om kinderen gaat heb je het over hele sterke emoties. Toen mijn eerste kind, mijn zoon, werd geboren, heb ik een paar maanden lang geleden onder een postnatale depressie. En dat betekende dat ik in het begin helemaal niet van mijn eigen baby hield. Ik was totaal niet blij. Zag mijn kind ook liever niet. Dat neemt niet weg dat vanaf de allereerste minuut wel het moederinstinct in alle kracht aanwezig was. Als ik zijn leven had kunnen redden door voor een aanstormende trein te springen, dan had ik dat gedaan. Bij een postnatale depressie heb je als moeder een enorm schuldgevoel. Ik voelde me gewoon verraden. Ik had zo naar de geboorte uitgekeken en iedereen in mijn omgeving had me het gevoel gegeven dat het de hemel op aarde zou zijn. Ik zou op roze wolken drijven enzo. Maar ik had de eerste maand niets dat op dat gevoel leek. Ik heb mijn ogen uit mijn hoofd gehuild. Mijn oudere zuster zei dat ik niet moest overdrijven, want dat de eerste maanden natuurlijk altijd zwaar zijn. Ik vroeg haar waarom ze me dat niet veel eerder verteld had. Ze zei toen dat ze me niet ongerust had willen maken. Ik voelde me ellendig. Ik heb er veel over gesproken voor de Zweedse televisie en in tijdschriften en ik heb veel brieven gehad van moeders die zeiden dat ze dachten dat ze de enige waren in de hele wereld, dat ze zich eenzaam hadden gevoeld en dat ze er met niemand over konden praten. Het is zo'n overweldigende emotie. Die emotie heb ik in mijn vorige boeken, maar ook in *Steenhouwer* proberen duidelijk te maken."

DOODNORMALE ROMANTIEK

Het lezen van stapels misdaadromans heeft Camilla Läckberg uiteraard gevormd. "Omdat ik zoveel misdaadromans heb gelezen, kan ik wel zeggen dat ik erdoor geschoold ben. Wat ik heb geleerd is een zeker ritme. Je moet de nodige dosis spanning opbouwen, daarna moet je de lezer een moment van ontspanning gunnen, en dan moet je de spanning weer opvoeren. Dat heb ik geleerd van lezen. Want door te lezen, leer je schrijven. Toen ik begon wilde ik absoluut niet schrijven in de stijl van Liza Marklund of die van Henning Mankell. Het origineel is toch altijd het best. Ik wist sowieso beter wat ik per se NIET wilde dan dat ik wist wat ik WEL wilde. Ik wilde per se niet schrijven over een vijftig jaar oude politieman die thuis moeilijkheden had, te veel whisky dronk en ruzie had met zijn dochter. Sterker nog, ik wilde eigenlijk helemaal geen politieman als hoofdpersoon. Ik wilde een vrouwelijke hoofdpersoon van mijn eigen leeftijd. Ik wist alleen niet welk beroep ik haar moest geven. Journaliste? Nee, die had Marklund al. Advocate? Nee, ik weet helemaal niets van wetgeving. Een schrijfster? Ja, dat leek me wel wat. Dat ben ik zelf ook. Maar na vijftig pagina's kwam ik erachter dat het heel moeilijk was om een privépersoon overal te laten binnenvallen om vragen te stellen. In de tijd van Agatha Christie ging dat nog met Miss Marple, maar nu kan dat niet meer. Dus moest ik alsnog een politieman introduceren, een doodnormale man, geen superheld. Mijn inspecteur Patrick Hedström is dan ook normaal, de buurman van hiernaast. Ik houd van Henning Mankell, maar ik heb een paar van zijn boeken te snel na elkaar gelezen, en na een tijdje had ik het helemaal gehad met zijn hoofdpersonage die steeds ziek was en knorrig en zich ongelukkig voelde. Ik wilde dat mijn personages ook positieve karaktertrekken hadden, positieve gevoelens en dat ze ook positieve dingen meemaakten. Ik wilde ook romantiek en geluksbeleving."

ORGANISCH EN INTUÏTIEF

Camilla Läckberg praat gedreven als ze over haar beroep praat. Ze weet dat ze kan schrijven, maar het komt vanuit een onbekende bron. Een vaste structuur of een vastomlijnd verhaal heeft ze niet als ze begint. "Nee, totaal niet. Als ik begin heb ik alleen een basisidee. Verder weet ik altijd wat het motief is van de misdaad. Dus vaststaat waar het verhaal om draait. Ik ken het vertrekpunt, een paar dingen die onderweg gaan gebeuren en het einde. Maar negentig procent van het verhaal komt organisch tot stand als ik aan het schrijven ben. Dat kan omdat ik weet naar welk punt ik toe wil schrijven. Ik schrijf vanuit mijn intuïtie, een onderbuikgevoel. Na een aantal pagina's onderzoek of avontuur of actie, zoek in naar ontspanning en daarna weer drama, tot ik vind dat dat saai dreigt te worden en vind dat er weer iets anders moet gebeuren. Maar spanning kan alleen opgebouwd worden als je af en toe heel andere momenten inlast. Constante spanning bestaat niet. Het is net als het echte leven, niet elk moment kan opwindend zijn. Een ijsje elke dag kan, maar elke dag in de achtbaan kan niet. Opwinding bestaat bij de gratie van afwisseling. Je kunt dat goed zien aan kinderen. Die moeten zich af en toe kunnen vervelen. Als je je verveelt, kan je terugvallen op je fantasie. Dus dat is beter. Datzelfde geldt eigenlijk ook voor lezers. Laten ze zich af en toe, natuurlijk niet te lang, maar vervelen. Dan gaan ze meedenken en hun eigen wereld invullen."

ROERIGE TIJDEN

Camilla heeft roerige tijden gekend. Ze stopte met werken, kreeg kinderen, ging scheiden en begon te schrijven. "Mijn eerste boek werd door de uitgever geaccepteerd in dezelfde week als mijn eerste kind, mijn zoontje, werd geboren. Ik heb toen besloten om een aantal jaren niet te werken. Het was mijn grote kans om van schrijven mijn werk te maken en die kans wilde ik met beide handen grijpen. Maar de eerste twee boeken vielen niet mee. Ik had toen geen babysitter thuis. Ik schreef als ze naar bed waren, dus eigenlijk als ik zelf al moe was. Nu is het meer gereguleerd en schrijf ik van negen tot vier uur. Ik ben gescheiden en heb de kinderen om de week. Ik kan dus behoorlijk regelmatig heel egoïstisch zitten schrijven.

Mijn eerste boek was overigens niet meteen een doorslaand succes. Er werden drieduizend exemplaren van verkocht. Van het tweede boek twintigduizend. Maar toen kreeg je het sneeuwbaleffect. Mijn volgende boek werd met honderdduizenden verkocht en de verkoop van de vorige boeken nam ook een enorme vlucht. Het succes heeft dus moeten groeien. In tijdschriften wordt er over mij geschreven alsof ik van de ene dag op de andere succes heb gehad. Dat is niet waar.

"nadat een **boek af** is, wil ik mensen **zien, feest**"

Het kwam geleidelijk aan en het is hard werken geweest. Schrijven is ook eenzaam werk. Daarom heb ik mijn jaar opgesplitst in twee verschillende periodes. Van augustus tot en met januari heb ik voornamelijk als een kluizenaar thuis zitten schrijven. Hooguit af en toe een enkel interview. Maar al met al is het mijn eenzame periode. Achter de computer, in mijn trainingspak, veel te veel koffie drinkend. Maar tegen de tijd dat het boek klaar is, ben ik het helemaal zat om alleen maar in mijn eentje thuis te zitten werken. Ik kan niet tegen constante isolatie. Ik wil ook mensen zien, feest. Dus na een periode van schrijven ben ik zo'n slordige zes maanden hysterisch op zoek naar gezelschap. Ik zie dan heel veel mensen. Ik geef handtekeningensessies, doe interviews, houd lezingen Mensen, mensen, mensen en daar kan ik oprecht naar verlangen. Feest is het dan. Ik ga helemaal los. En na die periode snak ik echter weer naar mijn kooi en mijn trainingspak en het harde werken aan een boek. Ik heb het beste van twee werelden, werken en vrij zijn, afwisseling."

TRADITIONEEL ENTERTAINMENT

Wat Camilla Läckberg haat is de huidige discussie in Zweden over het verschil tussen literatuur en de misdaadroman. Men zegt daar dat literatuur en crimenovels onverenigbare grootheden zijn. "Ik vind dat oneerlijk. Wat mij betreft hecht ik niet al te veel waarde aan literair taalgebruik. Ik ben een verhalenverteller. Ik wil een verhaal zo goed mogelijk laten overkomen bij de lezers. Ik zie mijzelf als iemand die in de entertainmentbusiness werkzaam is. Ik wil mensen binnenslepen in mijn fantasiewereld en hen urenlang hun stressvolle bestaan laten vergeten. Een paar uur of een dag ontspanning. Dat is mijn doel en taal is voor mij niet meer dan een instrument om dat doel te halen. En ik ben ook niet iemand die uren gaat piekeren om een zonsondergang op een heel speciale manier te beschrijven. Ik schrijf misdaadromans. Als ik Patrick een glas laat oppakken, dan schrijf ik dat en ga ik niet schrijven dat hij een glas oppakt dat glinstert in het licht van de olielamp en dat het hem met hoop vervult dat het licht ook zijn ziel zal laten schijnen. Ik kan dat niet omdat het niet past bij het type boek dat ik schrijf. Verdorie nee zeg, we hebben het over een doodgewoon glas. Het is misschien traditioneel, maar misdaadromans zijn een traditioneel genre. Bovendien ben ik zelf ook traditioneel en daar voel ik me bijzonder goed bij." ■

PETER ROBINSON

" spanning en geweld zijn voor mij totaal andere grootheden "

Peter Robinson (1950) is in Nederland laat ontdekt. Hoewel de van oorsprong Engelse schrijver het ene meesterwerkje na het andere op zijn
naam zette, sliep Nederland de slaap der onschuldigen. Ook het feit dat
Robinson de ene prestigieuze prijs na de andere binnensleepte maakte
ons egale polderland niet wakker. Vijftien jaar en twaalf boeken na zijn
debuut begon A.W. Bruna met de vertalingen van de 'meester van de
countryside'. Helaas niet in chronologische volgorde. Maar, vreugde
overheerst. Inmiddels zijn vijftien politieromans met de wederwaardigheden van Chief Inspector Banks ook in het Nederlands verkrijgbaar.
Hoewel Peter Robinson zijn domicilie in Canada heeft, is hij zo Engels
als de Big Ben en Windsor Castle. De hoge hoed ontbreekt aan zijn
smetteloze gedaante, maar zijn houding en toonzetting verraden zijn
afkomst. Hij is beleefd en het toppunt van voorkomendheid. Hij praat
zacht en beschaafd. Op en top een heer.

EEN ENGELSMAN IN CANADA

Peter Robinson werd geboren in Leeds (Yorkshire). Een kind dat bewust de jaren
zestig meemaakte, de opkomst van de eigen jeugdcultuur en de invloed van nieuwe
muzikale stromingen, jazz en de oneindige stroom bands als de Beatles, de Stones, de
Who. "Ik was een echt stadsmens. Het platteland kende ik alleen van de vakanties met
mijn familie. Tijdens mijn studie reisde ik naar Toronto, Canada. Aan de ene kant
omdat ik al vroeg van reizen hield. En aan de andere kant omdat ik er kon studeren
en werken. In Canada ontmoette ik mijn latere vrouw en toen werd het moeilijk om
weg te gaan. Door haar ben ik van Canada gaan houden. Schrijven is altijd mijn
hobby geweest. In het begin schreef ik korte verhalen en gedichten. Die zijn ook
gepubliceerd. Hobby en werk vielen in die tijd volkomen samen, want ik gaf ook les
in poëzie en drama. Ik ben pas misdaadverhalen gaan schrijven in de jaren tachtig,
toen ik Raymond Chandler en Simenon las. Zo wilde ik ook schrijven. Crime fiction
was in wezen mijn eerste lange werk. Ik ben een laatbloeier. In 1987 werd mijn eerste
boek *Stille blik* gepubliceerd. Een boek waar ik een jaar of zeven aan had gewerkt. Je
weet nooit van jezelf of je sterk beïnvloed bent door andere schrijvers, maar ik hield
erg van het taalgebruik en de dialogen van Chandler. Kort, krachtig, spitsvondig. Van
Simenon bewonderde ik de sfeer, het kalme doordachte. Ik vond zijn romans minstens
zo mooi als zijn detectives. Hij reduceerde de werkelijkheid tot een klein formaat, een
overzichtelijke gemeenschap en begon dan met het inkleuren van de diverse personages
met hun hebbelijkheden. Zijn psychologie was echt heel mooi."

PLATTELAND

Vrijwel alle boeken van Robinson spelen zich af in Yorkshire, op het platteland. Peter Robinson heeft daar een eenvoudige verklaring voor. "Het lukt mij uitstekend om vanuit Canada boeken over Engeland te schrijven. Ik ken het land, het zit in mijn bloed. Maar het is heerlijk om op afstand te schrijven. Daardoor schrijf ik ook niet over de dingen die ik dagelijks zie. Het is geen halve documentaire. Ik ben volstrekt niet geobsedeerd door de realiteit. Mijn verhalen zijn fantasie. Ik verzin personages, omgeving, sfeer. Het feit dat ik vanuit een andere werkelijkheid schrijf, scherpt mijn fantasie en dus mijn creativiteit. In het begin pendelde ik nog tussen Yorkshire en Canada heen en weer. En dan nam ik toch onwillekeurig waarnemingen van mensen en de omgeving mee naar huis en in mijn boeken. Ik heb dat niet nodig. Met een tikkeltje weemoed terugdenken aan Yorkshire roept mooiere beelden bij me op. Dus ik vind het goed zo."

Niet alleen het platteland, maar bij voorkeur ook kleine, gesloten gemeenschappen vormen het decor voor de misdaden die Robinsons hoofdpersoon inspecteur Alan Banks moet zien op te lossen. "Het gekke is dat ik schrijf over kleine gemeenschappen, maar dat ikzelf opgroeide in de grote stad. Mijn bewondering voor het platteland is geheel terug te voeren tot mijn jeugdvakanties. Toen ik begon te schrijven wilde ik een geïsoleerde gemeenschap beschrijven. Zo ben ik ook begonnen, maar hoe verder ik kom met mijn serie misdaadromans met Alan Banks in de hoofdrol, hoe stadser hij wordt. Hij gaat steeds meer naar de stad. Ik woon nu zelf in een (kleine) stad die erg lijkt op Eastvale. Ik houd van het platteland, wandelen in de natuur en dat soort dingen. Maar ik heb er nooit geleefd. Raakvlakken zijn er dus in werkelijkheid niet echt. Ik beschrijf kleine gemeenschappen omdat er meer onderhuids drama te ontdekken valt. Er is voor die mensen geen ontsnappen mogelijk. Ze zitten gevangen in een sociale omgeving waar hun wortels, hun verleden, hun heden, en waarschijnlijk ook hun toekomst ligt. Iedereen weet alles van elkaar. Dat denkt men tenminste, maar er zijn altijd geheimen die voor grote spanningen leiden als ze uitkomen.

"ik houd van het platteland, maar heb er nooit geleefd"

Ik heb pas Karen Fossum gelezen, die op een hele boeiende wijze over excentrieke mensen in kleine gemeenschappen schrijft. Datzelfde geldt voor Fred Vargas. Fantastisch. Als ik de boeken van die schrijfsters lees, proef ik de sfeer, de omgeving. Dan geniet ik en heb ik de behoefte om zelf ook meteen te gaan schrijven. Verder is mijn keuze om over kleine gemeenschappen te schrijven wellicht ook terug te voeren op het feit dat het verleden daar tastbaarder is dan in grote steden. Het verleden is nog niet zo slecht."

SUSPENSE

De verhalen van Peter Robinson kenmerken zich door dreiging in een ogenschijnlijk kalme en rustige omgeving. Glooiende heuvels, braamstruiken, zacht wuivend gras, slenterende jongeren, hard werkende dorpelingen. "Ik denk dat je in een misdaadverhaal niet zozeer actie hoeft te hebben. Het is belangrijker dat je WEET dat er iets gaat gebeuren, zonder dat je weet wat het is. Als schrijver geef je hints. Maar het moet uiteindelijk toch altijd anders zijn dan de mensen verwachten. Je moet verschillende verhaallijnen uitzetten die uiteindelijk bij elkaar komen. Spanning en geweld zijn voor mij totaal andere grootheden." Volgens Hitchcock is spanning dat je als lezer weet dat er in de kamer van een mooie vrouw iemand in de kast zit die er elk ogenblik uit kan komen met een moordwapen in zijn hand. De vrouw weet van niets. Alleen de kijker. Spanning is iets zien aankomen. Dat principe hanteer ik ook in mijn boeken. Ik beschrijf geen geweld. In bijna alle gevallen heb-

"banks is melancholiek, net als ik"

ben de gewelddadigheden al plaatsgevonden. Maar als lezer weet je wel dat er waarschijnlijk nog meer geweld in de lucht hangt. Ik laat de lezer dus meedenken en meevoelen."

Het karakter van zijn hoofdpersoon Alan Banks is volgens Robinson aan veel invloeden onderhevig: werk, privé, stemmingen, gewoontes die hij wil afleren. "Alan Banks is op leeftijd. Hij is pezig, slank, heeft scherpe gelaatstrekken, ondanks zijn leeftijd. Hij is gescheiden, heeft opgroeiende kinderen. Hij heeft veel dingen meegemaakt in zijn leven, zowel privé als in zijn werk. Dat betekent dat zijn karakter is veranderd. Hij is van een cynische man uitgegroeid tot een vrij zachtaardige man. Hij denkt meer over zichzelf na. Hij is een echt mens geworden, een doorsnee-mens. In relatie tot vrouwen is hij verlegen en gespannen. Alan Banks is gestopt met roken, niet vanwege de overheidsregels die het hem verbieden maar gewoon omdat hij wilde stoppen. Er is een periode waarin ikzelf was gestopt met roken en Alan Banks in verhoogde mate doorrookte. Was natuurlijk compensatie. Maar goed nu zijn we allebei gestopt. Drank is nooit zijn grootste vijand geweest, haha. In *Zondeval*, dat ik alweer een tijd geleden geschreven heb, zitten de meeste verdachten dagelijks in hun stamkroeg waar Banks hen moet opzoeken. Een kroeg is een omgeving waar Banks zich al snel thuisvoelt. Banks leeft in wisselende omgevingen. Op dit moment woont en leeft hij nog in een geïsoleerde plaats. Hij wilde rust, voor zijn gezondheid en om de stress te ontlopen. Maar in een ander boek gaat hij weer in een iets grotere stad werken waar hij geconfronteerd wordt met geweld en drugs. Ik houd ervan hem te laten verhuizen. Op die manier verveel ik me niet. Banks is melancholiek, net als ik en net als veel schrijvers, denk ik. Het is een eenzame bezigheid die je vaak op jezelf terugwerpt en die maakt dat je een scala aan emoties van mensen moet onderzoeken en doorleven."

NOSTALGISCHE FASE

In *Zondeval* is inspecteur Banks in een nostalgische fase. En dat betekent dat hij de muziek aanpast aan zijn gemoedsgesteldheid. Robinson is zelf een fanatiek liefhebber van diverse muziekgenres. Zijn voorkeuren geeft hij vaak mee aan inspecteur Banks. "Ik houd van melancholieke muziek. Het maakt niet uit in welk genre: opera, klassiek, jazz, muziek uit de jaren zestig. Ik ben opgegroeid in de jaren zestig en dat was de tijd van de Beatles en de Stones. Ik mag die muziek nog steeds graag horen. Ik ben in de jaren zeventig in Amsterdam geweest, in de hippietijd. Toen was ik liefhebber van Grateful Dead, Beatles en Stones. Het verleden was nog niet zo slecht. Voor een melancholiek mens als ik is het prettig af en toe in gedachten naar die levensfase terug te reizen. Maar muziek biedt ook troost. Dat Banks af en toe tegen een burn-out aanzit, komt door alle ellende die hij om zich heen ziet. In dergelijke gevallen neemt de muziek hem mee uit die naargeestige werkelijkheid. Die muzikale momenten die hij voor zichzelf creëert, laten hem zien dat de wereld soms ook nog mooi kan zijn."

Robinson haalde zijn hippiejaren in Amsterdam al aan, zijn voorliefde voor muziek uit de jaren zestig en zeventig, The Grateful Dead. Naast zijn muzikale voorkeur komt er bij tijd en wijle wel degelijk iets persoonlijks in de boeken terecht. "Ik heb mijn tienerjaren en mijn studentenjaren vrij intensief beleefd. Ik liep ook vaak tegen de stroom in. Ik had duidelijke standpunten. In mijn boek *Tegenstroom* kom je dat wel tegen. Daar vindt een vreedzame demonstratie plaats tegen kernwapens. Ik was zelf ook tegen kernwapens, maar wel tegen de radicale elementen binnen de beweging van demonstranten. In *Tegenstroom* blijkt in het gewoel een politieman te zijn neergestoken. De leiding over het onderzoek komt bij superintendant Richard Burgess, ook wel Dirty Harry genaamd. Hij is een man met vooroordelen en een grote aversie tegen radicalen en alternatievelingen. Natuurlijk beschouwt hij de voormalige hippies die meedemonstreren als verdachten van de

"in de hippietijd was ik liefhebber van grateful dead"

moord. Naar zijn idee zijn het communistische relschoppers die nergens voor terugdeinzen. Ik beschrijf de hippies als lieve mensen die geen kip kwaad doen. Logisch, ik beschreef mijn eigen filosofieën van vroeger. Aardig is overigens dat ik alle vijf hippiebewoners in Maggie's Farm liet wonen, een van mijn favoriete liedjes van Bob Dylan."

HEKEL AAN SEKS

In *Zondeval* is het meest kleurrijke personage Katie, de vrouwelijke eigenaresse van Greenock Guest House. Ze leidt een uitermate sober leven met haar man Sam aan wie ze een steeds grotere hekel begint te krijgen. Ze haat het om met hem te vrijen maar ze ondergaat het lijdzaam. "Katie heeft een traumatische jeugdervaring achter de rug waardoor ze haar seksuele gevoelens volledig onderdrukt heeft. Daar komt bij dat ze getrouwd is met Sam die van buiten het dorp komt en die dus nooit als een van de echte bewoners beschouwd zal worden. Ze lachen hem zelfs uit. Dat alles maakt dat Katie zich schoorvoetend de avances van Nicholas Collier laat welgevallen. Hij flirt met haar, betast haar. Maar Katie kan daar niets mee. Niet door haar jeugd en niet door haar omgeving. Dat is typisch iets wat in kleine gemeenschappen eerder voorkomt dan in een grote stad. In een kleine gemeenschap scheidt men nog niet zo snel, ook al is het huwelijk al jaren stuk. Als je het wel doet, word je uitgestoten uit de enige kring mensen die je kent en met wie je een band hebt opgebouwd. In mijn boek zijn de consequenties natuurlijk dramatisch, dat spreekt voor zich. Maar Katie staat met al haar geestelijke nood en haar worstelingen symbool voor de tekortkomingen van de mens."

GEUR, SMAAK, GEVOEL

Robinson is uitermate helder over de traditie waarin hij schrijft. "Ja, ik schrijf geheel in de Engelse traditie. De whodunit-vorm is traditioneel Engels. En ook wat mijn stijl betreft schrijf ik in de Engelse traditie. Ik zou bijvoorbeeld nooit in de stijl van Raymond Chandler kunnen schrijven. Ik denk dat je je afkomst slecht kunt verloochenen. Ik heb ook een hekel aan die moderne boeken in telegramstijl, aan die korte zinnen. Ik vind echt niets aan die 'jumpy stuff'. En omdat ik geen boek zou kunnen schrijven dat ik zelf niet wil lezen, is alles wat ik schrijf redelijk persoonlijk. Ik wil mooie zinnen schrijven, mooie gedachtes vormgeven. Ik houd van details, van geur, van smaak, van gevoel. Dat wil ik beschrijven. Als iemand een kamer binnenkomt dan wil ik daar meer over vertellen dan dat ik sec beschrijf dat er iemand binnenkomt. Zelfs een zo eenvoudige handeling moet inwerken op de zintuigen of de emoties van de lezer."

Peter Robinson kan uitgebreid praten over de dingen die hij goed vindt. Wat boeken betreft houdt hij van Lynda La Plante en Ruth Rendell. "Maar mijn all time favorite is *Tess* van Thomas Hardy. *Tess* is een prachtig verhaal, zo

"mijn all time favorite is tess van thomas hardy"

mooi beschreven, zo gedetailleerd, zo vol leven en schoonheid. Je zou willen dat het boek nooit ophoudt zodat je eindeloos verder kan lezen. Van Graham Greene adoreer ik *The Quiet American* en ook de remake van de gelijknamige film die ervan gemaakt is. Op het gebied van humor vind ik P.G. Wodehouse erg leuk. Eigenlijk is er geen humoristischer schrijver dan hij. De beste misdaadroman is *The Long Goodbye* van Raymond Chandler. Prachtige karakters en scènes. Wat muziek betreft zijn mijn favorieten te vinden in de rockmuziek. The Beatles, The Rolling Stones, Van Morrison, Bob Dylan en eigenlijk meer nog The Grateful Dead. Ik heb veel concerten van ze bijgewoond. Ik was een echte fan. Op het gebied van jazz vind ik John Coltrane heel mooi. Cool jazz dus."

AWARDS

Robinson is voor zijn werk veelvuldig onderscheiden. Een grote eer, maar zo blijkt wel een eer met een schaduwzijde. "Ik heb veel awards gekregen. Natuurlijk ben je daar als schrijver heel blij mee, maar het heeft ook voor veel extra druk gezorgd. Ik moet het nu tegen mezelf opnemen. De goede, bekroonde schrijver die moet laten zien dat hij goed is en nog beter kan. De man die moet laten zien dat het geen toeval was dat hij een goed boek heeft geschreven. En wat natuurlijk helemaal vervelend is, ik moet die betere boeken in veel kortere tijd schrijven. Ik houd van reizen, ik ben er dol op, maar er gaat erg veel tijd in mijn publiciteitstochtjes zitten." ■

Kathy Reichs

"ik heb nog steeds nachtmerries van ground zero"

Na een succesvolle carrière als forensisch antropoloog en universitair medewerker begon Kathy Reichs (1950) eind jaren negentig aan een succesvolle tweede carrière als schrijfster. Vanaf haar eerste thriller *Bot voor bot* roerde ze onderwerpen aan die dicht bij haar vakgebied lagen. Haar hoofdpersoon Temperance oefent dan ook niet geheel toevallig hetzelfde beroep uit als Kathy. Door het ijverig onderzoeken van botten en skeletten weet zij menigmaal een ogenschijnlijk doodlopende zaak op te lossen. De film- en televisiemaatschappij Fox omarmde het werk van Reichs en baseerde er de tv-hit *Bones* op. Sindsdien is de publiciteitsmachine niet meer te stoppen en is Kathy drukker dan ooit.

CHIQUE

Ze oogt klein, fragiel en beschaafd. Een dame die op het punt staat met haar vriendinnen cappuccino te gaan drinken in de lounge van een vijfsterrenhotel. Haar haren zijn keurig opgemaakt en geblondeerd, haar make-up is tot in de puntjes verzorgd. Smetteloos witte trui met achteloos doorgestylede shawl. Hier is niets aan het toeval overgelaten. Haar manier van spreken is bedachtzaam, haar stem is zacht, slechts uitschietend naar hogere frequenties wanneer een onderwerp haar beroert: onderzoek naar beenderen, de rol van DNA en haar bedenkingen tegen de korte rokken en lage decolletés van de hoofdrolspeelsters in *Bones*, de succesvolle tv-serie die op haar boeken is gebaseerd.

Kathy Reichs spreekt slechts met enige terughoudendheid over haar jeugd. Ze praat liever over haar werk dan over haar privéleven. Toch laat ze zich verleiden om kort terug te blikken. "Toen ik een jong meisje was wilde ik eigenlijk al wetenschapper worden, al had ik natuurlijk slechts een vaag idee van wat dat inhield. Ik kreeg van mijn moeder een mooie witte jas en een microscoop waar ik dan vaak wijsgerig door zat te kijken. Het grappige is dat ik tegenwoordig eigenlijk hetzelfde doe. Ik was geen kind dat met poppen speelde of andere meisjesachtige dingen deed. Ik was veel meer geïnteresseerd in dieren, zoals spinnen en slangen. Samen met mijn zus Harry verzamelde ik vuurvliegjes in glazen potten. En ja, ik las enorm veel toen ik jong was. Dat werd gestimuleerd door mijn moeder die ook veel las. Ik ben opgegroeid in een heel beschermde omgeving met vaste ritmes en patronen. Ik ging naar de nonnenschool en er werd altijd gebeden voor het eten. Keurig op zondag naar de kerk. We woonden in een verbouwde boerderij in de buurt van Chicago. Tijdens de lange koude winters werden er altijd veel gemeenschappelijke spelletjes gespeeld. De enige deuk die ik in mijn leven kreeg was het overlijden van mijn jongere broertje en mijn vader. Daar heb ik eigenlijk tot op heden wel last van. In mijn tienerjaren ben ik bio-archeologie gaan studeren. Dat is archeologie die gespecialiseerd is in de studie van menselijke skeletten. Ik was geïnteresseerd in demografische gegevens. Hoe lang mensen leefden, of mannen langer leefden dan vrouwen, hoeveel kinderen ze kregen etc. Ook daar is de invloed van mijn moeder aanwezig. Zij was ook in archeologie geïnteresseerd en raadde me regelmatig boeken aan die ik volgens haar moest lezen. Als je het psychologisch bekijkt, heb ik de studie gedaan die mijn moeder wellicht zelf had willen doen."

GEEN AUTOPSIES

Het beroep van Kathy Reichs en dat van haar hoofdpersoon roept veel misverstanden op. In haar boeken wordt vaak haar hulp ingeroepen om dode lichamen te onderzoeken. Daarvoor is in Nederland een gedegen medische opleiding nodig. Maar Kathy is forensisch antropoloog, geen medicus. "Ja, dat klopt, de diploma's die je voor dat beroep nodig hebt, verschillen van land tot land. In Nederland moet je een medische vooropleiding hebben. In Amerika is dat niet het geval. Ik heb wel delen van mijn studie op de medische faculteit doorgebracht, maar ik heb geen medische diploma's. Ik doe dan ook geen autopsies. Ik snijd niet in mensen, ik doe niet in vlees en bloed. Dat is de patholoog. Mijn werk is het om de beenderen van overleden mensen te analyseren. Meestal in de gevallen dat de lichamen gemummificeerd of in een felle brand verkoold zijn. Dan wordt mijn hulp ingeroepen. En dat is heel wat keren. Ik heb in mijn drukste tijden wel tachtig lichamen per jaar onderzocht. Maar ik heb het nooit als fulltimewerk gedaan. Ik gaf colleges

"ik snijd niet in mensen, ik doe niet in vlees en bloed"

op de universiteit en ik was op afroep beschikbaar. Nu geef ik nog steeds colleges, maar ik doe minder zaken. Bovendien schrijf ik daarnaast boeken. Dat lijkt veel, maar ik kan het redden omdat ik erg gedisciplineerd en georganiseerd ben. Elke dag dat ik niet naar het laboratorium hoef en ik niet op reis ben, schrijf ik. Ik schrijf gewoon de hele dag door. Mijn kinderen zijn volwassen en de deur uit, dat scheelt natuurlijk."

O.J. SIMPSON

Het begin van haar schrijverscarrière was voor Kathy een logische stap. "Ik schreef veel vakliteratuur en de zaken die ik beschreef bevatten vaak zulke lugubere en spannende elementen dat ik besloot me eens aan fictie te wagen, met dezelfde elementen als onderwerp. Ik had geluk dat mijn eerste boek *Bot voor bot*, dat ik tien jaar geleden schreef, gepubliceerd werd ten tijde van het O.J. Simpson-proces. De media stonden vol van DNA-proeven, onderzoek naar steekwonden en bloedpatronen. Iedereen waande zich plotseling specialist, alle Amerikanen hadden het erover. Het was dus de ideale tijd voor forensische thrillers. Het boek kwam meteen in de *New York Times*-bestsellerlijsten. In de jaren daarvoor, dat ik probeerde een thriller te schrijven, schreef ik in de derde persoon. Het verhaal was ongelofelijk traag. Ik heb alles weggegooid. In

1994 ben ik gewoon weer opnieuw begonnen. Ik veranderde het vertelperspectief naar de eerste persoon en dat werkte. Dat neemt niet weg dat ik er twee jaar over deed. Ik werkte in die tijd fulltime op de universiteit. In 1996 was het af. Ik mailde het manuscript naar zo'n vijftig uitgevers en ik kreeg ongeveer vijftig afwijzingen terug. Maar gelukkig zag de eenenvijftigste uitgever er wel wat in. Ik moest wel het een en ander herschrijven, maar dat was niet zoveel."

Als het onderwerp inspiratie ter sprake komt, is Reichs heel stellig. Haar hoofdpersoon Temperance maakt dezelfde dingen mee als zij. "Ik haal mijn inspiratie altijd uit iets wat ik gedaan heb. Het eerste boek ging over een seriemoordenaar. In het tweede boek schreef ik over moorden die te maken hadden met religie/kerken etc. Het vierde boek was gebaseerd op mijn ervaringen met Ground Zero. Het vijfde boek was gebaseerd op mensenrechten en heb ik geschreven toen ik in

"mijn manuscript is ongeveer 50 keer afgewezen"

Rwanda en Guatemala was geweest. Mijn boek *Tot stof vergaan* is geïnspireerd op twee of drie verschillende dingen. Ik werkte samen met de Canadese politie die op dat moment bezig was met een zaak van vermiste kinderen. En iemand van de politie vertelde me over de problematiek van kinderpornografie op internet. Ik besloot daarover te gaan schrijven. Verder had ik zelf een zaak behandeld aan de hand van een skelet van een vijf- of zesjarig meisje, dat nooit geïdentificeerd was. Dus ik besloot die zaken, vermiste kinderen, kinderprostitutie en mishandelde en vermoorde kinderen met elkaar te verbinden. Er worden momenteel enorm veel meisjes vermist in Quebec. En er is ook pas een proces geweest over een seriemoordenaar die in de buurt van Vancouver circa vijfenzestig prostituees heeft vermoord. Maar dat is eigenlijk in heel Amerika het geval. Er is nu een onderzoek naar tweehonderd vermiste vrouwen die ergens in het grensgebied van Mexico verdwenen zijn. Het aantal vermiste jonge vrouwen is echt schrikbarend."

PRIVÉ-PROBLEMEN

Kathy's hoofdpersoon Temperance is een slim en gestudeerd iemand met veel zelfvertrouwen, maar in haar relatie met politie-inspecteur Ryan is ze niet in staat haar gevoelens goed uit te drukken. Reichs vindt dat heel normaal. "Er zijn ook veel acteurs die op het toneel exact weten hoe ze moeten bewegen en hoe ze zich moeten uitdrukken, maar die in het werkelijke leven introverte stuntels zijn. Mijn hoofdpersoon heeft een uitgesproken sterke performance als ze aan de universiteit colleges geeft of als ze in haar laboratorium aan het werk is, maar ze heeft het heel moeilijk met het verwoorden van haar persoonlijke gevoelens.

Temperance is slim, houdt van haar werk en wat heel belangrijk is, ze heeft humor en relativeringsvermogen. Ik vind het heel belangrijk dat een hoofdpersoon niet perfect is: ze heeft een alcoholprobleem, huwelijksproblemen, er zijn misverstanden met haar dochter. Ze is een heel gewone vrouw en ze heeft problemen maar ze kan ze wel aan. Maar ik vind sowieso dat je het best spanning op kunt bouwen in een boek als er op alle niveaus fricties zijn; bovendien laat ik dingen door elkaar heenlopen. Zo werkt het in de realiteit ook. Als je thuis een probleem hebt, is het moeilijk om op je werk de knop om te draaien en te doen of er geen vuiltje aan de lucht is."

In de boeken van Reichs is een prominente rol weggelegd voor Harry, de zuster van Temperance. Zij zorgt voor humor, onverwachte wendingen en voor tegenstelling in karakter. Ze is een kleurrijk figuur die Reichs met liefde beschrijft. "Ja, Harry is gebaseerd op mijn jongere zusje, Harry. Voor het beschrijven van haar karakter heb ik niet lang hoeven nadenken. Ze is flamboyant en erg impulsief. Ze kan zich met haar hele ziel en zaligheid op iets storten als iets haar bevalt. Ze fladdert van het ene naar het andere. Ik heb haar gebruikt omdat ik tegenstellingen nodig had. Temperance zelf is een slimme, keurige, gedisciplineerde vrouw die vaak met de politie samenwerkt. In het verleden liet ik haar in benarde situaties terechtkomen, die eigenlijk niet direct voor de hand liggen. Het bleef altijd een beetje open hoe het zover had kunnen komen dat ze in die situaties belandde. Haar zusje Harry is het excuus dat ik heb gevonden. Zij is impulsief en onbesuisd. Zij stapt overal op af, ook als het minder slim lijkt, en dat maakt dat Temperance haar uit de nesten moet halen. Met Harry kan je van alles verwachten en met haar is het nog logisch ook. Je moet het zo zien. Nu is Tempie eigenlijk constant bezig met het beperken van de schade die haar zusje aanricht."

KORTE ROK

Hoewel Kathy Reichs zowel qua thematiek van haar boeken als qua karakterisering dicht bij de werkelijkheid blijft, ligt het feit dat Temperance op onderzoek uitgaat niet geheel in de lijn der verwachtingen. Reichs geeft dat ook eerlijk toe. "Nee, inderdaad, dat is dichterlijke vrijheid. Ik ben zelf in mijn beroep ook nooit op onderzoek uitgegaan. Ik ben er wel de oorzaak van geweest dat anderen op onderzoek uitgingen. Dat is ook een van de meest misleidende dingen op de televisie, in series als *CSI* en zelfs *Bones*, de tv-serie die gebaseerd is op mijn boeken. Daarin gaat de laborante ook op onderzoek uit. In werkelijkheid gebeurt dat helemaal nooit. Je hebt crimescène-specialisten die op de plaats van delict hun onderzoek doen. Maar ik krijg de lichamen in het laboratorium aangereikt door een team officials. De laboratoriummedewerkers die de analyses

"ik ben geen detective die in een strak mantelpak een onderzoek leidt"

doen, komen normaliter nooit uit het laboratorium. Op de televisie is bijna alles in één hand: de held en heldin doen politiewerk, laboratoriumwerk etc. Nonsens. Het merendeel van mijn werk bestaat uit laboratoriumonderzoek en de uitslag van dat onderzoek telefonisch bespreken met de politie of het onder ede uitleggen in de rechtszaal. Maar ik ben geen detective die in een strak mantelpakje met laag decolleté, op hoge hakken en met wat grappige verzamelarmbandjes om mijn polsen een misdaadonderzoek leidt. Dat beeld is door de televisie geschapen."

FOUT DNA

Reichs heeft duidelijk een aversie tegen het valse beeld dat de televisie van haar werk geeft. Zijn er nog meer zaken die absoluut niet deugen? Het is alsof de deksel van de snoeppot wordt gedraaid. Reichs haalt eens diep adem, haar stem krijgt plotseling extra kleur en kracht. "De rol die DNA speelt op televisie is volstrekt bezijden de waarheid. Het wordt voorgesteld als een wondermiddel waarmee je alles kunt oplossen. Niets is minder waar. DNA kan als bewijs dienen, maar het is vrijwel nooit het

doorslaggevende bewijs om een moord op te lossen. DNA is niet in elke zaak relevant. Het is eigenlijk alleen zinnig als je een naam hebt aan wie je het kunt koppelen. Neem bijvoorbeeld een zaak waarin een omaatje verkracht en vermoord wordt aangetroffen. Er is iemand verdacht, de kleinzoon. Ook zijn er DNA-sporen van hem op haar kleding aangetroffen. Maar wat dan? Dan heb je nog steeds geen bewijs dat de verdachte ook de moordenaar is. Het kan dat de kleinzoon de oude invalide vrouw uit haar rolstoel heeft getild om haar naar de leunstoel te brengen. Het DNA bewijst wel dat er contact is geweest tussen hem en zijn oma, maar niet dat hij een moordenaar is. DNA is dus handig als we in de archieven de naam hebben van iemand die in principe niet geacht wordt in de buurt van het slachtoffer te zijn geweest. Maar goed, in tv-series biedt DNA altijd de absolute oplossing en ook jury's hechten er in het dagelijks leven te veel waarde aan."

WETENSCHAP

Het lijkt wel of Reichs in haar boeken steeds meer forensische zaken beschrijft. Niet alleen zaken die noodzakelijk zijn voor de loop van het verhaal, maar veel meer. Zelf ziet Reichs dat niet zo. "Naar mijn idee beschrijf ik niet veel meer zaken dan vroeger, maar ik heb er wel plezier in ze te schrijven. En ik weet dat ik ook mijn lezers er een plezier mee doe. Lezers zijn in principe voyeurs. Ze kijken mee over de schouder van iemand die met dood en geweld bezig is. Ik denk dat dat de kern is van elk misdaadverhaal. Gruwelen op afstand. Ik probeer overigens niet alleen dood en geweld en skeletten te beschrijven. Ik probeer tevens om in elk boek een wetenschappelijk facet van mijn werk aan te kaarten en uit te diepen. Niet uitputtend, want ik probeer het wetenschappelijke gedeelte begrijpelijk te houden voor de lezer die niets van wetenschap afweet. In het ene boek ga ik in op de rol van de aarde waarin een skelet wordt gevonden en wat je daaruit kunt afleiden. In een ander boek ga ik in op de breuken in botten en in weer een ander boek vertel ik iets over de rol van vocht of droge ruimtes. Ik denk dat mensen graag dingen leren."

GROUND ZERO

In veel van de zaken die Reichs beschrijft komen gruwelijke en lugubere details voor. Heeft zijzelf ooit wel eens last van nachtmerries? Kathy's permanente glimlach maakt plaats voor een ernstige blik. "Een collega van mij heeft ooit gezegd: 'Als je aan het werk bent, dan doe je je werk. 's Avonds thuis is er pas tijd voor tranen.' Maar eerlijk gezegd werk ik al zo lang met beenderen dat er een soort beroepsdeformatie is opgetreden en dat ik er niet vaak emotioneel bij betrokken ben. De enige situatie waar ik tijdenlang nachtmerries aan over heb gehouden is Ground Zero. We stonden daar tot onze knieën in het stof, vuile lucht inademend, te zoeken naar menselijke overblijfselen: vingers, oren, benen, rompen, wat dan ook. Het gevoel van saamhorigheid was immens, maar het verdriet en het onbegrip en met name de onmacht was minstens zo groot. Je moet wel heel religieus zijn om een dergelijke gebeurtenis een plaats te kunnen geven in het leven. De meeste hulpverleners hebben daarna een tijdlang bij een psychiater gelopen. Het is nu een beetje gesleten, maar ik denk daar nog regelmatig aan terug. Het is de enige zaak waar ik lange tijd nachtmerries aan over heb gehouden."

SCRIPT VOOR *BONES*

De populaire tv-serie *Bones* wordt door Fox gemaakt op basis van de boeken van Reichs. Ze is adviseur en medeproducer. Ze leest alle scripts al heeft ze er zelf nooit een geschreven. "Het is een heel andere manier van schrijven. De beschrijving is bijvoorbeeld volledig visueel. Televisie is actie en dialoog, niet zozeer beschrijving. De acteurs maken je verhaal waar. Zij moeten de emoties verbeelden die jij op hebt geschreven. Er is een heel andere spanningsboog voor nodig en een heel andere timing. In totaal werken er zo'n negen schrijvers aan de serie. Meestal is er één schrijver per aflevering. Soms twee. Maar het script gaat door ongelofelijk veel handen en er wordt gigantisch veel veranderd. Fox heeft nog een ouderwets schrijversgebouw waar alle schrijvers zitten te werken. Het is het gebouw waar Shirley Temple ooit zat."

Kathy Reichs is niet alleen forensisch antropoloog bij de gerechtelijke medische dienst van Noord-Carolina, ze is ook directeur forensische antropologie voor de provincie Quebec in Canada. Daarnaast is ze als hoogleraar verbonden aan de universiteit van Noord-Carolina in Charlotte. Nog tijd voor hobby's? Reichs moet erom lachen.

"Ik probeer golf te leren spelen. Al mijn vrienden doen het. Dus probeer ik het ook. Het leuke is wel de uitrusting, het chique uniform dat iedereen erbij draagt om zogenaamd exclusief te kunnen zijn. Het is leuk, tenminste iedereen zegt me dat ik het op zekere dag heel leuk zal vinden. Daar wacht ik maar op. Maar eigenlijk houd ik meer van tennis. Het vervelende van golf is dat je er veel tijd voor vrij moet maken, want je moet oefenen en nog eens oefenen... Daar word ik soms heel onrustig van. Dan denk ik verlangend aan mijn werk. Maar misschien is dat juist wel de functie van een hobby: doen verlangen naar werk." ■

René Appel

"ik houd van de anonimiteit van de grote stad"

Vanaf het moment dat René Appel (Hoogkarspel, 1945) besloot om Nederlands te gaan studeren, stond zijn leven in het teken van taal. Zijn specialisatie: verwerving en didactiek van het Nederlands als tweede taal, droeg hij jaren uit als bijzonder hoogleraar verbonden aan de Universiteit van Amsterdam. Op journalistiek gebied was hij werkzaam voor bladen als *Propria Cures* en *NRC Handelsblad*. Bij een groot publiek werd hij echter bekend met de circa vijfentwintig misdaadromans die hij schreef en waarmee hij tot tweemaal toe De Gouden Strop verwierf, de hoogste prijs op thrillergebied. De laatste jaren mogen zijn psychologische, en onmiskenbaar literaire thrillers zich verheugen in steeds hogere oplagecijfers. Zijn boek *Weerzin*, over de obsessionele liefde van een hotelmanager voor zijn jonge assistente, is daarop geen uitzondering.

ONDER HET OOG VAN CARMIGGELT

Op een steenworp afstand van het borstbeeld van Simon Carmiggelt, dat in weemoed verstild naar de zwervers en zonderlingen van Amsterdam blikt, woont René Appel. Op stand, aan een chique Amsterdamse kade met beeldschoon uitzicht op het water. Een hoge trap leidt naar een ruime dubbele kamer, voorzien van veel boeken. Een zacht strijklicht vult de ruimte met een aangename gloed. René Appel past voortreffelijk in de entourage die rust uitstraalt. Zijn sonore, kalme stem is een weldaad in een wereld die piept en kraakt onder de kredietcrisis. Zijn stem schijnt te zeggen: 'Het komt allemaal wel goed.' Wij vertrouwen erop.

Wie, zoals René Appel, een leven lang in de wereld van literatuur en journalistiek rondloopt, kent hele generaties, al dan niet beroemd geworden auteurs. Een kennismaking die al plaatsvond in zijn studententijd en die van grote invloed is geweest op het verloop van zijn carrière. "Ik was niet zo'n jongetje dat de schoolkrant volschreef. Het willen lezen van verhalen is bij mij langzamerhand omgevormd in het bedenken en schrijven van verhalen. En dat is gestimuleerd omdat ik veel omging met mensen die die ambitie hadden. Ik studeerde Nederlands en in die tijd kende ik nogal veel mensen die later in de schrijverij terecht zijn gekomen. Adriaan van Dis, Ton Anbeek, Hans Dorrestijn en Charlotte Mutsaers. Het was natuurlijk niet helemaal toevallig dat we naar elkaar toetrokken. Langzaam groeide bij mij het idee om ook te gaan schrijven. Eerst schreef ik gedichten en daarna ben ik, begin jaren zeventig, korte verhalen gaan schrijven voor *Maatstaf*, *Hollands Maandblad* en een paar andere bladen. Realistische verhalen die in die tijd nog 'in' waren, in de trant van Hans Vervoort, Mensje van Keulen, Jan Donkers etc. Ik kon het redelijk. Ik schreef in die tijd ook als aspirant-redacteur voor *Propria Cures*, naast mijn fulltimebaan als wetenschappelijk medewerker bij het Instituut voor ontwikkelingspsychologie. Het was niet te combineren. Dat maakte dat het schrijven op de achtergrond raakte."

SJÖWALL EN WAHLÖÖ

Later vatte het idee toch weer post. Ik was getrouwd, ik had een baan en in die tijd was het in om Sjöwall en Wahlöö te lezen. Verder las ik eigenlijk geen misdaadliteratuur. Maar met de politieromans van dat tweetal kon je voor de dag komen, ook in intellectuele kringen. Het was een reeks van tien boekjes die bedoeld waren om de schandelijke kapitalistische Zweedse consumptiemaatschappij aan de kaak te stellen. Die boodschap wilden ze verpakken in misdaadboeken, Het was interessant, maar de kwaliteit van die reeks ging met elk volgend boek achteruit. Omdat de boodschap ging overheersen werden het verhaal, de intrige, de plot minder. Het tiende deel was *De terroristen*. En dat boek vond ik zo slecht. Daarom kwam het idee bij me op om er op een fel, *Propria Cures*-achtige wijze een stuk over te schrijven. En dat stuurde ik toen naar het *NRC Handelsblad*, dat toen een cultureel supplement had waarin boekenrecensies stonden. De redactie vond het een prima stuk en ik kreeg het aanbod om hun vaste misdaadrecensent te worden. Ik moet je zeggen dat ik het genre nauwelijks kende. Ik was helemaal opgegroeid in de sfeer van neerlandistiek. Dus Hermans enzo. Het was de tijd van de serie *Crime de la Crime* van de Arbeiderspers, waarin ook Dick Francis en Dashiell Hammett werden uitgegeven. Al schrijvend leerde ik het genre een beetje kennen. In die tijd maakte ik pas kennis met de boeken van Patricia Highsmith en Ruth Rendell.

"vroeger kende ik het genre nauwelijks"

En toen dacht ik: verdomd, als ik weer wil gaan schrijven, dan wil ik dat soort boeken schrijven. Dus psychologische romans. Op een gegeven moment kreeg ik een idee voor een kort verhaal, maar het was zo'n lang kort verhaal dat ik er een roman van gemaakt heb. Dat is toen mijn eerste boek *Handicap* (1987) geworden.

HANDICAP

"Het boek *Handicap* werd redelijk succesvol ontvangen. Dat kwam omdat ik de eerste in Nederland was die psychologische thrillers schreef. En dat is tamelijk lang zo gebleven. Na een hele tijd kwamen er anderen bij die zich ook op dat genre toelegden. Als schrijver heb ik mijn hart aan dat subgenre verpand. Daar voel ik me het meest in thuis. Dat type misdaadromans vind ik het prettigst om te lezen en ik kan ze zelf ook het best schrijven. Mijn eerste boek was relatief gezien het gemakkelijkst. Daar had ik alle tijd van de wereld voor. Bij het tweede boek wordt meer van je verwacht. Niet dat de druk toenam, dat niet. Mijn boeken hebben vanaf het begin redelijk verkocht, al heb ik nooit bestsellers geschreven. Ik heb maar één keer echte schrijfdruk ervaren, dat was een paar jaar gelden toen *Loverboy* (2005) verscheen en ik in diezelfde periode ook het cadeauboekje voor de Maand van het Spannende Boek moest schrijven. Van *Loverboy* werden 25.000 exemplaren verkocht. Dan doe je het hartstikke goed in

Nederland. Toen wilde ik eigenlijk een beetje gas terugnemen, maar dat heb ik niet gedaan. Ik heb het volgende boek binnen een jaar afgeleverd, maar dat had ik achteraf gezien beter niet kunnen doen. Ik moet me niet meer op laten jagen. Dat heb ik ook niet meer nodig. Dat neemt niet weg dat ik voor mijn boeken *Schone handen* (2007) en *Weerzin* (2008) wel weer een contract heb getekend om twee boeken in twee jaar tijd af te leveren. Dus daar zat een zekere druk achter. Maar ach, als het boek niet af is, dan is het niet af. Dan kan je honderd keer zeggen dat er een contract is, maar dan is het gewoon niet af. Je kunt niet een half manuscript gaan drukken."

Hoe goed de boeken van Appel ook besproken worden, hoeveel lof er ook over hem wordt uitgestrooid, zekerheid biedt het hem niet. "Ik herlees mijn boeken nooit. Daar heb ik een zekere angst voor. Ik weet zeker dat ik dan denk dat ik dingen anders had moeten doen. Dat ik had gedacht: kijk, die oplossing was misschien ook leuk geweest. Dat wil ik gewoon niet. Ja, ik ben dus bang dat ik daarmee een soort zekerheid ondergraaf die je moet hebben als je achter die computer gaat zitten. Dan ga je steeds denken, zou het ook anders kunnen? Natuurlijk, je moet je eigen werk kritisch bekijken, maar wel vanuit een soort zekerheid. Mensen vragen me wel eens wat ik mijn beste boek vind. Dat kan ik niet zeggen. Het punt is dat al mijn boeken een bepaalde betekenis voor me hebben. Dat kan zijn door een vondst of door het thema of door bepaalde karakters. Maar goed, ik heb het boek *Geweten* (1996) geschreven, naar aanleiding van een moord onder middelbare scholieren, vlak na de Tweede Wereldoorlog. Dat verhaal heb ik een keer gehoord, toegedekt omdat men het nog steeds te pijnlijk vond voor de betrokkenen. En dat heb ik altijd intrigerend gevonden. Daar heb ik een boek over geschreven. Het boek heeft een bepaalde vorm omdat het voor een deel in het heden (1995) speelt en voor een deel in het verleden (vlak na 1945). Het eindigt op Bevrijdingsdag (1995). Dat zat helemaal rond in tijd. Door vorm en inhoud heeft dat boek wel een heel speciale betekenis voor me, ja."

VAN KWAAD TOT ERGER

"Het leukst aan schrijven vind ik dingen bedenken. En dat kan zijn hoe je spanning opbouwt, maar dat kan ook een onverwachte wending in het verhaal zijn of een raar karakter dat je introduceert. Een klein voorbeeld. Ik had plotseling bedacht dat de vrouw van de hoofdpersoon in *Weerzin*, een stemmetje moet inspreken voor een kinderprogramma. Dat komt omdat ik de vrouw ken die Ieniemienie inspreekt. Ik vond het leuk om daar iets mee te doen en om haar een mannelijke collega te geven die zogenaamd een kindervriend moet zijn maar die in werkelijkheid een gefrustreerde auteur is die lullig doet. Je zou hem Aart Staartjes kunnen noemen. Vaak is het zo dat ik een personage dicht bij de hoofdpersoon introduceer en dat ik me dan pas realiseer dat ik veel meer met dat personage kan. Ik put de inspiratie voor mijn boeken uit dingen die mij opvallen in de krant of op de televisie. Dat is nooit een volledige misdaad met alles erop en eraan. Bij mij gaat het meestal om conflicten die uit de hand lopen. En die kan je overal zien, meemaken en horen. Ik houd erg van 'het kwaad tot erger'-scenario. Ik heb ook ooit een verhalenbundel met die titel gepubliceerd. Dat vind ik een mooi gegeven."

DE ENE WIL EEN ANDER...

In Appels boek *Weerzin* wordt de gelukkig getrouwde huisvader Niels, manager van een hotel, hopeloos verliefd op zijn jeugdige assistente. De eigenaresse van het hotel is op haar beurt hopeloos verliefd op Niels. Het is het thema van 'de ene wil een ander, maar de ander wil die ene niet', waar Ramses Shaffy zo'n mooi lied over geschreven heeft. "Ja, mensen die in cirkels achter elkaar aan lopen. Mijn idee voor dit verhaal is mijn eigen perfide geest. Iemand die getrouwd is, maar obsessief verliefd is op een jonge vrouw die bij hem in dienst komt. En dan niet omdat hij verder ongelukkig is in het leven, nee hij heeft best een goed bestaan. Hij heeft een aardige vrouw, hij voelt zich goed, maar toch… ondanks dat…! Voor sommige mensen is het natuurlijk heel herkenbaar. Het is die bliksemschicht waardoor mensen helemaal van de kaart raken en ze allemaal heel onverstandige dingen gaan doen. Ik heb het zelf niet meegemaakt, maar ik weet uit mijn omgeving hoe zoiets kan lopen."

MOEILIJKHEDEN STAPELEN

"Als je mijn verhalen analyseert, zie je dat ik stapel. In *Schone handen* wil de vrouw van een crimineel een ander leven. Ik wil niet zeggen dat ze feministisch of geëmancipeerd is, maar ze wil niet dat afhankelijke vrouwtje zijn dat alleen maar thuis zit en geld uitgeeft. Ze

"mijn boeken gaan uit van het dominoprincipe"

wil het moreel niet meer, haar kinderen lopen gevaar, hij gaat vreemd, ze wil zelf onafhankelijk zijn, ze wordt door de buren en op school met de nek aangekeken, dus sociaal niet meer geaccepteerd. Ik heb het zo gestapeld tot ze dacht: en nu is het genoeg. Ik heb van haar een bepaald type gemaakt omdat je alleen dan kunt waarmaken dat ze op een gegeven moment de deur achter haar dichtslaat. Dat vind ik altijd belangrijk voor de keuzes die je moet doen, als je een boek schrijft. Ook in *Weerzin* stapel ik. De moeilijkheden waarmee hoofdpersoon Niels te maken krijgt groeien steeds meer aan. Zijn liefde voor zijn assistente wordt niet beantwoord, zijn vrouw gaat dood, hij heeft moeilijkheden met zijn kind, zijn directrice chanteert hem, het hotel waar hij manager is dreigt ten onder te gaan. Het is het dominoprincipe. Valt er één om, dan vallen er meer stenen om. Ik heb ooit een boek geschreven met de titel *Persoonlijke omstandigheden* (1992). Een boek waarin heel sterk mijn uitgangspunten voor veel van mijn boeken samenkomen. Iets persoonlijks, iets wat in iemand zit, wat iemand ertoe drijft om dingen te doen die uiteindelijk niet zo goed voor hem blijken te zijn en soms heel slecht. En er zijn omstandigheden die dat bevorderen of versterken. Dat slaat precies op de boeken die ik schrijf."

APPELS OMSTANDIGHEDEN

Hoewel René Appel geen colleges meer geeft zit hij niet stil. Hij heeft een filmscenario en een toneelstuk geschreven. Hij is tot voor kort voorzitter geweest van de beroepsvereniging van schrijvers en literatoren, hij zit in het bestuur van Amsterdam

"ik ben volledig uit de klei getrokken"

Wereldboekenstad en hij is in onderhandeling over de bewerking van zijn boeken tot hoorspel. Zijn woonplaats Amsterdam bevalt hem uitermate goed en aan een terugkeer naar zijn geboortedorp moet hij niet denken. " Ik kom uit Hoogkarspel. Ik ben volledig uit de klei getrokken. Ik heb geen weerzin tegen het platteland ontwikkeld, maar ik zou er nooit willen wonen. Dat 'iedereen kent iedereen' vond ik erg benauwend. Ik houd wel van de anonimiteit van de grote stad. En je hebt hier allemaal voorzieningen. Je kunt overal naartoe. Er is altijd van alles. In een dorp is gewoon niks. Natuur en dorp zijn mooi, maar niet om in te wonen." ■

Philip Ker[

"je moet gefaald hebben voordat je oprecht van Succes kunt genieten "

De Schotse schrijver Philip Kerr (1956) is gefascineerd door de Tweede Wereldoorlog, maar dan wel door het absurdisme, de onmenselijkheid, het kuddegedrag, het klakkeloos volgen, de redeloosheid. Met daar-tegenover de onmacht van mensen die zich te midden van constant ge-vaar staande proberen te houden. De angsten van gewone mensen die niet hebben gevraagd om de orgie van geweld. Begin jaren negentig schreef Philip Kerr drie adembenemend mooie thrillers met in de hoofd-rol Bernie Gunther, politie-inspecteur tijdens het nazi-bewind. Ze wer-den bekend als de Berlijnse trilogie. Vijftien jaar later liet Kerr zijn ver-trouwde held opnieuw opdraven in *De een en de ander* (2006). In zijn boek *Een stille vlam* ontmoet Bernie Gunther in het hete Buenos Aires historische figuren als Adolf Eichmann en Evita Peron. De oorlog is nog niet ten einde. Voor zijn boek *Als de doden niet herrijzen* (2009) kreeg Kerr de prestigieuze Spaanse prijs de Premio Internacional de novela negra RBA.

VAN TEKENFILM TOT WO II

Philip Kerr ziet er streng uit. Donker krulhaar, doordringende ogen en een egaal gezicht. Casual, maar toch keurig, gekleed. Hij is iemand die er zelfs in groezelige werkkleding keurig uit zal zien. In het echt vriendelijker dan hij op foto's oogt. En ook de Tweede Wereldoorlog is voor hem minder een obsessie dan het lijkt. Hij heeft meer interesses. Dat wordt duidelijk als we dreigen uitsluitend over ons beider grote liefde, de tekenfilms uit de Gouden Eeuw, te praten. Philip Kerr kent een flink aantal teke-naars bij naam. Zijn favoriet is Fred Quimby, de magiër die eigenhandig tal van *Tom & Jerry*-tekenfilmpjes maakte in de jaren dertig en veertig van de vorige eeuw. Kerrs strenge uitstraling smelt als sneeuw voor de zon als hij enkele weergaloos grappige scènes memoreert. Hij straalt, maar wel op een verlegen manier.

"De tekenfilms die ze vroeger maakten, zijn nu financieel niet meer haalbaar. De tekenaars zijn technisch ook niet meer in staat om ze te maken. De huidige generatie is opgegroeid met computeranimatie. Niemand beheerst meer het handwerk van vroeger. Mannen als Chuck Jones (*Roadrunner*), Fred Quimby (*Tom & Jerry*), ze bestaan niet meer. Ze maakten tekenfilmdieren met een charme die geen enkel van de huidige tekenfilmfiguurtjes nog heeft. De Gouden Eeuw van de tekenfilm is voorgoed voorbij. Ik heb drie kinderen, twee jongens van vijftien en twaalf jaar en een meisje van acht jaar, en die laat ik vaak van die oude tekenfilmpjes zien. Ze zijn inmiddels net zulke fans als ik. Jong geleerd, oud gedaan, nietwaar? Alhoewel mijn jongste zoon ook dol is op *The Simpsons.*"

FILM EN BOEK

Als groot liefhebber van tekenfilms en speelfilms is Philip Kerr bijzonder blij met de belangstelling van de filmindustrie voor zijn boeken. "Er zijn momenteel veertien filmrechten van mijn boeken verkocht, waaronder vier kinderboeken. Maar of het iets wordt, ik weet het niet. Ik word regelmatig voorgesteld aan producers en regisseurs, die allemaal zeer vleiend over mijn boeken spreken. Maar dan gaan ze weg en zeggen ze dat ze eerst wat gesprekken moeten hebben met geldschieters. Ook zeggen ze dat de financiering niet gemakkelijk zal zijn, omdat mijn boeken zich afspelen in het Berlijn van de vorige eeuw. En dat betekent dure decors, dure kleding, dure… noem maar op. Ach ja… ik weet hoe het gaat. Ik schrijf zelf ook filmscenario's, maar het is frustrerend werk. Als je een scenario af hebt, is er geen enkele zekerheid dat het ook verfilmd zal worden. Het heeft niets met kwaliteit te maken, maar uitsluitend met geld. Er is tot op heden één script gerealiseerd en dat is *De Russische maffia*, een film voor de BBC. Een drama in drie delen. Maar over het algemeen zien scripts meer prullenbakken dan bioscoopzalen. Daarom is het altijd weer verfrissend om aan een volgend boek te beginnen. Dat heb je in ieder geval helemaal in eigen hand."

Het schrijven van boeken mag dan zijn voorkeur hebben boven het schrijven van filmscripts, ook in de boekenwereld moet hij van tijd tot tijd vechten om gerealiseerd te krijgen wat hij wil: "Het probleem is dat uitgevers eigenlijk het liefst hebben dat ik hetzelfde boek steeds opnieuw schrijf. Ze zijn als de dood dat het succes hen uit handen glipt als ik iets anders probeer. Maar ik denk er niet aan om dat te doen. Ik draag toch ook niet elke dag dezelfde kleren. Natuurlijk verkoopt het ene boek beter dan het andere. Ik ben niet vies van geld. Ik kan me een aantal dingen permitteren dankzij mijn boeken, maar aan het herschrijven van steeds hetzelfde boek, louter vanwege het geld, begin ik niet."

MAN IN BONUS

Philip Kerr straalt de zelfverzekerdheid uit van een man in bonus. Iemand die zich niet al te druk hoeft te maken om geld. Geen grijze haar ontsiert zijn donkere haren, geen rimpel doorgroeft zijn gezicht. Hij heeft de natuurlijk bruine gezichtskleur die welgestelde mensen met regelmaat halen aan de Franse Rivièra of op een tropisch eiland. Kerrs huidskleur is overigens een gevoelig punt. Nu is hij tevreden met zijn kleur, maar in zijn jeugd werd de in Edinburgh geboren Kerr ermee geplaagd. "Ik werd 'paki' genoemd en 'neger' en ik had daar behoorlijk onder te lijden toen ik jong was. Mijn bijnaam was Rastus. Zelfs de leraren noemden me zo. Maar ik neem aan dat die plagerijen meer uit onwetendheid voortkwamen, dan uit gemeen bedoelde vooroordelen.

"plotseling had het geloof geen enkele betekenis meer voor me"

Het was in ieder geval goed voor mijn karaktervorming zullen we maar zeggen. Ik had meer last van de dood van mijn vader, die op 47-jarige leeftijd stierf. Ik was toen tweeëntwintig jaar en ik vond dat zo onrechtvaardig. Het was ook niet te rijmen met mijn geloof. We waren thuis baptisten. Heel streng. Op zondag ging ik soms wel drie keer naar de kerk. Maar na de dood van mijn vader begon ik het leven anders te zien. Plotseling had het geloof geen enkele betekenis meer voor me."

De jaren die volgden op de dood van zijn vader was Philip Kerr in hoge mate improductief. Hij had geen flauw idee wat hij wilde worden. Zijn vader had een toekomst in de advocatuur voor zijn zoon helemaal zien zitten. Dus studeerde Philip halfslachtig rechten. "Luisteren naar je ouders betekent het creëren van een gevangenis voor jezelf." Het werd dus niets. Hij werkte op een reclamebureau, een advocatenkantoor en bij een accountant. Hij werd meerdere keren ontslagen. "Toen besloot ik datgene te doen wat ik als kind van tien al wilde, ik ging schrijven. Dat was ook logischer. Mijn moeder had me al op jonge leeftijd leren lezen en stimuleerde mijn leesgedrag enorm. Dat heb ik altijd erg gewaardeerd. Als je leest word je meegenomen naar een andere wereld. Het prikkelt je fantasie. Als dat op jonge leeftijd wordt aangeleerd, zal je daar op latere leeftijd altijd behoefte aan houden. Bovendien is lezen een goedkope manier van tijdverdrijf en omdat ons gezin nogal krap bij kas zat, was dat mooi meegenomen. Dus toen ik later besloten had te gaan schrijven, deed ik dat, als liefhebber van de boeken van Martin Amis, geheel in zijn stijl. Slimme, grappige verhalen vol moreel en mentaal geweld. Vijf boeken die allemaal afgewezen werden. Toen was ik inmiddels een paar jaar verder zul je begrijpen. Mijn doorbraak kwam toen ik besloot misdaadverhalen te gaan schrijven, met Bernie Gunther in de hoofdrol. Ik was toen een jaar of 33, denk ik. Een mooie leeftijd. Het is niet goed als je op te jonge leeftijd gepubliceerd wordt. Je moet falen voordat je oprecht van succes kunt genieten."

BERLIJN

In het begin wilde ik eigenlijk geen misdaadverhalen schrijven. Ik wilde over Berlijn schrijven, de jaren dertig, de nazi's. Het introduceren van een privédetective die in die tijd in die stad opereerde was een goede ingeving. Het beroep van Bernie Gunther was natuurlijk niet origineel, maar wel de tijd waarin ik hem liet opereren. Het verschil met andere schrijvers is dat zij een detective verzinnen en dan over hem willen schrijven. Bij mij is het omgekeerd. Ik wilde over Berlijn in de jaren dertig schrijven, een periode, en ik had een vehikel nodig om mijn verhaal aan op te hangen. Ik ben dol op geschiedenis, maar het was niet mijn bedoeling een geschiedenisboek te schrijven. En met name de jaren dertig en veertig vond ik fascinerend. Als je het hebt over

> "**mijn held bernie** heeft een **diepgewortelde** afkeer **van nazi's**"

misdaad, dan is dat de allergrootste misdaad van de eeuw. Dus boven de gewone mensen met hun huis-, tuin- en keukenmisdaden hangt die paraplu met monsters en monstrueuze misdaden jegens de hele mensheid. Materiaal genoeg. Het is zonder meer de interessante periode in de geschiedenis voor een schrijver."

De hoofdpersoon in de Berlijnse trilogie is Bernie Gunther. Als Kerr hem beschrijft, geeft hij eerst een verhandeling waarin hij zegt gek te worden van schrijvers als Ian Rankin die hun hoofdpersoon beschrijven als 'bijzonder levensecht'. "Dat zegt dus helemaal niets. Neem Dickens en zijn personage David Copperfield. Briljant, maar levensecht? Een romanpersonage moet geloofwaardig zijn, maar hoeft niet levensecht te zijn. Ik heb van Bernie een figuur gemaakt die heldhaftige dingen deed, maar ook vrij laffe dingen. Het probleem van veel misdaadliteratuur is dat veel helden niet lafhartig mogen zijn. Mijn hoofdpersoon is in wezen een gewone man, een patriot, die het gevoel heeft dat zijn land gekidnapt is. Maar toch moet er brood op de plank komen.

Hij ziet de dingen waarin hij geloofde verdwijnen, maar hij blijft wel geloven in bepaalde waarden. Hij gaat problemen niet uit de weg. Sterker, hij veroorzaakt zelf veel problemen door zijn grote mond en zijn afkeer van autoriteit. Verbaal jaagt hij mensen op de kast. Vanuit zijn diepgewortelde afkeer van nazi's zegt hij de meest onvoorzichtige dingen tegen hen. Dat is overigens het meest onrealistische trekje van zijn karakter. Als hij in het echt geleefd had en verbaal werkelijk zo tekeer was gegaan tegen de nazi's, was hij al honderd keer ter plekke doodgeschoten. De geloofwaardigheid van personages in boeken is overigens een moeilijke zaak. Zo willen de lezers Hitler voorgeschoteld krijgen als een doorgeslagen psychopaat die geen enkele tegenspraak duldde. Voor lezers is dat dus de geloofwaardige versie, in werkelijkheid duldde Hitler, best tegenspraak. Hij had vaak discussies met zijn generaals over de manier waarop de oorlog voortgezet moest worden. En niemand van hen die anders dacht dan Hitler, werd gefusilleerd als hij er een andere mening op nahield. In tegenstelling tot iemand als Stalin. Als je het waagde om hem tegen te spreken was je dood. Dan zat er buiten iemand in een auto op je te wachten om samen een laatste rit te maken. Hitler was wat dat betreft toleranter. Maar, zoals ik al zei, de meeste schrijvers geven de lezers het beeld van hem dat zij al hebben en dat zij bevestigd willen zien, een schurk groter dan het leven. Dat is natuurlijk ook zo, maar hij was menselijker dan het beeld dat er van hem gegeven wordt. In romans maakt dat niet uit. Net zoals het voor het boek niet uitmaakt dat Bernie Gunther te brutaal is tegen de nazi's. Daar zit gewoon heel veel 'wishful thinking' bij, moet je maar denken. Hij zegt dingen waarvan ik hoop dat er iemand was die dat soort dingen tegen die onmensen zou zeggen."

DE BILLEN VAN EVA PERON

"De grote mond van Bernie is overigens op zich niet uniek. Er zijn een paar grote crimewriters die helden hebben met niet zulke grote monden. Denk maar aan Mike Hammer van Mickey Spillane of aan privédetective Philip Marlowe van mijn grote idool Raymond Chandler. Hij is een van de grootste stilisten. En, wat je waarschijnlijk niet zou zeggen, in het karakter van Bernie zit een soort grappige dwarsheid die ik heb ontleend aan P.G. Wodehouse, de bedenker van de Jeeves-romans. Chandler en Wodehouse hebben beiden iets fris in hun manier van schrijven, iets onconventioneels, iets nieuws. Ze kunnen dingen op een briljante manier beschrijven. Ze zetten een situatie neer die zowel beeldend is als humoristisch, terwijl de ondergrond soms gewoon ernstig is. De taal die mijn hoofdpersoon Bernie bezigt, is rechtstreeks beïnvloed door beide briljante schrijvers die ik net noemde. Soms

"de grappige dwarsheid van bernie is ontleend aan p.g. wodehouse"

ook het gedrag. Als Bernie in *De stille vlam* op een gegeven moment naar Eva Peron kijkt, dan overpeinst hij dat ze heerlijke billen heeft waar hij graag een tikje op zou willen geven. Ik schrijf dan: '*Sommige mannen mepppen graag op een gitaar of tegen een stel dominostenen. Ik had dat met het achterste van een vrouw. Het was geen hobby, maar ik was er goed in. Een man moet ergens goed in zijn.*' In die scène herken je zowel het machogevoel van Chandler als de humor van Wodehouse."

EICHMANN

In het reeds genoemde boek *De stille vlam* speelt de naar Argentinië uitgeweken nazi Eichmann een rol. Ook hij wordt door Philip Kerr niet uitsluitend afgeschilderd als een monster: "Eichmann was een monster, maar hij had ook heel andere eigenschappen. Hij was een ongelooflijk ijdele man, hebzuchtig als geen ander. En voor zijn ambities moest alles wijken. Hij snakte ernaar een positie te verwerven in de high society. Het leuke voor mij als schrijver is dat ik deze architect van het kwaad, die trotse, hooghartige man in Argentinië kon laten verschrompelen tot een onbeduidend mannetje die moest proberen in de jungle te overleven met niets dan zijn foute ideeën. Geen geld en geen macht, niets was er over. Maar al zijn eigenschappen zijn op zich menselijk. Het is de manier waarop je die eigenschappen beschrijft en aan elkaar koppelt die maakt hoe je die man gaat zien. Aan de ene kant was het een volstrekt gewetenloze en kille man, aan de andere kant zielig door zijn kleinzieligheid. Bernie weet met zijn grote mond het slechtste in de man boven te roepen."

BERNIE NAAR CUBA

De stille vlam speelt voor een groot deel in Argentinië. Het beeld dat Kerr van het land schetst, is historisch verantwoord, weinig flatteus. De leden van het Peron-regime staakten de oorlog niet echt na 1945. Hun sympathieën en handelswijze bleven ook na 1945 vrijwel hetzelfde. "Ik houd ervan te chargeren, maar het is gewoon waar dat Perron een groot bewonderaar was van Hitler. Dat werd ook door allerlei documenten bevestigd. Documenten die later allemaal zijn vernietigd. Maar wat je ook vernietigt aan papier, ideeën vernietig je niet zomaar en Peron bleef iemand met nazi-sympathieën. Ik vind het dan ook heerlijk om de beeldvorming van de Perons verder negatief te kleuren door te schrijven dat hij op veel te jonge meisjes viel en dat

"eichmann was een monster, ijdel en hebzuchtig"

zijn vrouw Evita haar liefdadigheidsprojecten financierde met besmet nazi-geld. Allemaal waar, maar als je het in één boek achter elkaar zet, stuur je de mening van je lezers wel. Dat besef ik. Ik probeer weinig bekende aspecten van mijn personages te vinden. Dus niet alles wat de lezers en kijkers al weten via films, boeken en musicals. Dat kost me veel tijd qua research, maar dat maakt voor mij het schrijven van boeken de moeite waard. In volgende boeken zal Bernie zeker nog terugkomen, ouder, dikker, met minder spierkracht maar wel wijzer. Want dat doet het leven met de mens, het maakt je wijzer." ■

Kate Mosse

„ik wil spookverhalen schrijven die de mensen doen huiveren"

Kate Mosse (1961) is in Engeland een mediaberoemdheid. Voor de BBC presenteert ze verschillende radioshows, waaronder de *Readers and Writers Roadshow*. Bovendien is ze een van de oprichters van de Orange Prize for Fiction. Samen met haar man en kinderen woont ze in West-Sussex. Na twee romans, *Eskimo Kissing* (1996) en *Crucifix Lane* (1998) die weinig opzien baarden, brak zij wereldwijd door met *Het verloren labyrint* (alleen in Nederland al 150.000 verkochte exemplaren). Ook haar latere boeken *De vergeten tombe* en *De Wintergeest* werden internationaal gezien doorslaande successen. De inspiratie voor haar boeken doet Kate Mosse op in haar tweede huis in het Franse Carcassonne.

LADY

Gek wordt ze van de vraag of ze het beroemde fotomodel Kate Moss wel eens heeft ontmoet, zegt ze ongevraagd, met een stralende glimlach op haar gezicht. Hun namen verschillen maar één letter, maar tussen hun karakters, hun achtergrond en interesses bevinden zich gapende kloven, diepe oceanen en hemelhoge bergen. Kate Mosse, de schrijfster, is niet geïnteresseerd in catwalks, drugs en champagneparty's. Ze is belezen, leergierig, geïnteresseerd in alles wat met kunst, geschiedenis en klassieke muziek te maken heeft. Ze is hyperactief, dol op research en reizen en omarmt de periode waarin ze na de moeilijke bevalling die het voltooien van een boek nu eenmaal is, de wijde wereld in kan om haar boek te promoten. Frêle, parmantig, glimmende ogen, een spraakwaterval. Een klassiek ogende intellectuele lady die, kristalhelder formulerend, het begrip enthousiasme een volstrekt nieuw elan geeft. Bovendien is ze aardig, aardig en nog eens aardig. Ze heeft dan ook geen enkele moeite met het ontrollen van haar levensgeschiedenis en haar schrijversloopbaan die zich kenmerkte door een valse start.

Na een roman en een thriller die weinig deden besloot Kate Mosse rond de eeuwwisseling een boek te schrijven over een periode die haar fascineerde, de dertiende eeuw. Het werd *Het verloren labyrint*. "Ik ben dol op geschiedenis. Dat heb ik van mijn ouders die archeologen waren en die me leerden dat zelfs ogenschijnlijk lelijke of onbeduidende voorwerpen de boeiendste verhalen konden vertellen. Maar de echte inspiratie voor *Het verloren labyrint* kwam toen mijn man en ik een huis kochten in het Franse Carcassonne. Het is een schitterende middeleeuwse stad. Het hele gebied rond de stad ademde de sfeer van het verleden. Maar pas tien jaar gelden kwam het keerpunt toen ik Montsegur bezocht, een dorp aan de voet van de Pyreneeën. Toen ik daar in de sneeuw een berg beklom, kreeg ik plotseling visioenen van een middeleeuwse vrouw die op de stadsmuren stond. In mijn visioen was het zo rond het jaar 1244. Toen wist ik ook dat het verhaal waar ik zo lang over liep te dubben, een graal-verhaal moest zijn. Ik had toen andere projecten lopen, dus ik kon niet meteen aan de slag.

"zes jaar duurde de research voor het verloren labyrint"

Maar als je het bij elkaar optelt, ben ik toch zeker zes jaar bezig geweest met researchen, plotten en het schrijven van *Het verloren labyrint*. Ik heb bergen beklommen, ben van dorp naar dorp gewandeld, heb grotten bezocht, ben in oude kerken en kathedralen geweest en heb zelfs zwaardvechtlessen gevolgd om me emotioneel in te leven in mijn karakters."

CULTUUR & MUZIEK

Cultuur speelt een grote rol in de boeken van Kate Mosse. Heel verklaarbaar, vind zijzelf. "Van jongs af aan heb ik gemusiceerd. Van mijn negende tot mijn achttiende was ik stapelgek op klassieke muziek en speelde ik het merendeel van mijn tijd in orkesten. Muziek was mijn leven. Ik was een heel ijverig meisje dat van studeren hield. Daarnaast speelde ik heel verdienstelijk viool. Maar toen ik een jaar of zestien was, besefte ik dat ik niet goed genoeg was om er de rest van mijn leven op een behoorlijk niveau mijn geld mee te verdienen. Het was een grote mate van zelfkennis waar ik tot op de dag van vandaag blij mee ben. Ik weet dat ik nooit een briljante soliste geworden zou zijn. Wellicht goed genoeg voor een orkest, maar meer ook niet. Maar ik ben wel altijd dol op muziek gebleven. Die liefde vind je terug in *De vergeten tombe* in de persoon van de moderne jonge vrouw Meredith die in het heden onderzoek doet naar de muziek van Claude Debussy. Ik heb nog steeds bij bepaalde klassieke stukken dat de haren in mijn nek recht overeind gaan staan. Ik kan er emotioneel erg door geroerd raken. Ik waan me dan terug in mijn jeugd toen ikzelf in een orkest zat. Dertig jaar later heb ik nog steeds nostalgische gevoelens naar de tijd dat ikzelf die prachtige muziek mocht spelen. Als schrijfster gebruik je die gevoelens natuurlijk. Datzelfde heb ik met kunst. Ik ben geen grote kunstkenner, maar ik vind het idee dat schilderijen of prenten mensen van nu nog evenzeer kunnen beroeren als in de tijd dat ze gemaakt werden heel bijzonder. Prenten kunnen hele verhalen vertellen. De symboliek, uitgebeeld in de natuur, een dier, een mens, een voorwerp of een combinatie daarvan vertellen in een enkel ogenblik sneller een compleet verhaal dan ik in meerdere pagina's kan weergeven. Boeken van vroeger zijn door het archaïsch taalgebruik nauwelijks meer te begrijpen, maar dat geldt niet voor muziek en schilderijen. Die zijn nog even begrijpelijk als vroeger."

EDGAR ALLAN POE

In *De vergeten tombe* spelen twee verhaallijnen door elkaar. Een verhaal speelt zich af in 1891, te beginnen in Parijs waar de zeventienjarige Leonie en haar broer geconfronteerd worden met gewelddadig oproer in de Opera. Zij gaan vervolgens naar het Zuidfranse Rennes-le-Chateau. Het verhaal wordt afgewisseld met het verhaal van Meredith, een hedendaagse Amerikaanse, die voor een studie naar de componist

Claude Debussy afreist naar Parijs en vervolgens naar het hedendaagse Rennes-les-Bains. Moordende hebzucht, eeuwenoude geheimen en spookachtige muziek zijn de leidmotieven in het intrigerende verhaal. Ook worden er tussen neus en lippen door wat grappige wetenswaardigheden beschreven. Zo zou Claude Debussy de verhalen van Edgar Allan Poe op muziek hebben willen zetten. Kate Mosse glundert: "Jazeker, het gaat om de verhalen *The Fall of the House of Usher* en *The Devil in the Belfry*. Verrassend, hè? Zo was het voor mij ook een verrassing dat de Franse schrijver Baudelaire Engels heeft geleerd met als enige reden om Edgar Allan Poe te kunnen lezen. Dat is het leuke van research. Je stuit op dingen waar je geen notie van had. Toen ik het leven van Claude Debussy onderzocht, wat mijn hoofdpersoon Meredith later in mijn boek zou doen, stuitte ik op dit gegeven. Ik bewonder Claude Debussy enorm. Toen ik jong was speelde ik zijn muziek waardeloos. Ik ging als een razende Roeland met zijn muziek aan de haal, terwijl ik het heel simpel had moeten houden. Maar goed, als je achttien bent lees je geen biografieën, dus ik wist niets

"debussy heeft geprobeerd poe op muziek te zetten"

van de man. Ik heb hem een kleine rol gegeven in mijn boek. Debussy was een ideale persoon om het heden met het verleden te verbinden, waardoor ik mijn verhaallijnen mooi ineen kon laten vloeien. Toen ik mijn research deed, ontdekte ik dat hij niet zozeer in het occulte geïnteresseerd was, maar dat hij zijn creatieve inspiratie zocht in dingen die niet alledaags waren. Daarom heeft hij geprobeerd Poe op muziek te zetten. Maar daar is hij nooit in geslaagd."

EEUWEN VOL PROBLEMEN

Het verloren labyrint speelt zich af in de dertiende eeuw. *De vergeten tombe* speelt zich af in de negentiende eeuw en in de eenentwintigste eeuw en *De Wintergeest* in de twintigste eeuw. "Als ik mag afgaan op dat wat veel mensen me nu schrijven, mag ik concluderen dat de mensen de negentiende eeuw en de twintigste eeuw leuker vinden dan de middeleeuwen uit *Het verloren labyrint*. Het is herkenbaarder, het verleden ligt dichterbij. Zelf ben ik altijd gefascineerd geweest door de dertiende eeuw en door het einde van de negentiende eeuw. Mijn boeken sluiten dus perfect aan bij mijn favoriete interesses. Beide tijdvakken, beide eeuwen waren een tijd van onrust, een tijd die veranderingen in zich droeg. Iedereen denkt aan Parijs

"parijs was eind negentiende eeuw een gevaarlijke stad"

als aan de stad van de liefde, die prachtige stad vol cultuur en geschiedenis, maar diezelfde stad heeft heel wat bloedbaden meegemaakt. Het was aan het eind van de negentiende eeuw een gevaarlijke stad om te leven. Mensen waren onzeker over wat hun te wachten stond. Als romanschrijfster is het heerlijk om een dergelijke tijd als achtergrond te gebruiken."

STERKE VROUWEN

De twee hoofdpersonen in *De vergeten tombe* leven in verschillende eeuwen (Leonie in 1891 en Meredith in 2007). Het zijn beiden sterke vrouwen. Het ligt voor de hand dat Kate Mosse aan een van de twee tijdens het schrijven het meeste plezier heeft beleefd. "Ik heb een natuurlijke affectie voor mijn jonge karakters, waarschijnlijk omdat ik de moeder van teenagers ben. Ik heb een heleboel meisjes van zeventien die mijn huis in- en uitlopen. Ze hebben dus mijn onvoorwaardelijke sympathie. Dat gezegd hebbende, moet ik toegeven dat de andere hoofdpersoon Meredith, die onderzoek doet naar de componist Claude Debussy heel dicht bij me staat. In het verleden heb ik nooit veel van mezelf in mijn romanpersonages gestopt. Maar ditmaal zit er vrij veel van mezelf in Meredith. Haar temperament is niet hetzelfde, maar haar nieuwsgierigheid, haar belangstelling voor cultuur en muziek heeft ze met mij gemeen. Toen ik haar door Parijs liet lopen en naar de gebouwen met hun monumentale geschiedenis zag kijken, was het alsof ik naast haar liep. Ik wilde dat Meredith zou slagen en dat ze gelukkig zou worden. Leonie heb ik meer van buitenaf beschreven, zoals een moeder de verrichtingen van haar kind gadeslaat, met alle emoties die daarbij horen natuurlijk. Met Meredith kon ik me vereenzelvigen. Haar beschrijf ik dus van binnenuit. Ik houd van ze. Belangrijk, want ik breng een behoorlijke tijd van mijn leven met mijn karakters door. Als ik constant met een onsympathiek personage opgezadeld zou zitten, zou de depressiviteit op de loer liggen.

Hoewel mijn verhalen worden bepaald door de handelingen van mijn karakters, begint een verhaal voor mij bij de plaats waar alles zich afspeelt. Locatie en landschap zijn voor mij bijna even belangrijk als de personages. Het allerprilste begin van een verhaal vat post in mijn hoofd nadat ik bepaalde plekken heb gezien en daar een bepaald

"ik houd van mijn romanpersonages; gelukkig wel, ik breng veel tijd met ze door"

gevoel bij heb gekregen, zoals bij Carcassonne en Parijs. Ik ben zowel dol op wandelen in de natuur als op wandelen in de stad en ik raak gebiologeerd door allerlei details, een fraaie deur, een smeedijzeren hek, de ruwe of fraaie stenen van een huis. Parijs was voor mij de ideale achtergrond voor het begin van mijn boek. Ik ken Parijs niet zo heel erg goed, maar het is een stad die veel voor me betekent omdat ik mijn man er heb leren kennen. Dus al mijn associaties met Parijs hebben betrekking op hem en het is een romantische stad. Ik heb er met hem rondgezworven, om de haverklap een cafétje induikend voor een stuk stokbrood en een glas wijn. In *De vergeten tombe* wilde ik dolgraag over het Parijs schrijven zoals ik het heb gevoeld en meegemaakt."

Parijs was een groot cultureel Mekka waar artiesten en gewone mensen nauw met elkaar optrokken. Maar toch was het in de negentiende eeuw een gevaarlijke stad. Veel mannen liepen gewapend rond, er werden ongelooflijk veel straatovervallen gepleegd, Die sfeer, plus het onberedeneerbare geloof in geesten en spirituele zaken wilde ik beschrijven."

TAROT

In *De vergeten tombe* wordt de Amerikaanse Meredith op straat aangesproken door een jong meisje dat Meredith vraagt of zij haar toekomst wil laten voorspellen door middel van tarotkaarten. Als Meredith uiteindelijk haar kaart laat leggen, constateert ze tot haar schrik dat de afgebeelde vrouw op de kaart La Justice grote overeenkomsten vertoont met haar eigen uiterlijk. Gelooft Kate Mosse zelf in de voorspellende waarde van kaarten? "Ik ben in tarot geïnteresseerd sinds ik de James Bondfilm heb gezien met Jane Seymour als mooie kaartlezeres. En in die film was het een mooi bindend onderdeel in het verhaal. In de film gelooft Solitaire (Jane Seymour) dat haar kaarten de toekomst voorspellen. Dat heb ik niet, maar ik vind het wel bijzonder dat veel mensen heel erg ambivalent zijn ten opzichte van tarotkaarten. Ze geloven er niet in, maar tegelijkertijd

"ik ben in tarot geïnteresseerd na het zien van een james bondfilm"

zijn ze bang voor de doodssymbolen op de kaarten omdat ze toch wel eens ongeluk zouden kunnen brengen. Ik moet zeggen dat ik diezelfde reactie heb. Maar hoe kan dat? Hoe kan het dat ik me niet op mijn gemak voel als ik die symbolen zie terwijl ik niet in hun voorspellende waarde geloof? Het is onlogisch. Maar als schrijver heb je gelukkig de luxe dat soort vragen ter discussie te stellen zonder dat je ze hoeft te beantwoorden. Ik ben niet bijgelovig. Ik geloof dat we allemaal de kracht hebben om ons leven zelf vorm te geven. Maar tegelijkertijd weet je maar nooit. Om de tarotscène emotioneel correct te kunnen beschrijven ben ik zelf ook naar een tarotlezer geweest. Vreemd genoeg sloeg mijn hart op hol toen ik bepaalde kaarten zag. Ik had mezelf niet onder controle. De psyche van de mens is soms niet te vatten."

SPOOKVERHALEN

"Maar, voor alle volledigheid, *De vergeten tombe* gaat niet alleen over tarot, maar ook over geestverhalen. Ik wilde dat de lezer zich onbehaaglijk zou gaan voelen. Mijn doel was een spannend negentiende-eeuws spookverhaal te schrijven. Ik wil de lezer laten huiveren. Ik denk dat me dat gelukt is want tijdens het schrijven van het boek zat ikzelf af en toe ook te rillen. Ik ben dol op het vertellen van verhalen. Iedereen heeft behoefte aan verhalen. Het is een behoefte die nooit overgaat. Het leuke is dat de spannendste verhalen die verhalen zijn die over ongrijpbare dingen gaan. Dat er meer tussen hemel en aarde is, weten we allemaal, dat heb ik met mijn boek ook willen benadrukken. Als volwassenen hebben we leren accepteren dat niet overal een antwoord op is. Dat geldt ook voor de vraag of spoken bestaan. Hier aan tafel weten jij en ik dat ze niet bestaan, maar stel je bent alleen thuis, het is donker, je hebt kaarsen aan, de wind giert om het huis en je hoort plotseling verdachte geluiden, weet je dan nog zo zeker dat ze niet bestaan?" ∎

ROEL JANSSEN

" een **spannend** boek is eigenlijk een **sudoku** "

Roel Janssen leidt een schrijvend leven. Als redacteur van *NRC Handels-blad* scherpt hij dagelijks de pen, om in zijn vrije uren goed onderbouw-de financiële thrillers te schrijven. Vanaf zijn debuutroman *De struisvo-gelcode* (1997) schreef hij zes spannende boeken. Roel Janssen behoort tot de kleine groep topauteurs van thrillers die Nederland kent. Voor zijn boek *De tiende vrouw* kreeg hij in 2008 terecht De Gouden Strop. In zijn actuele thriller *De stem van het volk* beziet hij door een maatschap-pijkritische bril de manipulatie door politiek en media.

AFSPRAAK AAN DE AMSTEL

De afspraak is studentikoos. Roel Janssen en de interviewer mailen elkaar de attri-buten die hun herkenbaarheid moeten vergroten: Roel een bolhoed en de *Weekend* onder zijn arm, de verslaggever een witte anjer in het knoopsgat en duidelijk zichtbaar een *Financial Times*. Een rollenspel, een afspraak die geen afspraak is. Ook niet nodig. Op het zonovergoten terras van café Dantzig, op de hoek van het Amsterdamse Water-looplein en het Stoperagebouw, is Roel vanaf verre te herkennen. Een lange sportief geklede man, een baken in zee. Terwijl de eerste lentetoeristen in wankele bootjes voor-zichtig hun weg zoeken op de Amstel, spreken wij over Roels leven en werken.

Roel Janssen werd geboren in Enschede (1947). Hij studeerde sociologie in Amsterdam en Leiden. Daarna trok hij voor wetenschappelijk onderzoek naar Zuid-Amerika. Hij kon zijn verblijf bekostigen door af en toe voor *Haagse Post* te schrijven. "Ik was bezig met onderzoek. En dat duurde lang. Ik dacht: laat ik eens wat anders doen dat sneller gaat. Vanuit Zuid-Amerika stukjes gaan schrijven. Ik kreeg in die tijd honderd gulden voor een stukje. Dan was ik weer een stuk verder." Roel woonde twee jaar in Colombia waar hij onderzoek deed in de volksbuurten van Bogota. Een studie waarop hij promoveerde. Hij verhuisde naar Brazilië en later naar Bolivia. "In die tijd was ik correspondent voor de NOS, *HP* en *NRC Handelsblad*. In 1983 kreeg ik kans om als economisch redacteur op de redactie van de *NRC* te gaan werken. Dat heb ik gedaan. Zuid-Amerika missen? Ach, ik heb een fantastische tijd gehad. Die neemt niemand me af."

FINANCIEEL SPECIALIST

Vanaf 1992 is Roel Janssen ook commentator bij *NRC Handelsblad*. Zijn voornaamste taak is het hoofdartikelen te schrijven over financieel-economische onderwerpen. In de werkelijkheid schrijft hij over alles wat hem interesseert. Naast zijn werk als journalist wierp hij zich op als auteur van enkele non-fictie-boeken: *De vampier economie, Erger dan liefde* en *Grenzeloze economie*. Stuk voor stuk boeken over internationale economische onderwerpen. Toen Roel besloot zijn eerste thriller, *De struisvogelcode*, te gaan schrijven was dat dan ook uiteraard een financiële thriller. 'Ik schrijf over onderwerpen die me interesseren en waar ik verstand van heb. Dat was het geval bij de euro in *De struisvogelcode* en *Het Mercatorcomplot* en bij het biotechbedrijf dat naar de beurs gaat in *De kloonbaby* en ook in *Karaktermoord*. Internationale handel is een onderwerp waarover ik als journalist veel heb geschreven. Ik vind het een uitdaging om dan zo'n thema in een spannend verhaal te gieten."

In alle boeken laat Roel Janssen zich inspireren door de actualiteit. In *Karaktermoord* (2005) bijvoorbeeld door de onstuitbare opkomst van de Chinese economie. "Het is bloedspannend wat daar gebeurt en we hebben er in Europa direct mee te maken. Internationale handel, banenverlies en verzet tegen de globalisering zijn actuele onderwerpen. Voor dat boek was Crichton mijn inspiratiebron. Dat vind ik een vreselijk goede schrijver. Hij heeft laten zien hoe enorm groot de invloed van Japan is op de wereldmarkt. Door hem kreeg ik de inspiratie om te schrijven over de toenemende invloed van China op de wereldmarkt."

Ook Janssens prijswinnende boek *De tiende vrouw* is ingegeven door de actualiteit. "Mijn inspiratiebron voor *De tiende vrouw* was de alledaagse criminaliteit in Amsterdam. Ik liep met een vriend rond in Amsterdam en die wees me op het Damrak een paar panden aan die allemaal van criminelen zijn. Ik had daar geen idee van. Toen dacht ik: daar moet ik maar eens over schrijven. *De tiende vrouw* is

"de tiende vrouw gaat over het verschijnsel witwassen"

voor een deel een financiële thriller. Het gaat over het verschijnsel witwassen. En dat gebeurt op grotere schaal dan je denkt. En dan heb je het niet alleen over de criminaliteit. Alle grote internationale bedrijven hebben specialisten in dienst die zoeken naar methodes om met geld te schuiven, want het kan natuurlijk ook legaal."

MISDADIGERS EN ROMANPERSONEN

In *De tiende vrouw* komen tal van gebeurtenissen en personages voor die rechtstreeks ontleend lijken te zijn aan de werkelijkheid van alledag. Vastgoedhandelaren fungeren als de bankiers van de onderwereld, advocaten worden bedreigd en vermoord en afpersingen en liquidaties zijn aan de orde van de dag. De oppervlakkige lezer ziet ogenblikkelijk criminelen als Willem Holleeder, John Mieremet en Willem Endstra aan zijn geestesoog voorbijtrekken. Roel Janssen benadrukt dat het om romanpersonages gaat. "Mijn hoofdpersoon Eric Pincoff is verzonnen, al heb ik elementen van bepaalde personages aan hem toegekend. Zo is hij eigenaar van de jachthaven Marina in IJmuiden. Dat was Endstra ook. Hij zat er in ieder geval met veel geld in. Ik heb in Eric Pincoff een combinatie van allerlei louche elementen samengebracht. Hij is de verbinding tussen de onderwereld en de bovenwereld. Maar de avontuurlijke journaliste Tessa die met Eric Pincoff meereist aan boord van zijn schip

Joyeuse is beslist geen Mabel. Zelfs geen parodie op Mabel. Daar is ze gewoonweg te saai voor. Veel te saai om als inspiratiebron te fungeren voor een avontuurlijk meisje in criminele kringen. De eurocommissaris Feldpath, die een verhouding heeft met Eric en die hem ruimhartig een garantstelling geeft voor ruim 183 miljoen, daar zou je inderdaad Neelie Smit Kroes in kunnen zien. Zij is de vrouw die in een pand kantoor hield met de beruchte Paarlberg. Fictieve figuren zijn uiteraard ook de beroepscriminelen Willem Lodderer en Sjon Mulzenman, die in het boek proberen

"tessa is te saai om een parodie op manel te zijn"

de hoofdpersoon Eric te chanteren en af te persen. Willem is daarbij uiterst rechtlijnig en gewelddadig terwijl Sjon wordt afgebeeld als een man die allerlei zaakjes in Thailand heeft en die uitsluitend seksistische grappen maakt. Ze doen weliswaar denken aan Holleeder en Mieremet, maar toch is *De tiende vrouw* absoluut geen sleutelroman."

INFORMATIE

In de vorige boeken van Roel Janssen kwam altijd een royale dosis informatie op de lezer af. Soms te veel volgens vermoeide critici, die de complexiteit van zijn boeken hekelden. Roel Janssen kan zich daar bijzonder kwaad om maken. "Als schrijver moet je niet bang zijn om ingewikkelde dingen aan te pakken. Mijn vorige boek *Karaktermoord* was volgens *VN* te ingewikkeld. Dat is kwetsend. Een auteur mag inhoudelijk toch best wat dieper gaan. Crichton schreef over nanotechnologie en het boek werd een succes. Waarom zijn wij in Nederland toch altijd bang voor een beetje inhoud? Daar moet je niet te kinderachtig in zijn. In *De tiende vrouw* heb ik me ingehouden. Dat kon omdat dit boek zich ervoor leende. Witwassen is een alledaagse financiële transactie, waarvan ik de mechanismen uitleg, maar dat hoeft niet in honderd ingewikkelde pagina's. Maar ik snap die selectieve kritiek niet. Crichton heeft een boek geschreven met voetnoten. Tientallen verwijzingen. Met alle respect voor Dan Brown, die geeft enorm veel informatie over de Maria-cultus. Dat vinden we allemaal schitterend. Dat is informatie op het obsessieve af, maar ja, je moet het doseren."

LEERPROCES

"Schrijven is in eerste instantie een kwestie van discipline. Computer aan, gaan zitten en schrijven. Maar het is ook een ambachtelijk iets. Ik heb door mijn vorige boeken beter leren schrijven. Je leert van je eigen fouten, je leert van kritiek en je leert soepeler met de materie omgaan. Je routine wordt groter, je kunt gemakkelijker plotelementen verzinnen. In principe zou het dus gemakkelijker moeten gaan. Het tegendeel is waar. Het wordt steeds moeilijker. In mijn eerste boek weet je vanaf het begin wie de goede is en wie de kwade. Tenminste wat betreft de personages die essentieel zijn voor de plot. Maar het wordt steeds leuker. Ik heb steeds meer plezier tijdens het schrijven. Vaak weet ikzelf niet hoe het eruit gaat zien als ik begin met schrijven en vaak ben ik zelf aangenaam verrast door wat er op papier komt."

STEM VAN HET VOLK

De stem van het volk is een boek dat stevig leunt op zaken als het populistische verschijnsel Rita Verdonk, witwassende projectontwikkelaars, kleine Marokkaanse straatcriminelen en blaaskakende media die 'nobodies' zonder inhoud tot 'somebodies' verheffen. Rumoer wordt gecreëerd, bevolkingsgroepen aan de schandpaal genageld en de oplossing moet komen van de winnares van een niemendallige talentenjacht op tv. Het gevolg is dat een voormalige schoenenverkoopster uit de Achterhoek wordt gepromoveerd tot spraakmakend, sexy politica die geacht wordt de stem van het volk te vertolken. Want de stem van het volk moet worden gehoord. De belangen zijn groot. Roel Janssen is gefascineerd door het verschijnsel: "Doordat ik lang in Zuid-Amerika gewoond heb, ben ik gefascineerd geraakt door het verschijnsel van het populisme, zeg maar een politieke beweging bestaande uit één persoon die zich beroept op zijn/haar band met het volk. Nederland heeft daar nooit zoveel mee te maken gehad, maar sinds de komeetachtige opkomst van Pim Fortuyn is het ook een Nederlands verschijnsel geworden. De SP van Jan Marijnissen, Rita Verdonk en haar beweging TON en natuurlijk Geert Wilders met zijn PVV zijn er voorbeelden van. De inspiratiebron om iets te verzinnen met Eva Peron was de televisieshow *Op zoek naar Evita* die in de tweede helft van 2007 werd uitgezonden. Het ging om de ster voor de musical Evita, maar die musical is gebaseerd op het leven van Eva Peron in Argentinië. Het was een kleine stap om te verzinnen: waarom zou je de musicalster met een tv-show kiezen, en niet een politica die is gemodelleerd naar de echte Evita."

POLITIEK ALS ENTERTAINMENT

De stem van het volk is voor de afwisseling geen financiële, maar een politieke thriller. "Ik probeer de politieke actualiteit van Nederland en de reuring in de samenleving over immigratie, straatgeweld en politieke onvrede te vertalen in een spannend verhaal. Zonder me daarbij uitdrukkelijk te baseren op de echte politici van dit moment, al zitten er wel veel verwijzingen in die voor geïnteresseerden in de huidige politiek bekend moeten zijn. Ik geloof er overigens in dat de televisie van een eenvoudig personage iemand met (politieke) invloed kan maken. Toen ik midden in het schrijven zat, verscheen, uit de sneeuw van Alaska, Sarah Palin op het Amerikaanse politieke toneel. Niemand had ooit van haar gehoord en ze had geen snars verstand van politiek, maar ze was bijna de vice-president van de Verenigde Staten geworden en instant was ze wereldberoemd. Wat de populariteit van politici in Nederland betreft: ik vond het ongelooflijk wat Herman Meijer, de eindredacteur van *Pauw & Witteman*, een keer zei in een interview (met *de Volkskrant*): 'Politici hebben in een democratie de plicht acte de présence te geven in fora die ertoe doen. Zoals talkshows waar een miljoen kiezers naar kijkt.' Het is de omgekeerde wereld: de televisiemaker

"de tv heeft van politiek een vorm van entertainment gemaakt "

eist dat politici verschijnen in hun shows, omdat ze anders niet meetellen. Televisie is een vluchtig medium en televisie is in hoge mate vermaak en entertainment. Maar in Nederland hebben de omroepen de kunst om van een mug een olifant te maken wel tot heel grote hoogte opgepimpt. Ze zijn erin geslaagd om van politiek een vorm van entertainment te maken. Dat heb ik omgezet in de show 'Wie wil het volk?'. Ik wacht eigenlijk tot een omroepbaas me belt en zegt dat hij het idee van een tv-show om de politicus van het volk te kiezen, het volgende seizoen wil gaan uitzenden."

In *De stem van het volk* laat Janssen zich een aantal keren op cynische wijze uit over de toekomst van kranten. "De toekomst van kranten in Nederland is somber. Het is een combinatie van factoren. De ontlezing onder jongeren, de opkomst van internet en gratis nieuwssites, de toegenomen macht van elektronische media (de NOS combineert tv, radio en internet en biedt nu aan om kranten

"de toekomst van kranten in nederland is somber"

'te helpen'). Het allerergst is de schaamteloze manier waarop de eigenaren en directies van krantenconcerns hun producten hebben verkwanseld. Zonder een greintje gevoel voor de maatschappelijke betekenis van kranten als cultuurdragers hebben ze de bedrijven verkocht aan private investeerders die er alleen maar geld uit hebben gezogen. Je moet vrezen voor de toekomst van een aantal kranten in Nederland."

NA HET SUCCES...

Veel schrijvers hebben gezegd dat het moeilijk was om na een prijswinnend boek een nieuw boek te produceren omdat de verwachtingen extra hoog gespannen zijn. Hoe zit dat met Roel Janssen, na het winnen van De Gouden Strop? "Ieder nieuw boek is moeilijk. Schrijven is een complex proces: je moet een idee hebben, een plot ontwikkelen, personages verzinnen, én als het even kan ook nog goed schrijven. Een spannend boek is eigenlijk een sudoku. Soms ben ik wel eens jaloers op auteurs die met dezelfde hoofdpersoon werken, dat scheelt in ieder geval één factor in de puzzel. De Gouden Strop is ook een inspiratiebron en te midden van die stapels nieuwe titels bij de boekhandel scheelt het in naamsbekendheid. Maar bij ieder nieuw boek moet je weer vechten om aandacht, afwachten of de recensies een beetje aardig zijn en er het beste van hopen. Schrijver zijn is hartstikke leuk, maar het is vooral een hard ambacht." ∎

Mo Hayder

"ik zie **de wereld** het liefst uitsluitend via **discovery channel**"

Mo Hayder (1962) behoort tot de nieuwe lichting schrijfsters, onder wie Karin Slaughter en Chelsea Cain, die grof geweld niet schuwten. Vrouwen die vinden dat geweld onlosmakelijk verbonden is met de huidige maatschappij en daarom ook niet kan ontbreken in verhalen met een realistische toonzetting. Sinds haar debuutroman *Vogelman* (1999) uit 2000 heeft Mo Hayder zes bloedstollende thrillers geschreven waarin de verschrikkingen van de pijn de lezers veelal onrustige nachten bezorgden. Stuk voor stuk bestsellers, waaronder *De behandeling*, *Tokio*, *Ritueel* en *Duivelswerk*. Haar nieuwste thriller is *Huid*.

WERELDSCHUW

Ze is breekbaar smal, met lang blond haar en een fijnbesneden gezicht waarin zwaar opgemaakte ogen enigszins nerveus ronddwalen. Foto's mogen van haar gemaakt worden, zeker, maar liefst binnen in het schemerdonker en niet in de ruwe, genadeloze buitenwereld.

Aan die buitenwereld heeft ze een hekel, zo zal later blijken. Ze kan er moeilijk mee omgaan. Toch is de allervriendelijkste Mo voor haar doen redelijk ontspannen. Ze is, ontdaan van haar schrijfdiscipline, even vrij, al vergelijkt ze de reeks interviews die zij moet geven met het werk van een prostituee. "Elk uur een andere man." Interviews vindt ze moeilijk. Het is leuk om andere mensen te ontmoeten, maar het praten, dat verdraaide praten. "Praten is zo anders dan schrijven. De meeste schrijvers willen communiceren, maar door middel van wat ze schrijven en niet verbaal. "Ik ben geen uitzondering. Ik vind het heel moeilijk om te praten. Ik houd van schrijven."

Dat gezegd hebbende, blijkt Mo Hayder een vlot praatster, met een warme stem, die in mooi, accentloos Engels, fraai articulerend, haar zinnen formuleert.

Mo Hayder heeft volgens eigen zeggen een schizofreen verleden. "Ik ben geboren in Essex, ik ben dus een Essex girl, alhoewel die benaming in Engeland staat voor een voetballersvrouw, nouveau riche, veel geld, weinig stijl, meer geïnteresseerd in designers mode dan in het werkelijk leven. In dat opzicht ben ik geen Essex girl. Ik ben daar geboren, maar we woonden net buiten Londen. Daarnaast heb ik een groot deel van mijn jeugd in Amerika gewoond, in verschillende staten. Mijn vader was een wetenschapper die op diverse universiteiten gewerkt heeft. Ik heb in meerdere werelden geleefd en dat is voor een kind niet echt een prettige toestand. Ik voelde me ontheemd. Ik heb nooit een echt thuis gehad, een vast punt waar ik op kon bouwen. Helemaal nooit. Ik heb geen gemeenschapszin ontwikkeld. Het wisselde te veel. Ik woon nu ongeveer zes jaar in dezelfde stad en dat is de langste periode ooit. Maar ook dat is moeilijk. Het moeilijkst is om in een bepaalde plaats te wonen en je eigen fouten uit het verleden onder ogen te zien en bovendien elke dag geconfronteerd te worden met mensen die jou die fouten hebben zien maken. In dat opzicht is het gemakkelijker om steeds te verhuizen en jezelf steeds opnieuw uit te vinden. Dan hoef je de confrontatie niet steeds aan te gaan. Ik behoor niet tot het soort gelukkige mensen dat zich niets aantrekt van wat anderen zeggen en denken. Misschien ligt dat aan het feit dat ik het oudste kind was en oudste kinderen voelen zich vaak gebruikt omdat ze op verantwoordelijkheden en fouten worden aangesproken waar de andere kinderen geen last van hebben. Ouders stellen altijd de strengste eisen aan hun oudsten. Van hen verwachten ze het meest. Ik had constant het gevoel dat ik werd gadegeslagen en bekritiseerd. Dat al mijn handelingen door een vergrootglas werden bekeken. Daarom was het voor mij wel prettig om constant te verhuizen, dan werd er minder op mij gelet. Het was voor mij weglopen voor de werkelijkheid."

REBEL ZONDER BINDINGEN

Als consequentie van mijn verleden, zie je dat de karakters in mijn boeken ook nooit echte banden hebben met hun omgeving. Al mijn karakters zijn 'loners', eenlingen. Niet zozeer gekken of mensen met een afwijking, maar mensen die zich niet kunnen of willen binden. Wat dat betreft zijn mijn karakters totaal verschillend van die van Denise Mina, Dennis Lehane of Karin Slaughter, bij wie de karakters hun wortels hebben in een bepaalde omgeving. Zij zijn onderdeel van een gemeenschap. Maar mijn personages bevinden zich totaal aan de andere kant van de lijn. Het merkwaardige is dat de enige wortels, de enige binding, die ik had, mijn ouders, me benauwden. Daar wilde ik al op vroege leeftijd bij weg. Mijn ouders waren beiden academici. Zij verwachtten van mij dat ik ook naar de universiteit zou gaan. En ik had totaal geen interesse in studeren. Ik was een rebel. A rebel without a cause, zoals James Dean, om in filmtermen te praten. Als je ouder wordt, besef je alleen hoe onbeduidend je redenen om te rebelleren eigenlijk waren. Dus op mijn vijftiende ging ik van school met het gevolg dat ik maar weinig onderricht heb gehad. Ik heb van mijn veertiende jaar tot achter in de twintig geen boek gelezen, omdat dat me deed denken aan mijn jeugd waarin van mij verwacht werd dat ik zou lezen en leren. Dat was precies waar ik me tegen verzette."

> **"ik was een rebel; op mijn vijftiende ging ik van school"**

DE WERELD ROND

Toen ik het ouderlijk huis verliet, deed ik van alles. Ik leefde van de hand in de tand. Ik had vriendjes, zong in bands, stond achter de bar, waste af, was serveerster, dat soort dingen. Uiteindelijk begon ik te reizen. Ik liftte met een zware rugzak op mijn rug. Als ik er nu op terugkijk, deed ik het zonder het echt leuk te vinden. Ik was in die tijd altijd op zoek naar een nieuwe plek. Mijn droom was om zoveel mogelijk verschillende plaatsen in de wereld te bezoeken. Maar ik ontdekte dat geen enkele plek in werkelijkheid zo mooi was als ik me in mijn dromen had voorgesteld. Ik had steeds een filmdroombeeld van hoe plaatsen eruitzagen. Ik heb dat nog steeds een beetje. Zo leek het me onlangs leuk om te leren scubaduiken. Ik had op video beelden gezien van prachtige vissen in de mooiste kleuren, die door helderblauw water zweefden. Ik had beelden voor ogen van zonnige stranden en duiken vanaf mooie, wit gelakte boten. De realiteit was echter dat ik het vreselijk koud had, maar dat was niet vreemd, ik heb het altijd koud. Verder kreeg ik zout in mijn oren, ogen en haren en zat het duikerspak heel strak en oncomfortabel. Ik werd zeeziek op de boot, die overigens vies was en niet mooi wit. Het stonk naar vis. Ik vond het vreselijk. Ik ben nu op

"ik was altijd op zoek naar een nieuwe plek"

het punt aanbeland dat ik de schoonheid van de wereld het liefst zie vanaf de bank, kijkend naar mijn flatscreen met daarop de programma's van Discovery Channel. Echt waar. Ik ben stapelgek op de wereld via mijn televisie. Ik ben een keer op safari geweest in Zuid-Afrika. Daar hebben we honderden kilometers gereden om een luipaard te zien. Hij lag soezend onder een boom. Maar ik dacht: als ik nu naar Discovery Channel had zitten kijken, had de camera ingezoomd en had ik zijn ogen kunnen zien en zijn snorharen en iedere millimeter van zijn pels. Maar je moet het zelf meegemaakt hebben om te beseffen dat je op de televisie alles beter ziet dan in het echt. Ik neem het dan ook niemand kwalijk als hij/zij zijn gemakkelijke fauteuil niet meer uitkomt."

JAPAN

"Tijdens mijn vele reizen ben ik ook naar Azië geweest. Ik heb een tijd in Japan gewoond, een land met een bijzondere, exotische schoonheid. Voor een buitenstaander kan Japan uitsluitend visueel en oppervlakkig ervaren worden. Je kunt nooit deel uitmaken van de bevolking en je kunt het nooit doorgronden. De mensen zijn er ontstellend aardig en gastvrij, maar, uiteraard blijf je een gast. In de tijd dat ik in Japan was heb ik Engelse les gegeven. Leuk, maar ook vreemd. Leerlingen in Japan worden niet aangemoedigd om met hun leraren van gedachten te wisselen. De docent vertelt en de leerlingen leren klakkeloos wat er verteld wordt. Dus ik heb nooit enige feedback gekregen en nooit kunnen ontdekken hoe zij als individu waren. Verder ben ik in Japan gastvrouw geweest. Ik moest zakenlieden, soms ook gangsters, sigaretten en drankjes brengen, en samen iets met hen drinken of eten. Dus niet als een

"in Japan ben ik lerares en gastvrouw geweest"

veredeld soort prostituee. Van die periode heb ik veel geleerd. Het enige was dat ik natuurlijk altijd aardig moest zijn, ook tegen mannen tegen wie ik normaliter helemaal niet aardig geweest zou zijn, omdat ze dronken waren of onbehouwen. Maar het waren klanten. Door die baan heb ik wel meer van de Japanners leren begrijpen. Een deel van mijn ervaringen heb ik beschreven in mijn boek Tokio."

KANNIBALEN IN ANIMATIEFILMS

"Naast de ervaringen die ik in Japan opdeed, heb ik ook nog een tijdje geprobeerd om mezelf te bewijzen in de filmindustrie. Ik heb filmkunde gestudeerd aan The

American University in Washington DC en in mijn idealistische tijd wilde ik films maken om een groot publiek te laten zien wat voor misstanden er allemaal bestaan in de wereld. Met name de toestand in Birma wilde ik aan de kaak stellen. Toen ik tijdens mijn omzwervingen in Birma was, zag ik schrijnende hongersnood en tienduizenden mensen die in kampen waren samengeperst als kippen in een legbatterij. Elke dag stierven ze bij bosjes. Ik wilde de wereld veranderen door de waarheid te vertellen over Birma. Maar tijdens mijn filmopleiding besefte ik dat ik te veel een eenling ben om de productie van een film te kunnen organiseren en in teamverband een film te maken. Er bleef één mogelijkheid over: ik en de camera. En omdat ik slecht ben in communiceren, besloot ik geen acteurs te gebruiken maar poppen van klei. Ik ben toen klei-animatiefilms gaan maken. Maar op de een of andere manier eindigde het verhaal altijd met poppen die elkaars hoofd eraf trokken waarbij emmers bloed vergoten werden. Ik maakte heel gewelddadige, angstaanjagende animatiefilmpjes van vijf minuten. Ik heb er een award voor gekregen, maar toen de filmpjes aan een televisie-maatschappij werden aangeboden, kreeg ik een beleefde brief terug van de directeur, die me zei dat de filmpjes beslist kwaliteit hadden, maar dat hij bang was dat de kijkers het kannibalistische karakter niet zouden kunnen waarderen."

BOOS OP DE WERELD, IN *VOGELMAN*

Na de hele wereld rondgezworven te hebben, twaalf banen en dertien ongelukken te hebben ervaren, de smaak van liefde en verdriet te hebben geproefd, besloot Mo Hayder eind jaren negentig om haar eigen wereld te creëren. Een wereld waarin com-municeren alleen via het gedrukte woord zou gaan. Het werd geen opgewekte wereld omdat het wereldbeeld van Hayder in de loop der jaren de nodige deuken had opge-lopen. In haar debuutthriller *Vogelman* werden vijf jonge vrouwen ritueel afgeslacht en gedumpt op een braakliggend terrein. De jonge politieman Jack Caffery kreeg de taak op zich om de seksuele seriemoordenaar te pakken. "Het boek was voorbestemd om naargeestig van toonzetting te zijn, omdat ik vind dat de mens-heid door en door slecht is. Gedu-rende lange tijd heb ik een hekel gehad aan alles wat ik in de wereld zag en meemaakte. De wereld is

"de mensheid is door en door slecht"

wreed en afschuwelijk. Ik heb lang geworsteld om daarmee om te kunnen gaan. Mijn eerste boek, *Vogelman,* is dan ook vol haat en teleurstelling. *Vogelman* is de uiting van mijn boosheid op de wereld. Het is duidelijk dat ik al mijn emoties nog niet verwerkt had, anders had ik destijds op een afstandelijker manier kunnen schrijven. Maar ik zocht destijds een uitlaatklep om mijn woede kwijt te kunnen. En ik had geen voor-beelden van mensen die hun woede positief wisten om te zetten. Alles wat ik had gezien was onaangenaam, sterker nog, pure horror. Pas nu ik een dochter heb, veran-dert mijn wereldbeeld. Zij dwingt me om opener te zijn en de leuke dingen te zien. Het zou ook volstrekt egoïstisch zijn om me nu helemaal in mijn eigen gedachten en mijn werk terug te trekken. Zij dwingt mij niet langer de eenling te zijn die ik in wezen ben. Voor de eerste keer in mijn leven voel ik me ook een beetje normaal. Dat heeft ook een positieve weerslag op mijn schrijven. Ik word niet langer achtervolgd door demonen, door smerige, bloederige taferelen en horrorbeelden die ik in mijn verhalen vorm wil geven. Ik zou nu ook gewone romans kunnen schrijven waarin moorden en excessief geweld geen rol meer spelen."

GEWELD EN SEKS

"Ik schrijf inderdaad gedetailleerd over geweld op dezelfde wijze als ik een dames-theekransje zou beschrijven. Ik probeer met woorden dingen te visualiseren. Waarom zou ik geweld op een andere manier beeldend proberen te maken dan andere zaken? Ik beschrijf ook de omgeving, de kleding, het uiterlijk van karakters. Lezers moeten dat wat ik beschrijf voor zich kunnen zien. Het is natuurlijk afhankelijk van de smaak, de stijl en de discretie van de schrijver hoe gedetailleerd het geweld wordt beschreven. Maar ik ga ver, omdat ik geweld een afspiegeling vind van de maatschappij waarin we leven. Kijk, als ik over seks schrijf, hoef ik niet alles expliciet te schrijven. Alle lezers hebben seks gehad en ik hoef maar summiere verwijzingen te geven om de lezer de gebeurtenissen in zijn/haar fantasie te laten invullen. Met geweld is dat anders. Het geweld dat politiemannen soms aantreffen, zal de gemiddelde lezer nooit onder ogen krijgen. Daarom ben ik met geweld explicieter dan met seks. Niet dat het altijd nodig is: een voetafdruk van het monster kan angstaanjagender zijn dan het monster zelf. Maar het is gewoon mijn manier van schrijven, mijn handtekening. Geweld kan je op twee manier behandelen om een verhaal spannend te maken: door suggestie of door expliciete beschrijving. Tot op heden heb ik altijd

"met geweld ben ik meer expliciet dan seks"

gekozen voor de laatste optie. Natuurlijk is het geweld in mijn boeken voor veel lezers een vorm van entertainment. Het is voor hen de fantasiewereld van een boek. Maar ik probeer wel de mensen aan te zetten om na te denken over bepaalde zaken. Ik probeer geen frivool entertainment te bieden. Zelfs niet in de zin van het bieden van goedkope 'thrills' waar mensen behoefte aan blijken te hebben.

Mensen die spanning zoeken, zijn op een onbewust niveau bezig de grenzen van dood en leven te verkennen. Mijn boeken gaan over de donkere kant van het leven en ik hoop dat mensen erdoor gaan nadenken over dood en leven, over hun eigen sterfelijkheid. De dood is een volstrekt natuurlijk gegeven, maar het is een van de grootste taboes van onze tijd. Mensen praten er niet over. Mensen praten nooit over hun grootste angsten en dus ook niet over de dood. Waarom niet?"

BRITSE MISDAADROMAN

"Ik houd van realisme in misdaadromans. Neem bijvoorbeeld Wallander, diabeticus en gescheiden, een mens onder de mensen, wat zijn functie ook is. In wezen is mijn hoofdpersoon Jack Caffery ook een dergelijke antiheld met veel privéproblemen in het heden en in het verleden. Zijn demonen zijn ook een beetje mijn demonen. Je kunt het verleden niet altijd zomaar achter je laten. De Scandinavische schrijvers van nu worden luid bejubeld, omdat ze iets nieuws zouden brengen, een sociaal commentaar, maar in wezen schrijven ze de Britse misdaadromans van zo'n dertig, veertig jaar geleden. Misschien is het uit nostalgische overwegingen dat lezers hun boeken zo graag lezen. Veel van de Britse schrijvers van nu zijn bezig met Tomas Harris-achtige misdaadromans. Directer, gewelddadiger, realistischer."

HUID

De inspiratie voor *Huid*, het nieuwste boek van Mo Hayder, is gekomen in de vorm van een tweetrapsraket. "De allereerste inspiratie is inmiddels volledig verdwenen. Ik was erg geïnteresseerd in mensen die denken dat er iets mis is met hun uiterlijke verschijning. Ze denken dat ze te grote voeten of oren hebben en dat iedereen dat ogenblikkelijk ziet, terwijl er in werkelijkheid niets met hen aan de hand is. In hun hoofd neemt hun uiterlijke 'afwijking' echter monsterlij-

"illegale handel in lichaamsdelen"

ke proporties aan. Een serieus mentaal probleem dat ertoe leidt dat mensen het huis uitvluchten, in zichzelf snijden om het probleem op te lossen of de ene na de andere cosmetische operatie ondergaan om hun zogenaamde afwijkende fysiek te herstellen. Maar geen enkele operatie helpt omdat hun probleem uitsluitend mentaal is. En ik dacht: hoe vreselijk moet het zijn om in een dergelijke geestelijke dwangbuis te zitten? Met name vrouwen hebben er last van en veel van hen gaan over tot zelfverminking. Dat was de oorspronkelijke opzet voor mijn boek *Huid*, maar de opzet is compleet veranderd. Ik ben overgestapt op een verhaal waarin de illegale handel in lichaamsdelen een rol speelt en zo kom ik alsnog in een schoonheidskliniek terecht waar allerlei operaties worden uitgevoerd. En natuurlijk spelen er, zoals gewoonlijk, meerdere verhaallijnen waarin ook demonen uit het verleden aan bod komen. Ik mag me nu dan wel verzoend hebben met het leven, maar dat wil niet zeggen dat het verleden ook voorgoed verleden tijd is. Het slachtoffer van mijn verleden is natuurlijk mijn hoofdpersoon Jack Caffery die met zijn pijn van het verleden moet zien om te gaan. Schrijven is niet alleen communiceren met mijn lezers, maar ook een goede therapie." ■

Esther Verhoef

" ik schrijf vanuit **emotie**, ik houd niet van **vrijblijvendheid** "

Uiterst succesvol als fotografe, schrijfster van informatieve dierenboeken, keiharde misdaadverhalen en psychologische thrillers. Esther Verhoef is een veelzijdige vrouw die het succes aan haar kant heeft. Met *Rendez-vous* brak zij door bij het grote publiek. Daarna bleven de successen elkaar opvolgen: ook van haar boeken *Close-up* en *Alles te verliezen* werden honderdduizenden exemplaren per titel verkocht. Daarnaast mogen ook de keiharde actiethrillers die zij samen met haar man Berry, onder het pseudoniem Escober, schreef zich in een enorme belangstelling verheugen. Esther won twee jaar achter elkaar met grote overmacht de publieksprijs De Zilveren Vingerafdruk (*Rendez-vous* in 2006 en *Close-up* in 2007), werd drie keer genomineerd voor de NS Publieksprijs en de Gouden Strop, en twee keer voor de Vlaamse Diamanten Kogel, die zij in 2005 won. Bovendien mocht zij voor het CPNB het cadeauboekje *Erken mij* schrijven, dat tijdens De Maand van het Spannende Boek in een oplage van 833.500 exemplaren werd verspreid. Enkele jaren geleden verwisselde ze Nederland voor het prettige klimaat van Zuidwest-Frankrijk, waar zij samen met haar man Berry en hun drie kinderen aan een nieuw leven begon. Om praktische redenen is de familie echter weer teruggekeerd in het oude vertrouwde moederland.

INTROVERT

Alle keren dat ik Esther in schrijvend misdaadland ontmoet, ziet zij er apart uit. Altijd mooi, maar altijd anders. Haar voorkeur voor spijkerbroek en opvallende Spaanse laarzen, moet ter gelegenheid van fotoshoots of andere speciale evenementen vaak plaatsmaken voor een fraaie zwarte jurk. Haar gemoedsgesteldheid wisselt sterk met de verplichtingen die haar te wachten staan. Toespraken houden, prijzen overhandigen, poseren voor foto's, het is niet aan haar besteed. Zij is een schrijfster in hart en nieren die graag en vol passie over haar boeken praat, maar die in de spotlights onverwacht introverte trekjes vertoont. Het maakt haar alleen maar sympathieker.

Esther was al beroemd toen zij de wereld van de thriller binnenrolde. Jarenlang was zij professioneel dierenfotograaf. Haar werk werd gepubliceerd in tijdschriften en in haar eigen dierenboeken, maar was ook in trek als ansichtkaart, poster en vond z'n weg naar reclamebureaus en allerlei organisaties op dierengebied. Het vakblad *Zoom* ruimde een achttal pagina's voor haar werk in en noemde haar de expert op dit gebied. Esther kan gedreven vertellen over de speciale technieken waarmee ze moeilijke poezen en slaperige puppy's tegelijk op een originele manier op de gevoelige plaat wist vast te leggen. Het geheim: 'Think animal!' Naast auteur van dierenboeken en fotografe was Esther bijna ruim zes jaar (1999-2005) hoofdredactrice van het tijdschrift *Dier en Vriend*, tot het schrijven van spannende boeken haar in de greep kreeg: "Het was fantastisch en heel dankbaar werk, maar op een gegeven moment raakte de balans zoek. Jaar in jaar uit meer dan tachtig uur per week grotendeels in opdracht en voor een beoogde doelgroep schrijven en fotograferen is niet meer leuk. Op een gegeven moment ben je aan het produceren, niet meer bezield bezig. In de beginjaren kwam ik na een dag fotograferen thuis met enthousiaste verhalen en was ik over the moon als bepaalde foto's beter waren geworden dan ik had gehoopt. Later telde ik alleen nog het aantal bruikbare foto's die ik die dag had geschoten. Productie dus. Dan moet je op een bepaald moment de knoop doorhakken. Ik ben ermee gestopt en verdergegaan met het schrijven van fictie, spannende boeken. Ik zou nu geen dierenboeken meer kunnen schrijven, ik ben er al te lang uit. Ik geloof ook niet dat ik iets kan toevoegen aan wat ik al heb gedaan op dat gebied. Ik heb wel dertig keer geschreven hoe je een pup het beste zindelijk maakt. Voor mijn dierenfotografie gold eigenlijk hetzelfde als voor het schrijven. Eigenlijk wilde ik meer de kunstrichting op, maar de klanten wilden katjes in mandjes met bloemen. Geen creatieve fish eye-opnames of foto's van boze, oude, zieke, bizarre dieren. Ze wilden bruikbare, aaibare plaatjes. Van sommige opdrachtgevers kreeg ik de schets doorgemaild, ik moest alleen nog maar invullen, die foto maken. Er zat op een gegeven moment geen eigen invulling meer in."

NIEUWE CREATIEVE STAPPEN

Met meer dan acht miljoen verkochte dierenboeken wereldwijd en een bloeiend dierentijdschrift op haar conto, was het de vraag of Esthers thrillercarrière net zo succesvol zou worden. Het antwoord luidt bevestigend. Van haar psychologische actiethriller *Onrust* (2003) verscheen al binnen zes weken een tweede druk. De opvolger *Onder druk* (2004) won de Diamanten Kogel. Maar haar grote doorbraak naar het publiek kwam met haar psychologische thriller *Rendez-vous* (2006), die ging binnen de kortst mogelijke tijd 125.000 keer over de toonbank – de teller staat nu op 285.000. "Oorspronkelijk zat in mijn actiethrillers veel psychologie. Maar de boodschap werd niet opgepikt. Logisch misschien. In een actiethriller ga je veel schrappen om de vaart er maar in te houden, dus een beschouwing van een pagina snoei je terug tot een samenvatting van één, twee zinnen. In *Rendez-vous* heb ik het tegenovergestelde gedaan, de actie vermeden en alle ruimte en rust genomen. Dit keer werd het wel opgepikt."

In juli 2004 ging Esther met haar man Berry en hun drie kinderen in Frankrijk wonen. De ruïne van een oude wijnboerderij werd in tien maanden tijd omgebouwd tot een ideaal woon-, werk- en vakantiehuis. "We gingen voornamelijk naar Frankrijk omdat we weer eens wat anders wilden. Schrijven kan ik overal, dus werk hield me niet vast aan Nederland. Ik had ook genoeg van al die beklemmende regeltjes. We zochten ruimte en vrijheid en in Frankrijk vonden we die. Het was de bedoeling dat Berry er huizen ging bouwen, maar verder waren er geen vastomlijnde plannen. We zijn in de Dordogne terechtgekomen omdat we beiden van heuvels houden. Plat landschap

"in rendez-vous heb ik de actie vermeden"

kennen we al uit Nederland, bergen zijn leuk voor de vakantie, maar onpraktisch als je er woont en je elke dag diezelfde berg op en af moet. Verder wilden we meer zonuren, hooguit duizend kilometer van Nederland en rustig, maar wel in de buurt van een stad wonen. In Frankrijk ben ik *Rendez-vous* gaan schrijven. *Rendez-vous* was in oorsprong een roman, maar op een gegeven moment kwam ik erachter dat een paar bouwvakkers die elke dag bij ons over de vloer kwamen, in de gevangenis hadden gezeten. Toen ontstond vanzelf het thrillerelement in het boek. Natuurlijk is *Rendez-*

vous een roman, fantasie, maar ik beschrijf wel veel dingen die ik zelf heb meegemaakt. Het gevoel van ontheemding, jezelf staande houden in een omgeving die je niet kent, nieuwe vrienden maken, maandenlang met z'n allen in een caravan wonen, de taal nog niet spreken – er gebeurde heel veel in een korte tijd. En ik heb er leren wassen en koken. Iets wat ik voor die tijd vrijwel nooit deed. Ik moest, zoals ik in *Rendez-vous* ook beschrijf, tussen de middag uitgebreid voor de bouwvakkers koken en was fulltimemoeder. Ik ontdekte kanten van mezelf die ik nog niet kende, ook nooit eerder had hoeven aanspreken. Het Franse

"verhuizing naar de dordogne"

avontuur heeft iets meer dan vier jaar geduurd, daarna zijn we teruggekomen. De combinatie bleek ondoenlijk. In 2007 reed ik 14 keer op en neer naar Nederland voor promotie, nominaties, etc. Ik was een maand per jaar kwijt aan alleen maar reistijd, en was alles bij elkaar drie tot vier maanden per jaar niet thuis. Dat kun je je kinderen niet aandoen. We moesten een keuze maken. Nu ligt de basis in Nederland, maar zijn we zo vaak als mogelijk is in ons huis in Frankrijk."

BEHOEFTE AAN AANDACHT

In Esthers succesroman *Rendez-vous* is de hoofdpersoon een aantrekkelijke huisvrouw die met haar gezin naar Frankrijk verhuist. Ontheemd, eenzaam, ver weg van alle zekerheden uit haar verleden. In Esthers latere boeken *Alles te verliezen* en *Close-up* is er ook sprake van vrouwelijke hoofdpersonen, dertigers, van wie de een snakt naar rust (Claire in *Alles te verliezen*) en de andere naar aandacht (Margot in *Close-up*). Het verhaal van *Close-up* draait om Margot, een eenzame jonge vrouw die slecht in haar vel zit en die zich vanuit dat gevoel van onbehagen op paden begeeft die ze anders niet bewandeld zou hebben. Margot is een dertiger die in een Brabantse provinciestad woont. Zij is dik en heeft gebroken met haar ontrouwe vriend John die haar vernederde. Margot is labiel, depressief en emotioneel. Daar komt verandering in als zij kunstfotograaf Leon leert kennen. Hij leert haar kennismaken met creativiteit en nieuwe vormen van seksualiteit. "Leon brengt haar eigenwaarde bij. Hij is weliswaar dwingend, maar hij zorgt er wel voor dat ze zich kan ontplooien. Door haar vertrouwen in Leon durft ze in het diepe te springen en haar oude leven en bekende waarden achter zich te laten om voor iets nieuws te kiezen. Daar is durf voor nodig, Margot kan veel meer dan ze denkt, zoals heel veel vrouwen."

Oplaaiende seksuele aantrekkingskracht speelt zowel in *Rendez-vous* als in *Close-up* een belangrijke rol. In *Rendez-vous* is de erotische spanning tussen de vrouw des huizes en de jeugdige bouwvakker, speels en lichtvoetig. Erotiek waar met name vrouwelijke lezers bij kunnen wegdromen. In *Close-up* is het seksuele spanningsveld tussen de hoofdpersonen Margot en Leon extremer, broeieriger, intenser en zowel voor mannen als voor vrouwen invoelbaar. De fotograaf Leon stelt seksuele eisen aan Margot, die haar ertoe dwingen de confrontatie met zichzelf aan te gaan. De sfeer doet sterk denken aan de film *9 ½ weeks* met Mickey Rourke en Kim Basinger. Toch is het boek niet op de film gebaseerd. Esther: "Ik had de film nooit gezien. Toen het boek af was, heb ik de film gehuurd, maar ik zie die overeenkomst niet. De relatie tussen mijn hoofdpersonen Leon en Margot gaat dieper dan alleen maar seks. Leon laat Margot andere mogelijkheden zien, helpt haar een beter zelfbeeld te ontwikkelen en geeft haar carrière een flinke boost. In het begin laat hij zich, zoals iedereen dat doet, van zijn beste kant zien. Dat er wrijvingen ontstaan is logisch. Margot en Leon zijn zo aan het pieken geweest dat hun dalen ook dieper worden dan doorsnee."

VOLG DE PRINS

Dat Margot in het vliegtuig op weg naar een eenzame korte vakantie in Londen meteen op de aantrekkelijke Leon valt en dat ze later, ondanks haar schuchterheid, contact met hem zoekt, doet vermoeden dat ook de moderne vrouw nog steeds op zoek is naar de prins op het witte paard. Esther gelooft dat het in de aard van de vrouw ligt: "Vrouwen hebben van nature een minder positief zelfbeeld dan mannen. Ze zijn complexer, onzekerder over hun lichaam en hun carrière dan mannen. Negatieve signalen uit hun omgeving raken hen harder. Volgen kan een manier zijn om je staande te houden, om in te passen. Dat zie je ook bij vrouwen onderling. De meest bijdehante tante geeft leiding. De anderen nemen haar mening over, ook al is die niet automatisch hun mening. Ik doe het zelf ook. Ik zat in een televisiequiz en ik wist dat het antwoord A was. Maar iemand naast me zei met zulke grote stelligheid B, dat ik ook antwoord B gaf. Natuurlijk is het ook een vorm van gemakzucht. Laat iemand anders maar beslissen, dan hoef ik me daar alvast niet druk over te maken. Niet dat mannen per definitie leiders zijn, maar ze roepen net iets harder en vrouwen leggen zich graag neer bij die rolverdeling."

"Vrouwen hebben een minder positief zelfbeeld dan mannen"

Een leven zonder schrijven lijkt Esther ondenkbaar. "Ik heb vanaf mijn prilste jeugd geschreven, elke dag, het is een innerlijke drang. Ook toen schreef ik al 's nachts. Berry schrijft overdag, maar dan gebeurt er bij mij weinig. Ik ben een nachtmens, altijd al geweest. Pas na elf uur, als alles rustig en stil is, raak ik op dreef. Ik schrijf intuïtief, vanuit een buikgevoel. Als het heel goed gaat, lijkt het alsof het schrijven losstaat van degene die ik in het dagelijkse leven ben. Ik schrijf geen van tevoren uitgedacht verhaal, maar begin met scènes en dialogen, van alles en nog wat, zonder vastomlijnd plan. Dat verhaal komt later wel, ik durf er na acht boeken nu onderhand wel op te vertrouwen dat hetgeen ik schrijf vanzelf samenhang krijgt. Als ik in die sfeer ben, gaat het schrijven automatisch, het kost geen moeite. Als er geen inspiratie komt dan kan ik wel ophouden want dan wordt het helemaal niets. Ik schrijf vrijwel altijd op muziek. De nummers passen qua sfeer bij de scènes of bij een personage, ik ben ook behoorlijk veel tijd kwijt met uit te vinden of een bepaald nummer 'werkt' of niet. De muziek kan van alles zijn, van trashmetal tot dance, maar heeft vaak een melancholische ondertoon. Ik omarm melancholie. Ik kan meestal goed schrijven vanuit dat gevoel. En reizen is al even noodzakelijk. Voor *Close-up* ben ik naar Londen geweest om inspiratie op te doen, voor *Ongenade* naar München en voor *Erken mij,* het boek dat ik voor de CPNB mocht schrijven, zijn Berry en ik naar Parijs geweest. Het gaat om de sfeer, niet zozeer om concrete zaken. Research doe ik meestal later, als het intuïtieve schrijven erop zit. Werkdiscipline heb ik daarentegen niet nodig. Als je iets doet wat je met heel je hart en ziel wilt doen, is discipline geen noodzaak "

ESCOBER

Esther heeft wat schrijven betreft een dubbeltaak in het gezin Verhoef. Naast de thrillers onder haar eigen naam, schrijft ze samen met echtgenoot Berry onder het pseudoniem Escober keiharde actiethrillers. Het eerste resultaat van die samenwerking verscheen in 2003 onder de titel *Onrust*, een jaar later gevolgd door *Onder druk* (2004), dat de prestigieuze prijs De Diamanten Kogel won. Het slot van de trilogie heette *Ongenade*, met de complexe Sil Maier in de hoofdrol. Dat de hoofdpersoon qua uiterlijk doet denken aan de stoere, sportief ogende Berry, berust uiteraard louter op toeval. Door de enorme populariteit van Esther dreigt Berry wel eens naar de achtergrond te verdwijnen. Het is niet iets waar hij mee zit. Esther en hij kennen geen gevoelens van afgunst. Daarvoor hebben ze te weinig geldingsdrang en zijn hun levens te verweven. Esther: "We hebben elkaar al zo'n 1/8 jaar geleden ontmoet." Berry: "In mijn studententijd woonde ik op kamers boven een winkel. Esther werkte daar in de weekenden. De studenten en het winkelpersoneel maakten gebruik van dezelfde keuken." Esther: "Dus op een dag zag ik Berry daar. En ik vond hem meteen fantastisch. Hij had toen wat meer haar, dat was toen mode in de jaren tachtig. Gebreide truien en lang haar, ja."

Onenigheid heeft het echtpaar eigenlijk nooit op het gebied van schrijven. Er is één simpele stelregel: Esther heeft de eindredactie. Als zij bij een bepaald onderwerp of een bepaalde scène niets voelt, kan ze er ook niet over schrijven. Berry is de plotter, degene die de losse scènes aan elkaar verbindt, het overzicht bewaart. Esther is degene die de sfeer en de scènes schrijft, het ritme bepaalt en voor de taalkundige eenheid zorgt. Het resultaat mag er zijn.

ACTIE EN GEWELD

Op zich is het bijzonder dat Esther in haar eigen romans de nadruk legt op de psychologie van de personages, terwijl ze in haar Escober-gedaante meer de nadruk legt op woeste actie en geweld. Zo wordt in *Ongenade* onder andere een scène beschreven waarin een vrouw keihard in haar buik wordt geschopt met inwendige bloedingen tot gevolg. Esther: "Ik heb van tijd tot tijd behoefte aan een harde actiethriller, zowel om te lezen als om te schrijven. Het is een veilige manier van thrillseeking. In *Ongenade* wordt een van de vrouwen behoorlijk hard aangepakt en die scène is vanuit de vrouw geschreven. Het was de eerste keer dat ik in zo'n vrouwelijke slachtofferrol kroop. Om die scène zo op te schrijven dat je hem als lezer ook meevoelt, moet je als schrijver voluit in dat personage kruipen. Met die ene scène ben ik bijna twee weken bezig geweest. Dan vraag je jezelf af waarom je zo diep moet gaan voor een boek. Maar het is nodig, want als het mij koud laat, zal het de lezer ook niet raken."

In *Ongenade* dwingen nietsontziende gangsters vrouwen om zich te prostitueren. Iets waar politievrouw Joyce tegen elke prijs iets aan wil doen. Esther: "Ik kan me de frustraties van Joyce ontzettend goed voorstellen. Daar wil ik niet mee zeggen dat Joyce alles zegt wat ik vind,

"gedwongen prostitutie is afschuwelijk, om gek van te worden"

want zo werkt het niet. Ik heb me tijdens het schrijven aan *Ongenade* verdiept in gedwongen prostitutie. Dat is om gek van te worden. Omdat die vrouwen zo bang zijn, durven ze geen aangifte te doen. Zonder aangifte geen zaak. Worden de vrouwen teruggestuurd naar hun land van herkomst, dan worden ze door corrupte ambtenaren vaak teruggebracht naar hun 'bazen'. Komen ze wel thuis dan blijkt dat hun familie hen niet meer wil zien, de schaamte is te groot. Gedwongen prostitutie is zoiets afschuwelijks, dat heeft ons allebei diep geraakt. Die scène waarin een van de hoofd-personen, van wie je hoopt dat er nooit iets verkeerds mee gebeurt, te pakken wordt genomen in dat bordeel, was plottechnisch niet nodig, maar ik wilde de lezer toch mee laten voelen hoe vreselijk de situatie is. Dat gaat het best met iemand om wie je gaandeweg bent gaan geven. Iemand met een gezicht."

HELD OF CRIMINEEL

Hoofdpersoon Sil Maier is sec gezien natuurlijk een moordenaar, maar hij heeft ook heel menselijke eigenschappen die hem interessant maken. "Ik denk dat iedereen wel in een lichte of zware mate een vorm van existentiële onrust heeft. Dat is uitver-groot in de persoon Sil Maier, met name in het eerste deel van de trilogie, *Onrust*. In standaardthrillers wordt de strijd tussen goed en kwaad beschreven, aan het einde overwint het goede. Ik vind het interessanter om de grenzen op te rekken, te kijken waarin mensen nog meegaan. Ik hoop tenminste dat mensen een Escober lezen en over bepaalde dingen gaan nadenken. Er is niet zoiets als volkomen goed en volkomen slecht. Ook criminelen zijn mensen. Ook goede mensen maken fouten waardoor ze anderen vreselijk kunnen benadelen. Kunnen lezers zich inleven in Sil Maier? Som-mige lezers zien Sil Maier als een held. Anderen zien een keiharde crimineel in hem, of een gevaarlijke gek. Ik ben er zelf ook nog niet uit wat ik van hem moet vinden. Hij is in elk geval interessant. Dat vind ik leuk."

KUNST EN KWETSBAARHEID

Op de covers van Esthers boeken staat prominent 'literaire thriller', een benaming die Esther meent daadwerkelijk vorm te geven: "Ik schrijf om dingen voor mezelf te structureren, om gedachten en emoties te kanaliseren. Schrijven is voor mij geen ambacht of iets wat je doet vanuit je denkpet; dat nadenken komt eigenlijk pas later, als het manuscript al zo goed als rond is. Bij het finetunen kunnen complete hoofd-stukken sneuvelen. Soms breng ik een pagina terug tot een paar zinnen. Omdat ik dan pas het geheel kan overzien, kan ik ook dan pas zien wat er te veel of te weinig aan is. Maar vooraf denk ik nooit echt na over een boek, ik kan het ook niet, al zou ik het soms willen. Ik moet het doen met wat er in me opkomt. Daar heb ik – zeker in het begin – weinig grip op. Schrijven is uiting geven aan een sterke innerlijke drang, ik word chagrijnig en onrustig als ik er geen gehoor aan kan geven. Zeker in de eerste stadia van een boek-in-wording moet ik mezelf terugtrekken uit het normale leven, zo min mogelijk afleiding hebben. In die zin dat mensen niet iets van me moeten verlan-gen, ik zou het liefst onzichtbaar zijn. Als ik schrijf, kom ik in diepere lagen, diepere dimensies terecht. Soms is dat zwaar, omdat je personages afschuwelijke dingen mee-maken. Ik doorleef die passages, voor mij worden het herinneringen. Dat heb ik zowel bij mannelijke als vrouwelijke personages, daarin is geen verschil. Mijn personages ontstaan gaandeweg, vaak zijn ze samengesteld uit eigenschappen van mensen die ik ken of heb gesproken, aangevuld met karaktertrekken of gedachtes van mezelf. Dat kan niet anders, denk ik. Je kunt jezelf niet helemaal uitvlakken tijdens het schrijven. Maar dat herken ik pas achteraf, op het moment van schrijven denk ik er niet bij na. Ik kan geen verhaaltje schrijven, ik moet het gevoel hebben dat het echt is. Volledig wegkruipen in die andere wereld en de gedachtewereld van dat personage, is een belangrijk onderdeel van het schrijfproces. Inleven. En vanuit emotie schrijf je nooit vrijblijvende dingen." ■